CAN

Y Cym ericaniaid

CANU CAETH

Y Cymry a'r Affro-Americaniaid

golygydd

DANIEL G. WILLIAMS

Gomer

Cyhoeddwyd yn 2010 gan Wasg Gomer,
Llandysul, Ceredigion SA44 4JL.

ISBN 978 1 84851 206 1

Dymuna'r cyhoeddwyr gydnabod cymorth
Cyngor Llyfrau Cymru.

Argraffwyd a rhwymwyd yng Nghymru gan
Wasg Gomer, Llandysul, Ceredigion SA44 4JL.

I'm rhieni

DIOLCHIADAU

Fe garwn ddiolch yn fawr i'r cyfranwyr i gyd am roi o'u hamser, eu profiad, a'u gwybodaeth wrth i mi lunio'r gyfrol hon. Rwy'n ddiolchgar hefyd i Bethan Mair yn Gomer am gefnogi'r syniad hwn ar y cychwyn, ac i Dylan Williams am ei amynedd a'i frwdfrydedd wrth lywio'r gyfrol drwy'r wasg.

Traddodwyd sawl un o gyfraniadau *Canu Caeth* ym Mhrifysgol Abertawe ym mis Mawrth 2007 mewn cynhadledd a drefnwyd gan CREW (Y Ganolfan Ymchwil i Lên ac Iaith Saesneg Cymru). Ni fyddai'r gynhadledd na'r gyfrol wedi digwydd heb gefnogaeth gyson a chyngor M. Wynn Thomas. Kara Massie a Simon Proffitt o gwmni dylunio Tir Glas a luniodd y poster trawiadol ar gyfer y gynhadledd, ac rwy'n ddiolchgar iddynt am ei addasu ar gyfer y clawr. Diolch hefyd i Kate Gibbs, Tudur Hallam, Jerry Hunter a Tomos Williams am fod mor barod eu cymorth wrth i mi drefnu'r gynhadledd a llunio'r gyfrol.

Bu Sioned yn gefn drwy'r cyfan, gan gadw llygad ar fy ngwaith golygyddol, ac mae'r diolch i Lowri a Dewi am ddioddef 'hen jazz dadi' mor llawen. Braf yw cael cyflwyno'r gyfrol i'm rhieni am feithrin y diddordebau cynnar a roddodd fod i'r llyfr hwn.

CYNNWYS

CYFLWYNIAD

> Nid oes gan y dyn gwyn, gwareiddiedig ddiwylliant heddiw,
> Yn benillion, ceinciau a dawnsiau fel y bu;
> Ac yn ei anniwylliant y mae'n benthyca diwylliant arall –
> Jas, sgiffl, sigl a swae y dyn du.

Gwenallt, *Gwreiddiau* (1959) [1]

> It is not as imitation Europeans, but as Africans, that we have a value. Yet the brains of the best Negroes have been applied to turning themselves into imperfect imitations of white gentlemen, while it has been left to the astute white man to pick up and profit by what has been cast aside. While Negro musicians have been labouring with Beethoven and Brahms – composers quite foreign to their temperament – Stravinsky has been borrowing from Negro melodies.

Paul Robeson, 'Negroes – Don't Ape the Whites' (1935)[2]

Tra bo'r agwedd tuag at anian a moesau 'y dyn du' yn gwbl wahanol yn y ddau ddyfyniad uchod, mae Gwenallt, y Cymro, a Paul Robeson, yr Affro-Americanwr, ill dau yn pryderu am 'fenthyca' diwylliannol. I Gwenallt, arwydd arall o wareiddiad ar gyfeiliorn yw'r duedd i droi at ddiwylliant y dyn du am ysbrydoliaeth. I Robeson, arwydd o gymhlethdod israddoldeb (*inferiority complex*) y duon yw eu tueddiad i droi at y traddodiad Ewropeaidd yn hytrach nag at eu diwylliant eu hunain. Byd-olwg hanfodol ramantaidd o ddiwylliant a fynegir yma, lle cysylltir diwylliannau unigryw â phobloedd neilltuol. Mae 'benthyca' felly yn berygl am ei fod yn gwanhau ac yn llygru purdeb 'ceinciau a dawnsiau' traddodiadau unigryw.

Mae'n hawdd gweld apêl syniadaeth o'r fath i leiafrifoedd sydd wastad mewn peryg o gael eu hamsugno gan y diwylliant dominyddol o'u cwmpas. Ofn Robeson oedd fod awydd yr Affro-Americaniaid 'to copy those with the desired status, is killing what is of most value – the personality which makes them unique'. Honnodd mai 'only those who have lived in a state of inequality will understand what I mean'.[3] Does dim rhyfedd felly iddo ymddiddori, yng ngeiriau ei fywgraffydd, 'in the ethnic insistence of the Welsh'.[4] Ac efallai mai Gwenallt yw prif ladmerydd yr 'ethnic insistence' hwnnw yn ein llenyddiaeth wrth iddo ganu am ddiwylliant Cymru fel 'hunllef yn dy wlad dy hun', ac wrth iddo ysgwyddo 'pwysau plwm' yr iaith ar ei ysgwyddau 'megis pwn' mewn byd sy'n ymseisnigo.[5]

Ychydig iawn o ddealltwriaeth o brofiad 'y dyn du' a fynegir yng ngherddi Gwenallt, ond mae cymharu profiad hanesyddol y Cymry â'r Affro-Americaniaid yn fodd o daflu golau newydd ar y math o genedlaetholdeb lleiafrifol a ymffurfiodd yn y bedwaredd ganrif ar bymtheg mewn gwladwriaethau nad oeddynt, er gwaethaf eu henwau – y 'Deyrnas *Unedig*' a'r '*Unol* Daleithiau' – yn unffurf. Mae'r tensiwn rhwng y llaweroedd (*pluribus*) a'r unigol (*unum*) wedi bod yn nodwedd gyfarwydd ar hanes cyfansoddiadol yr Unol Daleithiau, ond mae hefyd yn gamarweinol i gyfeirio at Brydain fel gwladwriaeth 'unedig' gan ei bod yn gartref i o leiaf bedair iaith unigryw, tair system gyfreithiol wahanol (yr Alban, Iwerddon, 'Cymru a Lloegr') ac, yn dilyn cyfres o frwydrau crefyddol yn ail hanner y bedwaredd ganrif ar bymtheg, yn cynnwys tair Eglwys wahanol o fewn ei ffiniau.[6] Os crëwyd yr Unol Daleithiau drwy ddileu'r boblogaeth frodorol, golygodd y tonnau parhaus o fewnfudwyr drwy gydol y bedwaredd ganrif ar bymtheg, a diddymu caethwasanaeth ym 1865, y byddai'r genedl yn ei diffinio ei hun yn bennaf mewn termau dinesig a gwleidyddol yn hytrach nag ethnig a diwylliannol. Y dimensiwn dinesig ar genedligrwydd a bwysleisiwyd hefyd wrth i'r Albanwyr, y Gwyddelod, y Cymry a'r Saeson uno o dan ymbarél 'Teyrnas Unedig Prydain Fawr ac Iwerddon'. Ond fel mae sawl sylwebydd wedi ei nodi, gall cenedlaetholdeb dinesig guddio tueddiad tuag at unffurfiaeth ddiwylliannol. Hynny yw, tra bo croeso i unrhyw un fyw ar y darn hwn o dir, rhaid iddynt siarad Saesneg. Tuedd lleiafrifoedd felly yw ceisio defnyddio cenedlaetholdeb fel amddiffynfa ar gyfer eu diwylliannau unigryw yn erbyn gallu'r diwylliant dominyddol i gymathu gwahaniaeth a dileu amrywiaeth.[7] Er gwaethaf y gwahaniaethau lu rhwng profiadau'r Cymry a'r Affro-Americaniaid, mae haneswyr Affro-Americanaidd a Chymreig wedi tueddu i wrthgyferbynnu cenedlaetholdeb diwylliannol a grëwyd fel modd o warchod natur unigryw y bobl a'u diwylliant, gyda'r broses o gymathu pobl yn enw 'Cynnydd'.[8] Nodweddir diwylliant y Cymry a'r Affro-Americaniaid fel ei gilydd gan dyndra rhwng y ddwy ysfa yma. I'r cymathwyr rhaid oedd mabwysiadu'r syniad o 'gynnydd' er mwyn codi eu pobloedd o dlodi ac anllythrennedd plwyfol i lwyddiant cenedlaethol ar lefel Brydeinig neu Americanaidd.[9] I genedlaetholwyr Affro-Americanaidd a Chymreig roedd y cymathwyr – a gynrhychiolid gan y ffigyrau poblogaidd tebyg 'Uncle Tom' a 'Dic Siôn Dafydd' – yn bradychu eu pobl ac yn tanseilio'r frwydr dros ryddid.

Y tensiwn hwn rhwng yr awydd i gymathu diwylliant dominyddol, a'r ymdrech i gynnal a meithrin diwylliant neilltuol, a arweiniodd y cymdeithasegydd Americanaidd Michael Hechter i awgrymu bod y gwledydd Celtaidd yn 'drefedigaethau mewnol'. Yng nghyflwyniad ei gyfrol arloesol a dadleuol, *Internal Colonialism*, nododd Hechter nad oedd ganddo unrhyw gysylltiad emosiynol na theuluol gyda'r gwledydd Celtaidd. Datblygodd ei astudiaeth yn hytrach o'r canfyddiad:

> Oppressed groups [in the US], particularly Blacks, had recently become politically mobilised. Initially, Black political organisations . . . were committed to the implementation and extension of Federal civil rights statutes, especially in the South. Their ultimate goal was the integration and assimilation of Blacks in American society.[. . .] By the middle of the decade, a deep split had emerged in the Black community between those traditionalists clinging to assimilation as their ultimate goal, and a younger, more militant group who, instead, argued for a radical separation of Blacks from white society and culture.[. . .] If the first position was assimilationist, the second came to be known as nationalist. While many white liberals were shocked at this turn of events, which they interpreted as an inverse kind of racism, it is clear that many minorities in history have made a similar voyage from assimilationism to nationalism, in fighting for greater influence within their societies.[. . .] Thus, while this problem might initially appear to be far removed from current American issues, I believe this to be a mistaken impression. In examining the interaction of Anglo-Saxon and Celtic peoples over the long run, these alternative

> strategies for the liberation of oppressed minorities – assimilationism versus nationalism – can be elaborated and analyzed in some detail.[10]

Eu sefyllfa fel lleiafrifoedd diwylliannol o fewn gwladwriaethau ehangach sydd efallai yn esbonio y 'benthyca' a fu ar ddiwylliant y 'dyn du' gan y Cymry.

Adlewyrchir agwedd Gwenallt at 'sigl a swae' cerddoriaeth gyfoes yn y modd y brawychwyd Ieuan Gwyllt yn y 1860au gan boblogrwydd y Christy Minstrels. Defnyddiodd Gwyllt dudalennau'r *Cerddor Cymreig* i rybuddio ei ddarllenwyr rhag gwrando ar gerddoriaeth a borthai 'y nwydau mwyaf llygredig', gan nodi:

> Nid gwlad y Negroaid ydyw Cymru; ac anghyfiawnder mawr a'n cenedl ydyw ceisio ei darostwng i sefyllfa gerddorol yr haner anwariaid hyny [*sic*].[11]

Nid 'Negroaid' oedd y Christy Minstrels wrth gwrs, ond gwynion wedi duo eu hwynebau. (Ceir trafodaeth bellach ar hyn yn fy mhennod i ar Paul Robeson yn y gyfrol hon.) Pardduo a gwawdio diwylliant yr Affro-Americaniaid a wnâi'r 'minstrels' ond dylanwad anwaraidd y 'dyn du' a wêl Gwyllt yn eu cerddoriaeth. Er eu hoffter o'r 'minstrels' bondigrybwyll, bu'r Cymry, fel y noda Jerry Hunter ac E. Wyn James yn eu cyfraniadau hwythau, yn ddiddymwyr blaengar ac yn ymgyrchwyr brwd yn erbyn caethwasanaeth. Ac fel y tystia ysgrifau Gwenno Ffrancon a Simon Brooks, mae ymateb y Cymry i ddiwylliant yr Affro-Americaniaid wedi bod yn dipyn mwy cymhleth nag a awgrymir gan agwedd ddibrisiol Ieuan Gwyllt a Gwenallt. Yn wir, mae llawer o awduron wedi gwneud defnydd llawer mwy cadarnhaol o ddiwylliant Affro-Americanaidd, ac wedi gweld adlewyrchiad o'u profiadau yn y diwylliant hwnnw. Yn ei gerdd 'Arwyr', er enghraifft, cofia Selwyn Griffith iddo dduo'i wyneb â'r 'blac-led' er mwyn dynwared y bocsiwr Joe Louis a oedd yn gymaint arwr iddo â'r Cymro Tommy Farr. Wrth dalu teyrnged i'w arwr yntau, gan nodi hefyd bwysigrywdd enwi i leiafrifoedd, noda Myrddin ap Dafydd mai 'boy' oedd y Cassius Clay ifanc – 'yn y bôn / yn Gassius, un o'r gweision', ond o 'gleisiau'r dyddiau pris da' fe hedfanodd Muhammad Ali – y 'pili-pala'.[12] I lawer o Gymry Cymraeg, fel y noda Simon Brooks, 'cenedl' yn ymladd am ryddid yw'r Affro-Americaniaid, ac mae'r agwedd honno'n amlwg iawn o gyfnod twf cenedlaetholdeb Cymreig o'r 1960au ymlaen. Cyflwynodd T. J. Davies ei fywgraffiad Cymraeg o Martin Luther King Jr ym 1969 i Gymru 'sydd yn deffro a llawer o sôn a thrafod y dyddiau yma gan Gymdeithas yr Iaith ac eraill am ddulliau di-drais'. Gobeithiai 'y bydd trafod ffordd Martin Luther King yn gyfraniad i'r drafodaeth' yng Nghymru, a datblygwyd y gymhariaeth hon yng ngherdd hir Gwyn Thomas a fu'n sail i ffilm rymus a oedd 'o ran naws a phatrwm a rhythm' yn ymdebygu i 'gyrddau efengylaidd Cymru mewn oes a fu'.[13] Mewn adolygiad nodedig ar gyfrol Ned Thomas *The Welsh Extremist* ym 1971, nododd y beirniad Raymond Williams fod gweithgareddau Cymdeithas yr Iaith yn perthyn i'r un ffenomen fyd-eang â chenedlaetholdeb Du mudiad 'Black Power'.[14] Pan ganodd y Trwynau Coch am 'Niggers Cymraeg' ar ddiwedd y saithdegau, awgrymu yr oedden nhw bod lle i gymharu profiad y Cymro Cymraeg sy'n 'gorfod siarad mewn ail iaith er mwyn cael rhyw fath o adwaith' â phrofiad yr Affro-Americaniaid o hiliaeth. Yn ôl Dafydd Elis-Thomas ar y pryd, dyma gân a ddywedodd fwy am gyflwr y genedl nag a ddywedwyd erioed yng ngholofn olygyddol *Y Faner*.[15] Yn ei gerdd hir a dadleuol 'The Road to Shiloh' mae'r Cymro-Americanaidd Jon Dressel yn mabwysiadu llais yr athronydd Affro-Americanaidd W. E. B. Du Bois, ac y mae band y Manic Street Preachers, y dramodydd Greg Cullen a'r awdur T. J. Davies i gyd wedi seilio gweithiau ar gysylltiadau Paul Robeson â Chymru.[16] Bu Steve Eaves yn cymharu'r 'Nigger-boy' gyda'r 'Cymro' yn yr wythdegau, tystiodd storïau Leonora Brito i'r modd y bu Affro-Americaniaid yn ddylanwadau canolog ar y broses o greu hunaniaeth i'r Cymry Du yng Nghaerdydd, ac mae nifer o ysgrifau'r gyfrol hon yn disgrifio llu o ddylanwadau Affro-Americanaidd eraill ar wleidyddion a llenorion blaenllaw Cymru.[17]

Nid oes unrhyw beth neilltuol Gymreig am hyn. Oherwydd i'r frwydr dros hawliau sifil yr Affro-Americaniaid ddigwydd gael ei hymladd yn nghenedl fwyaf dylanwadol y byd, fe'i darlledwyd ar y cyfryngau torfol gan ddod yn destun edmygedd ac ysbrydoliaeth i leiafrifoedd ar draws y ddaear. Ar ei waethaf, gall defnydd y Cymry o brofiad yr Affro-Americaniaid fod yn ddull amrwd a di-chwaeth o ddyrchafu'r profiad cymharol gyfforddus Cymraeg neu Gymreig drwy ei bortreadu yn nhermau dramatig hiliaeth yr Unol Daleithiau. Os nodweddir y Cymry gan 'gymhlethdod israddoldeb' yn ôl rhai, yna rhaid gochel hefyd rhag 'gymhlethdod y dioddefydd' (*victim complex*). Ond hwyrach fod rhywfaint o sail i'r gymhariaeth a roddodd fod i'r gyfrol hon, oherwydd bu i rai Affro-Americanwyr gymharu eu profiad hwythau â phrofiad y Cymry.

Yr enwocaf o holl Affro-Americaniaid y bedwaredd ganrif ar bymtheg oedd y cyn-gaethwas a'r diddymwr (*abolitionist*) blaenllaw Frederick Douglass. Douglass oedd awdur y mwyaf dylanwadol o'r llu o 'slave narratives' a ymddangosodd yn y blynyddoedd cyn Rhyfel Cartref America, ac sy'n cael eu trafod yng nghyfraniad Bill Jones a David Wyatt i'r gyfrol hon. Yr oedd sôn ar led mai ffugio bod yn gyn-gaethwas yr oedd Douglass, a rhai'n gofyn sut y gallai caethwas ffoëdig feddu ar y gallu rhethregol a ieithyddol a oedd mor amlwg yn ei ysgrifau. Er mwyn profi gwirionedd ei hanes aeth Douglass ati yn ei hunangofiant cyntaf i enwi pobl, llefydd a dyddiadau, gan beryglu'i fywyd ei hun, oherwydd pe bai ei gyn-feistri yn ei ddal gellid ei gipio yn ôl i gaethwasanaeth yn nhaleithiau'r De.[18] Oherwydd y bygythiad hwnnw y dihangodd Douglass i Brydain ac Iwerddon rhwng 1845 ac 1847, gan ymweld â Wrecsam mewn cyfarfod enfawr dros achos diddymiaeth a gynhaliwyd ar y nawfed o fis Hydref 1846.[19] Yn wir, fe ymwelodd sawl cyn-gaethwas â Chymru, i godi arian ar gyfer y frwydr yn erbyn caethwasanaeth, gan gynnwys Moses Roper a Samuel Ringgold Ward.[20] Ac fel y noda Bill Jones a David Wyatt yn eu pennod, bu i o leiaf un hanes caethwas gael ei ysgrifennu a'i gyhoeddi yng Nghaerdydd. Wedi dychwelyd i'r Unol Daleithiau aeth Frederick Douglass ati i greu papur newydd ar gyfer hybu'r mudiad gwrth-gaethwasaidd. Yn y *Frederick Douglass' Paper* ym mis Medi 1854 cyhoeddodd Douglass adroddiad ar nifer o gyfarfodydd gwrth-gaethiwol oedd wedi eu cynnal yn Oneida County, Talaith Efrog Newydd, gan nodi: 'one of the best meetings of the series was held in Waterville New York. There are in Waterville a considerable number of Welsh, who are to a man, go-ahead abolitionists'.[21] Yn Nhachwedd 1854, cyhoeddwyd y geiriau canlynol yn y *Frederick Douglass' Paper*:

> We have made more than one resolution (somewhat in vain, we must confess) not to increase our list of Exchanges; but we cannot deny ourselves the gratification of sending our paper (as requested) to the Editor of *The American Messenger* [cyfieithiad o *Y Cenhadwr*

> *Americanaidd*] and at the same time, of expressing our satisfaction at learning that there is, at least, one "purely Anti-Slavery Paper" published by the Welsh people of this country. This is as it should be. It is consistent that a people who have loved freedom so much, for themselves, should lend their efforts towards obtaining it for others. It is, at once, the pride and the boast of the Welsh people that they were never conquered. From their earliest hours, their stern and hardy ancestors inhaled the breath of Freedom in their mountain homes; dearly they loved and highly they prized this Heavenly boon; and when the invader sought (and vainly sought) to wrest it from them, they knew how to struggle, how to suffer and how to die but, never how to surrender. They were ever an indomitable race as unyielding as their native storms and as free as the winds of Heaven. Time was when the now vaunting Anglo-Saxon bent his neck before the conquering Norman, and wore the badge of serfdom but time never was when a Welshman wore chains, or called any man his master.[22]

Papur a grëwyd gan Robert Everett oedd *Y Cenhadwr Americanaidd*, a cheir tipyn o hanes y dyn nodedig hwn, a'i ymdrechion i hybu diddymiaeth ymhlith Cymry America, ym mhennod Jerry Hunter.[23] Roedd Douglass felly yn ymwybodol o fodolaeth y wasg Gymraeg yn America, ac yn hapus i hyrwyddo yn ei gyfnodolyn gyhoeddiadau Cymraeg oedd yn pledio achos diddymiaeth. Cyfeiriodd at *Y Cenhadwr Americanaidd* fel 'our Welsh friend' gan resymu bod angen 'an interpreter before we can converse with him'.[24]

Ymladd am gydraddoldeb i'r Affro-Americaniaid yr oedd Douglass, a thueddir erbyn hyn i'w weld fel prif ladmerydd cydraddoldeb cymdeithasol a chymathiad diwylliant a hil. Tueddai, fel llawer o Gymry Oes Fictoria, i ystyried mai 'trefn fawr rhagluniaeth', chwedl Samuel Roberts, Llanbrynmair, oedd gwneud cenhedloedd y ddaear 'oll yn un'.[25] Er mwyn gwireddu hynny byddai'n rhaid diosg gwahaniaethau diwylliannol, ac yn wir fe ddadleuodd Douglass ym 1869:

> In Wales, and in the Highlands of Scotland the boast is made of their pure blood, and that they were never conquered, but no man can contemplate them without wishing they had been conquered. They are far in the rear of every other part of the English realm in

> all the comforts and conveniences of life, as well as in mental and physical development. Neither law nor learning descends to us from the mountains of Wales or from the Highlands of Scotland. The ancient Briton, whom Julius Caesar would not have as a slave, is not to be compared with the round, burly, amplitudinous Englishman in many of his qualities of desirable manhood.[26]

Os mai cred Douglass mewn cymathiad fyddai'n tra-arglwyddiaethu ymysg deallusion Affro-Americanaidd y bedwaredd ganrif ar bymtheg, roedd eraill, megis Martin Delany, yn dadlau (fel Michael D. Jones ac Emrys ap Iwan yng Nghymru) o blaid cenedlaethodlleb diwylliannol. Er iddo helpu Douglass i greu papur newydd *The North Star* ym 1847, dadleuai Delany, yn groes i'w gyfoeswr mwy adnabyddus, y byddai'n rhaid i'r Affro-Americaniaid ymfudo os oeddent am gynnal unigrywedd eu diwylliant a'u tras. Byddai Delany yn aml yn troi at leiafrifoedd Ewropeaidd wrth ddatbylgu ei ddadl:

> That there have in all ages, in almost every nation, existed a nation within a nation – a people who although forming a part and parcel of the population, yet were from force of circumstances, known by the peculiar position they occupied, forming in fact, by deprivation of political equality with others, no part, and if any, but a restricted part of the body politic of such nations, is also true. Such then are the Poles in Russia, the Hungarians in Austria, the Scotch, Irish and Welsh in the United Kingdom, and such also are the Jews scattered throughout not only the length and breadth of Europe but almost the habitable globe, maintaining their national characteristics, and looking forward in high hopes of seeing the day when they may return to their former national position of self-government and independence let that be in whatever part of the habitable world it may . . . Such then is the condition of various classes in Europe; yes, nations, for centuries within nations, even without the hope of redemption among those who oppress them. And however unfavourable their condition, there is none more so than that of the coloured people of the United States.[27]

Felly tra mai encilfan anwaraidd ac annatblygedig oedd Cymru i Douglass ym 1869, gosododd Delany y Cymry ymhlith lleiafrifoedd eraill Ewrop a oedd yn erfyn am 'waredigaeth'. Dyma enghraifft drawiadol o'r tensiwn rhwng cymathiadaeth a chenedlaetholdeb yn hanes deallusol yr Affro-Americaniaid.

Affro-Americaniad arall a syniodd am y Cymry fel lleiafrif o fewn cenedl-wladwriaeth ehangach, ac a ddechreuodd weld cymariaethau rhwng profiadau'r Cymry a'r Affro-Americaniaid, oedd y nofelydd Ralph Ellison. Ystyrir nofel Ellison *Invisible Man*, a gyhoeddwyd ym 1952, yn un o weithiau pwysicaf llenyddiaeth yr Unol Daleithiau, yn wir, fe'i hetholwyd yn nofel bwysicaf ail hanner yr ugeinfed ganrif a'i disgrifio fel 'the veritable *Moby Dick* of the racial crisis'.[28] Wrth ysgrifennu cyflwyniad newydd i'w nofel ym 1981, soniodd Ellison am ddatblygiad y nofel, gan ddweud hyn:

> During the same period I had published a story in which a young Afro-American seaman, ashore in Swansea, South Wales, was forced to grapple with the troublesome 'American' aspects of his identity after white Americans had blacked his eye during a wartime blackout on the Swansea street called Straight (no, his name was not Saul, nor did he become a Paul).[29]

Cyfeirio y mae Ellison at stori'n dwyn y teitl 'In a Strange Country', a gyhoeddwyd yn y *Negro Digest* ym 1944, ac a seiliwyd ar brofiadau Ellison ei hun pan laniodd yn Abertawe gyda'r 'Merchant Marines' yn ystod yr Ail Ryfel Byd.[30] Ysgrifennodd Ellison ddwy stori arall anghyhoeddedig am ei brofiadau yng Nghymru sy'n cynnwys sylwadau diddorol am Gymru ac am brofiadau'r GIs du.[31] Mae 'In a Strange Country' yn adrodd hanes Parker, milwr du sy'n glanio yn Abertawe. Ymosodir arno gan griw o filwyr Americanaidd gwyn cyn i Gymro ddod i'w achub a'i gario i mewn i dafarn. Wedi trafodaeth mae'r Cymry yn mynd â'r Affro-Americaniad i ymarfer eu côr. Mae tipyn o'r stori yn ymwneud ag ymateb Parker i'r gerddoriaeth y mae'n ei chlywed:

> And as the men sang in hushed tones [Parker] felt a growing poverty of spirit. He should have known more of the Welsh, of their history and art. If we only had some of what they have, he thought. They are a much smaller nation than ours would be, yet I can remember no song of ours that's of love of the soil or of country. Nor any song of battle other than those of biblical times. And in his mind's eye he saw a Russian peasant kneeling to kiss the earth and rising wet-eyed to enter into battle with cries of fierce exultation.[32]

Pan gludir Parker o ddüwch y *blackout* i mewn i'r dafarn yn gynharach yn y stori mae'n disgrifio'r golau yn taro'i lygad – 'when the light struck his injured eye, it was as though it were being peeled by an invisible hand'.[33] Archwilio'r haenau sy'n creu hunaniaeth gymhleth yr Americanwr Du a wna'r stori. Yr hyn sy'n ddiddorol yw ei bod yn gwneud hynny yn nrych y profiad Cymreig, a hynny'n sail i greu cysylltiadau ehangach gyda gwerinoedd y byd. Pan glyw Parker gân werin Gymraeg yn cael ei chanu gan y côr yn y dyfyniad uchod, daw delwedd i'w feddwl o 'a Russian peasant kneeling to kiss the earth and rising wet-eyed to enter into battle with cries of fierce exultation', wrth i Ellison greu cysylltiadau rhwng diwylliannau gwerinol. Daw'r stori i ben wrth i'r côr ganu 'Hen Wlad fy Nhadau', 'God Save the King', yr 'Internationale' a'r 'Star Spangled Banner'. Ymddengys, felly, fod yr hunaniaethau lluosog a goleddir gan y Cymry – o Gymreictod i Brydeindod i hunaniaeth sosialaidd ryng-genedlaethol – yn cynnig cyd-destun lle y gall Parker fyfyrio ar ei hunaniaeth ei hun.

Myfyrdod arall ar gymhlethdodau hunaniaeth yw nofel James Baldwin, *Tell Me How Long the Train's Been Gone* (1968). Leo Proudhammer, actor hoyw, Affro-Americanaidd, yw'r prif gymeriad. Daw Leo i sylw'r cyhoedd wrth iddo chwarae rhan y glöwr Cymraeg Morgan Evans yn nrama enwog Emlyn Williams, *The Corn is Green* (1938). Mae cynhyrchydd y ddrama yn disgrifo'r gwaith i Leo fel hyn:

> One of the things that's most impressed me in this country is the struggle of black people to get an education. I always think it's one of the great stories, and nobody knows anything about it. If there were a play on that subject, I'd probably do that. But I don't know of any, so I thought I'd try this experiment with this play. I think you'll see what I mean when you read it. I certainly hope you do. Very few of the elements in the play are really alien to American life.[. . .] I thought I'd take this play, this mining town situation, with no comment, so to say, only making the miners and servants, people like that, black. It's true that the play takes place in Wales, but I think we can make the audience forget that after the first few minutes, and hell, anyway, there are black people in Wales. And I figured we'd let the Negro kids improvise around the stretches of Welsh dialogue – dialect really – and of course we've got tremendous musical opportunities with this play.[34]

Drama led-hunangofiannol yw *The Corn is Green* wedi ei seilio ar stori *Pygmalion*. Mae Miss Moffat, aelod ecsentrig, dyngarol, o'r dosbarth canol Seisnig yn addysgu'r glöwr disglair Morgan Evans i godi o gyfyngiadau ei fywyd Cymreig gan ei baratoi i astudio ym Mhrifysgol Rhydychen. Does dim arwydd amlwg o feirniadaeth yn y ddrama ac ymddengys ar yr wyneb fod Emlyn Williams yn cymeradwyo gweledigaeth Miss Moffat. Does dim arwydd ychwaith o ddiwylliant bywiog y werin Gymreig yn y ddrama, ac oherwydd hynny, fel y noda M. Wynn Thomas, ymddengys y broses o wrthod y diwylliant gwerinol Cymreig gan goleddu'r diwylliant aruchel Seisnig fel un gymharol esmwyth a chyfan gwbl fanteisiol.[35] Eto i gyd, mae'r cyfeiriad at *The Corn is Green* yn nofel James Baldwin yn tynnu ein sylw at oblygiadau gwleidyddol drama sy'n ymwneud yn ganolog â chwestiwn hunaniaeth, a'r berthynas rhwng diwylliannau mwyafrifol a lleiafrifol. Ac fel y noda Gareth Miles yn ei ysgrif yntau yn y gyfrol hon, bu i Baldwin gyfeirio at Gymru wrth drafod gwahaniaethau ieithyddol hefyd gan weld cymaraeithau rhwng profiadau y lleiafrif Cymraeg ym Mhrydain a phrofiad y lleiafrif Affro-Americanaidd yn yr Unol Daleithiau.

Nid oedd y broses o fenthyg, dylanwadu ac ymateb yn digwydd mewn un cyfeiriad yn unig felly, a gobeithiaf fod y cyflwyniad hwn wedi awgrymu rhywfaint o natur amlweddog y 'benthyca' a fu rhwng y Cymry a'r Affro-Americaniaid gan ennyn awydd i ddarllen mwy am y berthynas awgrymog hon. Bwriad y gyfrol hon, fel y gynhadledd a roddodd gychwyn arni, yw trafod a dadansoddi'r berthynas dan sylw, gan gyfrannu hefyd at barhad y ddeialog ddiwylliannol rhwng y Cymry a'r Affro-Americaniaid.[36] Tra bo *Canu Caeth* yn cychwyn gyda Gwenallt yn ymosod ar ddiwylliant 'y dyn du', mae'n cloi gydag Owen Martell yn ein gwahodd i ddewis record a chychwyn sgwrs. Os mai 'anniwylliant' oedd jazz i Gwenallt, cyfraniad pwysicaf yr ugeinfed ganrif i ddiwylliant y byd ydyw, ym marn golygydd anwar y gyfrol hon. Jazz fu'r sail i'm diddordeb i yn llenyddiaeth, hanes a syniadaeth wleidyddol yr Affro-Americaniaid, a'm dewis i o record fyddai albym arloesol y trwmpedwr Miles Davis, *Kind of Blue*. Wrth i mi gwblhau'r cyflwyniad hwn mae'n hanner canmlwyddiant cyhoeddi'r record, ac yn ugain mlynedd ers i mi weld Miles Davis yn Neuadd Dewi Sant, Caerdydd.[37] Roedd y frwydr dros hawliau sifil dan arweiniad Martin Luther King Jr yn ei hanterth ym 1959, ond record delynegol, brydferth, yw *Kind of Blue*. Dwi'n fawr o gynganeddwr, ond yn ysbryd teitl y gyfrol hon dyma ymgais i gyfleu rhywbeth o sŵn trwmped Miles Davis ar ffurf triban. Mae'r pennill yn cyfeirio at ddisgrifiad W. E. B. Du Bois o'r profiad Affro-Americanaidd fel byw y tu ôl i len, ac yn cilawgrymu'r cyd-destun hanesyddol yng nghri'r plentyn:

Wrth wrando ar ei drwmped,
Cri plentyn bach diniwed
Sy'n galw o'r tu ôl i'r llen –
Coeth awen 'rôl caethiwed.

Daniel G. Williams
Yr Alltwen, Rhagfyr 2009

NODIADAU

1 D. Gwenallt Jones, 'Epigramau' yn *Cerddi Gwenallt: Y Casgliad Cyflawn*. Christine James (gol.), (Llandysul: Gwasg Gomer, 2001), t. 213.
2 Paul Robeson, 'Negroes – Don't Ape the Whites' (1935), yn *Paul Robeson Speaks*. Philip S. Foner (gol.), (Llundain: Quartet Books, 1978) t. 92.
3 Ibid., t. 91.
4 Martin Duberman, *Paul Robeson* (Efrog Newydd: The New Press, 1989) t. 228.
5 Gwenallt, 'Cymru' yn *Y Casgliad Cyflawn*, t. 106.
6 Ar yr Unol Daleithiau gweler Werner Sollors, *Beyond Ethnicity* (Rhydychen: Oxford University Press, 1986). Ar Brydain gweler Richard Wyn Jones, 'In the Shadow of the First-born' yn J. Aaron a C. Williams, (goln.), *Postcolonial Wales* (Caerdydd: Gwasg Prifysgol Cymru, 2005) t. 28.
7 Ceir trafodaeth estynedig yn Daniel G. Williams, *Ethnicity and Cultural Authority* (Caeredin: Edinburgh University Press, 2006).
8 Am enghreifftiau gweler R. M. Jones, *Ysbryd y Cwlwm: Delwedd y Genedl yn ein Llenyddiaeth* (Caerdydd: Gwasg Prifysgol Cymru, 1998). Harold Cruse, *The Crisis of the Negro Intellectual* (1967. Llundain: W. H. Allen, 1969).
9 Ceir trafodaethau llachar ar hyn yn ngweithiau Hywel Teifi Edwards, yn arbennig *Codi'r Hen Wlad yn Ei Hôl* (Llandysul: Gwasg Gomer, 1990). Am gymhariaeth ddiddorol gweler cyfrol Kevin Gaines, *Uplifting the Race: Black Leadership, Politics, and Culture in the Twentieth Century* (Chapel Hill: University of North Carolina Press, 1996).
10 Michael Hechter, *Internal Colonialism: The Celtic Fringe in British National Development 1536-1966* (Llundain: Routledge, 1975) tt. xv–xvii.

11 Dyfynnwyd gan Meredydd Evans, 'Canu Jim Cro' yn *Detholiad o Ysgrifau*. Ann Ffrancon a Geraint H. Jenkins (goln.), (Llandysul: Gwasg Gomer, 1994) t. 291.

12 Selwyn Griffith, 'Arwyr', a Myrddin ap Dafydd, 'Newid Enw', yn Lowri Roberts, (gol.), *Canu Clod y Campau: Detholiad o Farddoniaeth y Maes Chwarae* (Llanrwst: Gwasg Carreg Gwalch, 2009) tt. 33, 37.

13 T. J. Davies, *Martin Luther King* (Abertawe: Gwasg John Penry, 1969) t. 11. Gwyn Thomas, *Cadwynau yn y Meddwl* (Dinbych: Gwasg Gee, 1976). Disgrifiad M. Wynn Thomas, 'America: Cân Fy Hunan' yn *Gweld Sêr: Cymru a Chanrif America* (Caerdydd: Gwasg Prifysgol Cymru, 2001) t. 22.

14 Raymond Williams, 'Who Speaks for Wales?' yn *Who Speaks for Wales? Nation, Culture, Identity.* Daniel Williams, (gol.), (Caerdydd: Gwasg Prifysgol Cymru, 2003) t. 4.

15 Trwynau Coch, *Rhedeg rhag y Torpidos* (Sain C786N, 1980). Dyfynnir Dafydd Elis Thomas yn Hefin Wyn, *Be Bop a Lula'r Delyn Aur: Hanes Canu Poblogaidd Cymraeg* (Tal-y-bont: Y Lolfa, 2002) t. 385.

16 Jon Dressel, *The Road to Shiloh* (Llandysul: Gomer, 1994) tt. 69–70. Manic Street Preachers, *Let Robeson Sing*, Epic Records, 2001. Greg Cullen, *Paul Robeson Knew My Father* yn Val Hill, (gol.), *Hijinx Theatre*, (Aberteifi: Parthian, 2006). T. J. Davies, *Paul Robeson* (Abertawe: Christopher Davies, 1981).

17 Steve Eaves, 'Nigger-Boy, John-Boy, Cymro', *Sbectol Dywyll*, Ankst, 1989. Leonora Brito, *dat's love* (Pen-y-bont ar Ogwr: Seren, 1995).

18 Frederick Douglass, *Narrative of the Life of Frederick Douglass an American Slave* (1845) yn *Autobiographies*. Gol. H. L. Gates Jr. (Efrog Newydd: The Library of America, 1994) tt. 1–102.

19 'Gwrth-Gaethwasiaeth – Cyfarfod Mawr Gwrexham', *Yr Amserau*, 22 Hydref, 1846, t. 2. Colofn 1.

20 Bydd trafodaeth ar hyn yn ymddangos cyn hir yn Daniel G. Williams, *Transatlantic Exchange: African Americans and the Welsh* (Caerdydd: Gwasg Prifysgol Cymru).

21 *Frederick Douglass' Paper* (Rochester, Efrog Newydd), 3 Medi, 1854. Ceir trafodaeth ardderchog ar berthynas Cymry America a Frederick Douglass yn Jerry Hunter, *Sons of Arthur, Children of Lincoln: Welsh Writing from the American Civil War* (Caerdydd: Gwasg Prifysgol Cymru, 2007) tt. 49–91.

22 'Y Cenhadwr Americanaidd. Remsen, N.Y.: J. R. Everett', *Frederick Douglass' Paper* (Rochester, Efrog Newydd), 3 Tachwedd, 1854.

23 Gweler hefyd, Jerry Hunter, *I Ddeffro Ysbryd y Wlad: Robert Everett a'r Ymgyrch yn erbyn Caethwasanaeth Americanaidd* (Llanrwst: Gwasg Carreg Gwalch, 2007).

24 'Literary Notices', *Frederick Douglass Paper*, 12 Hydref, 1855.
25 Gweler fy erthygl, 'Hil, Iaith a Chaethwasanaeth: Samuel Roberts a 'Chymysgiad Achau'', *Y Traethodydd*, Cyf. CLIX, Rhif 669 (Ebrill 2004) tt. 92–106.
26 Douglass, Frederick (1869) 'Our Composite Nationality' yn *The Frederick Douglass Papers. Series One: Speeches, Debates and Interviews*. John Blassingame, (gol.). Cyf. 4 (New Haven: Yale University Press, 1979) tt. 254–5.
27 Martin Delany, *The Condition, Elevation, Emigration and Destiny of the Colored People of the United States Politically Considered* (Philadelphia: Cyhoeddwyd gan yr Awdur, 1852) tt. 12–13.
28 F. W. Dupee, 'On *Invisible Man*', *Washington Post* (26 Medi, 1965) t, 4.
29 Ralph Ellison, 'Introduction', *Invisible Man* (1952 Efrog Newydd: Vintage, 1995) t. xiv.
30 Ralph Ellison, 'In a Strange Country' yn *Flying Home and Other Stories*. Gol. John F. Callaghan (1996. Llundain: Penguin, 1998) tt. 137–46.
31 Mae sawl fersiwn o 'The Red Cross in Morriston, Swansea, S.W.' a 'A Storm of Blizzard Proportions' ymhlith papurau Ellison yn Llyfrgell y Gyngres, Washington D.C.
32 Ellison, 'In a Strange Country', t. 142.
33 Ibid., t. 140.
34 James Baldwin, *Tell Me How Long the Train's Been Gone* (1968. Llundain: Corgi, 1970) tt. 352-3.
35 M. Wynn Thomas, *Internal Difference: Literature in Twentieth-Century Wales* (Caerdydd: Gwasg Prifysgol Cymru, 1992) t. 72.
36 Cynhaliwyd y gynhadledd 'Canu Caeth: Affro-Americaniaid a'r Gwledydd Celtaidd / Transatlantic Exchange; African-Americans and the Celtic Nations' ym Mhrifysgol Abertawe, 28 – 30 Mawrth, 2007. Ceir manylion cyflawn yma: http://www.swansea.ac.uk/CREW/Conferences/TransatlanticExchange/#d.en.20447
37 Daniel Williams, 'Miles am Byth', *Y Faner*, 12 Mai (1989) t. 8.

DADANSODDI 1

MORGAN JOHN RHYS A CHAETHWASIAETH AMERICANAIDD

E. Wyn James

Dechreuodd y fasnach mewn caethion duon o ddifrif yn hanes Prydain yng nghanol yr ail ganrif ar bymtheg gyda datblygu'r diwydiant siwgr yn ynysoedd y Caribî, ac yn arbennig ar ôl i Jamaica ddod i feddiant Prydain yn y 1650au. Gwelodd y cyfnod o tua diwedd yr ail ganrif ar bymtheg ymlaen brynwriaeth (*consumerism*) yn tyfu ar raddfa arwyddocaol yn y byd Gorllewinol, ac un arwydd o hynny oedd y galw cynyddol am siwgr. Daeth siwgr yn hynod bwysig i'r economi yn y ddeunawfed ganrif; mor bwysig, fe ddywedir, ag y bu dur yn y bedwaredd ganrif ar bymtheg ac olew yn yr ugeinfed. O'r herwydd, yr oedd trefedigaethau'r Caribî yn bwysicach o lawer i economi Prydain yn y ddeunawfed ganrif na'i threfedigaethau ar dir mawr America. Jamaica, yn wir, oedd trefedigaeth bwysicaf yr Ymerodraeth Brydeinig yn ystod y ganrif honno. Yr oedd angen tair gwaith cymaint o gaethweision i drin y cnydau siwgr ag yr oedd eu hangen i drin cnydau eraill, a dyna ran o'r esboniad am y cynnydd mawr yn y fasnach mewn caethion duon a welwyd wrth i'r ddeunawfed ganrif fynd yn ei blaen. Erbyn yr 1730au Prydain oedd prif fasnachydd y byd mewn caethion croenddu, a chludwyd dros dair miliwn ohonynt gan longau Prydeinig o Orllewin Affrica i'r Byd Newydd cyn i Senedd Prydain ddileu'r fasnach ym 1807; ac fe gludwyd y rhan fwyaf ohonynt, nid i'r trefedigaethau ar dir mawr America, ond yn hytrach i ynysoedd y Caribî.[1]

Erbyn diwedd y 1780au yr oedd yr ymgyrch yn erbyn caethwasiaeth yn dechrau magu nerth o ddifrif ym Mhrydain. Yn un peth gwelid nifer gynyddol o bobl yn ystod y cyfnod hwnnw yn dod o dan ddylanwad radicaliaeth a syniadau'r Oleuedigaeth. Dyma oes Rhyfel Annibyniaeth America a'r Chwyldro Ffrengig, a'u pwyslais ar ryddid ac ar hawliau dynol. Cofier geiriau mawreddog Datganiad Annibyniaeth America (1776), datganiad a luniwyd yn bennaf gan y Cymro o dras, Thomas Jefferson: 'We hold these truths to be self-evident, that all men are created equal, that they are endowed by their Creator with certain unalienable Rights, that among these are Life, Liberty and the pursuit of Happiness.' A chofier hefyd arwyddair enwog y Chwyldro Ffrengig: *Liberté, Égalité, Fraternité*. Yn yr un cyfnod gwelid hefyd nifer gynyddol o bobl yn dod o dan ddylanwad y deffroad mawr efengylaidd a alwn yn aml yn 'Ddiwygiad Methodistaidd', a ddechreuodd fagu nerth o'r 1730au ymlaen, nid yn unig yng Nghymru dan arweiniad pobl megis Howel Harris, Daniel Rowland a Williams Pantycelyn, ond mewn rhannau eraill o Brydain a'r byd Gorllewinol, gan gynnwys Gogledd America. Fel yn achos radicaliaid yr Oleuedigaeth, yr oedd 'rhyddid' yn air canolog yng ngeirfa plant y Diwygiad Efengylaidd hwythau, ac er mai'r 'ysbrydol' oedd eu prif ffocws, cam bychan mewn gwirionedd oddi wrth bwysleisio'r angen am ryddid ysbrydol yng Nghrist oedd hawlio rhyddid i'r bod dynol, gorff ac enaid; a dyna a welwn yn digwydd yn gynyddol wrth i'r ddeunawfed ganrif dynnu tua'i therfyn.[2]

Mae pob cyfnod o chwyldro ac ansefydlogrwydd yn esgor ar ryw fath o filenariaeth, ar y gred fod newidiadau cymdeithasol sylfaenol ar fin digwydd – diwedd y byd, efallai, neu drefn gymdeithasol newydd a fyddai'n creu nefoedd ar y ddaear – a gwelwyd twf arwyddocaol mewn milenariaeth ym Mhrydain tua diwedd y ddeunawfed ganrif ymhlith radicaliaid yr Oleuedigaeth a phlant y Diwygiad Efengylaidd fel ei gilydd. Un elfen allweddol yn nhwf milenariaeth ymhlith pobl efengylaidd oedd y don ar ôl ton o adfywiadau ysbrydol a nodweddai ail hanner y ddeunawfed ganrif a dechrau'r bedwaredd ar bymtheg. Esgorodd hynny ar y gred fod y Milflwyddiant wrth y drws, cyfnod pan fyddai teyrnas Crist yn dod yn ei grym, pan ddeuai 'teyrnasoedd y byd yn eiddo ein Harglwydd ni, a'i Grist ef' (Datguddiad 11:15) – rhyw baradwys nefolaidd o fyd, pan fyddai'r ddaear yn 'llawn o wybodaeth yr Arglwydd, megis y mae y dyfroedd yn toi y môr' (Eseia 11:9). Esgorodd hynny yn ei dro ar fudiad cenhadol Protestannaidd grymus erbyn diwedd y ddeunawfed ganrif, gyda'r nod o gludo'r efengyl Gristnogol i bedwar ban byd, i 'bob llwyth, ac iaith, a phobl, a chenedl' (Datguddiad 5:9), gan gynnwys pobl dduon.[3]

Y mae'r weithred o genhadu i eraill, o gyflwyno'r efengyl iddynt a'u gweld yn ymateb iddi, yn pwysleisio fod y bobl hynny yn fodau dynol cyflawn, yn rhai a grëwyd 'ar lun a delw Duw' ac yn rhai y bu Crist farw drostynt er mwyn eu cymodi â Duw; y mae hefyd yn cynhyrchu ymdeimlad o gyfrifoldeb drostynt hwy a'u lles. Nid yw'n syndod felly, mewn gwirionedd, weld Cristnogion efengylaidd yn ymroi'n frwdfrydig i'r ymgyrch yn niwedd y ddeunawfed ganrif a hanner cyntaf y bedwaredd ganrif ar bymtheg i ddileu'r gaethfasnach yn y lle cyntaf, ac yna i ddileu caethwasiaeth fel sefydliad yn nhiriogaethau Prydain. Unai'r ymgyrch honno bobl o safbwyntiau a chefndiroedd tra gwahanol i'w gilydd o dan yr un faner, ac ochr yn ochr â Christnogion efengylaidd o bob enwad, gwelid Crynwyr ac Undodiaid, dëistiaid radicalaidd ac eraill, yn gwneud cyfraniad pwysig iawn – heb sôn, wrth gwrs, am gyfraniad y caethweision a'r cyn-gaethweision eu hunain, yn annerch ac yn cyhoeddi, yn protestio ac yn gwrthryfela. Er bod y rhod yn dechrau troi erbyn hyn, gyda thwf seciwlariaeth daeth yn ffasiynol yn ein dyddiau ni i haneswyr roi tipyn llai o amlygrwydd i gyfraniad diddymwyr efengylaidd megis William Wilberforce, a dyrchafu cyfraniadau grwpiau eraill. Ond er pwysiced y cyfraniadau eraill hynny – ac yn enwedig, efallai, y Crynwyr a therfysgoedd ac ysgrifeniadau'r duon eu hunain – o bwyso a mesur y dystiolaeth, y mae'n anodd peidio â dod i'r casgliad mai Cristnogion efengylaidd oedd asgwrn cefn yr ymgyrch, yn enwedig mor bell ag yr oedd yr ymgyrchu o fewn y sefydliad Prydeinig a'r Senedd yn y cwestiwn. Fel y dywed David Bebbington, 'The main impetus against both [slave] trade and institution came from the religious public. Evangelicalism cannot be given all the credit for the humanitarian victory over slavery, but it must be accorded a large share'.[4]

Gwelir hynny'n glir yn achos y tri ffigwr amlycaf yn yr ymgyrch i gael Senedd Prydain i ddileu'r fasnach mewn caethion, sef Granville Sharp (1735–1813), William Wilberforce (1759–1833) a Thomas Clarkson (1760–1846), oherwydd yr oeddynt ill tri yn Anglicaniaid efengylaidd. William Wilberforce yw'r enw mwyaf cyfarwydd o'r tri. Ef oedd arweinydd yr ymgyrch yn San Steffan; ond brwydrai Granville Sharp a Thomas Clarkson yr un mor ddygn ag ef, os nad yn ddycnach. Granville Sharp oedd Cadeirydd cyntaf y Gymdeithas er Diddymu'r Fasnach mewn Caethion a sefydlwyd ym 1787, a bu'n un o arweinwyr y fenter i sefydlu cartref newydd yn Affrica, yn Sierra Leone, ar gyfer cyn-gaethweision duon. Fel llawer o'r diddymwyr efengylaidd, yr oedd

Sharp yn frwd iawn ei gefnogaeth i'r mudiad cenhadol tramor, ac ef a gadeiriodd gyfarfod sefydlu Cymdeithas y Beibl ym 1804 – y gymdeithas a ffurfiwyd yn sgil apêl daer y Methodist Calfinaidd a'r offeiriad Anglicanaidd efengylaidd, Thomas Charles o'r Bala, am gymdeithas i ddarparu Beiblau Cymraeg ar gyfer y tlodion. (Mae'n werth nodi, gyda llaw, fod Thomas Charles yn symud yn yr un cylchoedd â diddymwyr amlwg megis John Newton, William Wilberforce, Richard Hill, Charles Middleton (Arglwydd Barham), a'r 'Clapham Sect', a oedd oll hefyd yn gefnogwyr brwd i'r mudiad cenhadol.)[5] Fel Granville Sharp, yr oedd Thomas Clarkson – Ysgrifennydd y Gymdeithas er Diddymu'r Fasnach mewn Caethion – yn ddiddymwr 'eithriadol o egnïol'.[6] Yn wir, gellid dadlau mai Clarkson yw'r ffigwr mwyaf allweddol yn yr ymgyrch i ddileu'r fasnach mewn caethion yn niwedd y 1780au a dechrau'r 1790au. Ef a ddenodd Wilberforce i ymuno â'r ymgyrch ac 'amcangyfrifir iddo deithio dros 35 mil o filltiroedd ar gefn ei geffyl rhwng 1787 a 1794' yn hyrwyddo'r achos.[7]

Targed amlwg i'r protestwyr yn erbyn caethwasiaeth oedd y fasnach mewn siwgr. Ym mis Medi 1795 derbyniodd y radical lliwgar Iolo Morganwg (Edward Williams, 1747–1826) drwydded i werthu te, coffi a siocled yn y siop yr oedd newydd ei hagor yng nghanol y Bont-faen ym Mro Morgannwg. Roedd Iolo yn ffyrnig ei wrthwynebiad i gaethwasiaeth, ac yn ôl yr hanes gwrthodai werthu siwgr o India'r Gorllewin yn ei siop; yn hytrach hysbysebai yn y ffenestr: 'East India Sweets, uncontaminated with human gore'.[8] Awgrymodd cofiannydd Iolo, Elijah Waring, mai Iolo Morganwg oedd, 'in all probability, the first and only vendor of free-labour sugar in Wales'. Tynnodd Waring yn drwm ar yr hanesion y byddai Iolo yn eu hadrodd wrtho yn ei henaint, a disgrifiwyd cofiant Waring i Iolo fel 'llyfr difyr, ond yn sicr ddigon, un o'r llyfrau mwyaf camarweiniol'.[9] Ac yn yr achos hwn, nid Iolo oedd y cyntaf yng Nghymru i ymgyrchu yn erbyn siwgr o India'r Gorllewin (hyd y gallwn farnu), oherwydd ar ddechrau'r 1790au gwelwyd cyhoeddi dau lyfryn Cymraeg, 16-tudalen yr un o ran eu hyd, yn apelio ar i bobl ymatal rhag defnyddio siwgr o India'r Gorllewin am ei fod yn gynnyrch llafur caethion croenddu.

Nid oedd gan y rhan fwyaf o boblogaeth Prydain yr hawl i bleidleisio mewn etholiadau seneddol yn y cyfnod dan sylw; ond pan fethodd y mesur i ddiddymu'r fasnach mewn caethion a gyflwynwyd gan William Wilberforce yn Nhŷ'r Cyffredin yn Ebrill 1791, cododd ton o brotestio 'marchnad deg' ymhlith y cyhoedd yn erbyn defnyddio siwgr a gynhyrchwyd gan lafur caethweision. Ymwrthododd miloedd â siwgr o India'r Gorllewin, gyda merched yn arwain y gad yn aml. Aeth Thomas Clarkson ar daith ar hyd a lled Cymru a Lloegr i hybu'r ymgyrch ac amcangyfrifodd i dros 300,000 o bobl Prydain roi'r gorau i ddefnyddio siwgr yn y cyfnod hwnnw. Aethpwyd ati hefyd i ffurfio cymdeithasau lleol, cynnal cyfarfodydd cyhoeddus ac anfon deisebau i'r Senedd o blaid diddymu'r gaethfasnach; ac yn ôl Clarkson derbyniwyd 310 deiseb o Loegr, 187 o'r Alban ac 20 o Gymru yn ystod y tri mis cyn Ebrill 1792, pan gyflwynodd Wilberforce fesur arall yn Nhŷ'r Cyffredin i ddiddymu'r fasnach mewn caethion.[10] Yn rhan o'r ymgyrch hefyd cafwyd ffrwd o bamffledi yn annog pobl i ymwrthod â siwgr a oedd yn gynnyrch llafur caethweision, ac y mae'r ddau lyfryn Cymraeg a nodwyd uchod yn rhan o'r ffrwd honno.

Cyfieithiad yw'r naill o lyfryn Saesneg, *An Address to the People of Great Britain, on the Propriety of Abstaining from West India Sugar and Rum*, gan William Fox, pamffledwr radical o Ymneilltuwr a llyfrwerthwr yn Llundain. Ymddangosodd pamffledyn Fox tua diwedd mis Gorffennaf 1791, a chafodd gylchrediad aruthrol. Aeth i 26 o argraffiadau mewn llai na blwyddyn, ac amcangyfrifir i 250,000 o gopïau gael eu gwerthu ym Mhrydain ac America.[11] Teitl y cyfieithiad Cymraeg yw *Hanes Byrr o Fasnach y Caethglud yn Africa, neu'r Slave Trade Gyd â Chyfarchiad at Bobl Prydain Fawr, ar yr addasrwydd o ymattal oddiwrth Siwgwr a Rum yr India Orllewinol nes y ceir ei fwynhau yn gyfreithlon*; ac fe'i dilynir ar yr wynebddalen gan ddyfyniad o eiriau Iesu Grist (o Efengyl Mathew 7:12), a ddefnyddid yn aml iawn gan y diddymwyr: 'Pa beth bynnag a ewyllysioch i ddynion wneuthur i chwi, gwnewch chwithau iddynt hwythau.' Cyfieithydd y pamffledyn oedd Edward Barnes, Methodist o ogledd-ddwyrain Cymru,[12] ac fe'i argraffwyd yng ngwasg Anna Hughes yn Wrecsam. Yn ogystal â thestun llyfryn William Fox, y mae'r pamffledyn Cymraeg yn cynnwys darn rhagymadroddol, ynghyd ag ambell gerdd, gan gynnwys y pennill hwn ar y mesur poblogaidd 'Gwêl yr Adeilad':

Darllenwch yr holl hanes, cewch weled gwaedlyd lechres a bair ddychryn,
Ym mhob cydwybod effro, a fytho heb ei serio â haiarn twymyn;
Pwy yn awr, a fedd na gwedd na gwawr, o ddynol deimlad,
At gyd-greaduriaid, tan fath gaethiwed, na chlyw resyned sawr

Sy'n codi oddi wrth eu triniad, â'r fath ammharchiad mawr?
Trwy nerth, Duw gwyn fydd oreu gwerth, ymrown o ddifri, i ymddidoli,
Oddi wrth gefnogi, hyn sy'n ddrygioni sêrth,
Gadawn eu Rum a'u Siwgwr, sy[']n peri cynnwr certh.

Y mae'r llyfryn hefyd yn cynnwys atodiad yn rhoi adroddiad o ddiweddglo'r ddadl ar ddiddymu'r gaethfasnach yn Nhŷ'r Cyffredin ar 3 Ebrill 1792. Nid oes dyddiad wrth y llyfryn, ond rhaid ei fod wedi ei argraffu rywbryd rhwng mis Ebrill 1792 a mis Awst 1794, pan beidiwyd ag argraffu llyfrau dan enw Anna Hughes, a'r tebyg yw iddo gael ei argraffu rywbryd ym 1793.[13]

Llyfryn gwreiddiol Cymraeg oedd yr un arall a gyhoeddwyd yn rhan o'r ymgyrch yn erbyn siwgr ar ddechrau'r 1790au, er ei fod yn tynnu (fe ymddengys) ar rai o'r pamffledi Saesneg ar y pwnc a oedd yn cylchredeg ar y pryd. Ei deitl yw *Dioddefiadau Miloedd Lawer o Ddynion Duon, mewn Caethiwed Truenus yn Jamaica a Lleoedd Eraill; Yn cael eu gosod at Ystyriaeth ddifrifol y Cymry hawddgar, er mwyn ceisio eu hennill i adael Suwgr, Triagl, a Rum*. Yr awdur, yn ôl yr wynebddalen, oedd 'Cymro, Gelynol i bob Gorthrech', a derbynnir erbyn hyn mai'r gweinidog Bedyddiedig o ddwyrain Morgannwg, Morgan John Rhys, oedd hwnnw. Fe'i hargraffwyd yng ngwasg John Daniel yn Heol y Brenin, Caerfyrddin. Yn debyg i lyfryn Wrecsam, yr oedd ym 16 tudalen o ran hyd ac yn ddiddyddiad, ond rhaid ei fod wedi ei argraffu cyn diwedd 1792 am fod John Daniel wedi symud ei argraffwasg o Heol y Brenin rywbryd yn ystod y flwyddyn honno, ac am amryw resymau gellir tybio iddo gael ei gyhoeddi cyn haf 1792 ac iddo ragflaenu llyfryn Wrecsam.[14]

Ychydig cyn i lyfryn Caerfyrddin ymddangos o wasg John Daniel, daeth cân 12-pennill o'r un wasg ar ffurf taflen faledol yn dwyn y teitl *Achwynion Dynion Duon, mewn Caethiwed Truenus yn Ynysoedd y Suwgr*, ac er ei bod yn ddienw, fe dderbynnir yn gyffredinol mai Morgan John Rhys oedd awdur y gân hon yn ogystal â'r llyfryn *Dioddefiadau Miloedd Lawer o Ddynion Duon*. Mae'r gân yn llifo'n rhwydd ac yn effeithiol ei hergydion. Anerchir y 'Brutaniaid' yn y gân,[15] a hynny gan y caethweision eu hunain, a cheir ynddi'r holl elfennau cyfarwydd sy'n nodweddu cerddi gwrthgaethwasaidd y cyfnod – y pwyslais fod y duon a'r gwynion o'r un gwaed, yn frodyr i'w gilydd ac yn blant i'r un Tad nefol; y rhwygo ar yr uned deuluaidd a ddeuai i ran y caethion; erchylltra'r fordaith o Affrica, a'r driniaeth farbaraidd 'o flaen y curwyr cïaidd' a oedd yn disgwyl y rhai a gyrhaeddai ben y daith. Mae'r gân yn dechrau trwy sôn am y siwgr sy'n felys i'r 'Brutaniaid' ond yn 'chwerw dost' i'r caethion:

Gwrandewch, *Frutaniaid* mwynion,
Achwynion dynion dû,
Sy'n goddef blin gaethiwed,
Gwae ni, o'ch plegid chwi:
O *Affrica* fe'n dygwyd,
Mewn modd lladradaidd gwîs,
I godi pethau melus
Eu blas i blesio'r blys.

Pan fo'ch yn gweled *Suwgr*,
Oh! cofiwch fel y cawd,
Trwy lafur annaturiol
Cystuddiol caethion tlawd:
Os yw yn felus gennych,
Bu'n chwerw dost i ni:
Yn sydyn yr arswydech
Pe clywech chwi ein crî.[16]

Ac y mae'r pedwar pennill olaf yn apêl i'r 'Brutaniaid' – sy'n 'rhai o wrol fryd, / I amddiffyn achos rhydd-did, / Trwy amryw barthau'r byd'[17] – i fynnu '[t]driniaeth well / I'r lluoedd sydd yn gaethion / Yn eich ynysoedd pell', a'u gwaredu o'u 'cyflwr caeth'. O ddangos tosturi, ac ymwrthod â 'melusderau / Sy wedi costi i ni / Och'neidiau trymion filoedd, / Diferion gwaed heb [ri']', bydd trigolion Prydain yn dangos fod 'teimlad dynol gennych / 'R un modd a *dynion dû*'.[18]

Nodir ar wynebddalen y llyfryn *Dioddefiadau Miloedd Lawer o Ddynion Duon* fod 'can yn erbyn arferyd suwgr' hefyd ar werth, sef y gân *Achwynion Dynion Duon* yn ddiau. Ceiniog oedd pris y llyfryn, a dimai oedd pris y gân, ac yr oeddynt ar werth gan yr argraffydd, John Daniel, a chan John Ross (argraffydd arall o Gaerfyrddin a gydweithiai'n agos â John Daniel), a hefyd gan Thomas Morgan 'wrth y farchnad, yn Abertawe' a chan Owen Rees, llyfrwerthwr o Fryste a arbenigai mewn gwerthu cyhoeddiadau yn erbyn caethwasiaeth.[19]

Fel y gân, y mae'r llyfryn yn llifo'n rhwydd o ran ei arddull ac yn gadarn ei strwythur – yn wahanol i bamffledyn Edward Barnes, sydd braidd yn afrwydd ei fynegiant. Pwyslais llyfryn Caerfyrddin o'r dechrau yw bod caethiwed o bob math 'yn afresymmol, yn anghyfiawn, a chwbl groes i nattur' (t. 3). Y mae hefyd yn gwbl groes i'r grefydd Gristnogol, sy'n gorchymyn i bobl 'wneuthur i eraill fel yr ewyllysiem i eraill wneuthur i ninnau' (t. 3) – pwyslais cyffredin iawn yng ngwaith y diddymwyr, fel y gwelwyd wrth drafod pamffledyn Edward Barnes. Nodir ar y dechrau mai diben y llyfryn yw hysbysu'r Cymry uniaith o'r gost mewn dioddefiadau dynol a oedd y tu ôl i'r siwgr a oedd ar gael yn gyffredin i bob haen o'r gymdeithas erbyn hynny. Dyma frawddegau agoriadol y llyfryn, er mwyn rhoi blas ar yr arddull ystwyth, ddiflewyn-ar-dafod sy'n ei nodweddu ar ei hyd:

> Y mae *suwgr* wedi dyfod yn beth mor gyffredin, fel nad oes, hyd yn oed ymysg dynion o isel radd, nemmawr o deulu mewn tref na gwlad heb ei arferyd. A dynion a'i cymmerant yn gyffredin gyd â meddyliau mor esmwyth, a rhydd oddiwrth euogrwydd, ag y bwyttant eu bara beunyddiol. Ond beth sy'n peri hyn onid eu hanwybodaeth, neu eu hanystyriaeth? Canys pa ddyn cydwybodol, ag sy'n gwybod pa fodd y mae *suwgr, rum*, a *thriagl* yn cael eu gwneuthur, gynnifer o ocheneidiau a dagrau hallton, o ffrydiau gwaed ac o fywydau y maent yn gosti, a allai gymmeryd y mymryn lleiaf o honynt heb fod ei galon yn dolurio?

'Yn awr gwybyddwch, *Gymru* hawddgar,' meddai, mai'r '*suwgr*, y *rum*, a'r *triagl* a arferir gennych' sy'n creu'r caethiwed yn ynysoedd y Caribî a'r dioddefaint erchyll sydd ynghlwm wrth hynny. Yna, yng nghorff y llyfryn disgrifir y cam-drin a ddeuai i ran y bobl dduon. Darlunnir y gwerthu a'r prynu a'r cipio yn Affrica a'r fordaith hunllefus i'r Caribî, 'mewn aflendid a drewdod nad yw weddus i'w enwi' (t. 6). Wedyn, disgrifir caledi diwrnod gwaith ac amodau byw y caethion, cyn portreadu mewn termau graffig a chignoeth, a fyddai'n deilwng o bapurau tabloid ein dyddiau ni, y cosbedigaethau cïaidd a ddeuai i'w rhan am y peth lleiaf: y torri clustiau, a'r fflangellu, a'r llosgi'n fyw, ac erchyllterau eraill. Pwysleisir geirwiredd hyn oll, cyn mynd ymlaen i danlinellu'r ffaith nad yw trigolion du Affrica yn waeth nag eraill o ddynol-ryw, o ran eu deall a'u cyneddfau, eu hymddygiad a'u serchiadau. Pam felly, gofynna Morgan John Rhys, 'y gwneir yr holl lanastra yma ar greaduriaid rhesymol Duw, a'n *cyd-radd ninnau* ymhob ystyr o bwys?' Yn unig, meddai, 'er mwyn cael dwylo ddigon i gyflawni gwaith yr ynysoedd; ond yn bennaf i godi a pharottoi *suwgr* i drigolion moethus *Europ*, ac yn enwedig trigolion *Lloegr* a *Chymru*' (t. 12). Ni, felly, sy'n gyfrifol am eu dioddefaint: pe baem yn ymatal rhag siwgr, byddai'r fasnach yn peidio a byddai caethwasiaeth yn ddiangen. Y mae 'gwraidd y ddrwg', meddai, gyda *chwi* sy'n prynu ac yn bwyta siwgr (t. 13). Pwysleisia ba mor bwysig yw hi i'w ddarllenwyr wneud eu rhan, er mwyn bod 'yn *rhydd oddiwrth waed*, beth bynnag a wnelo eraill', ac mai eu dyletswydd crefyddol yw cefnogi achos y bobl dduon, gan 'mai'r un Tad o'r nef sydd i ni oll' (t. 14), a therfyna'r llyfryn drwy eu rhybuddio y bydd Duw yn galw gorthrymwyr i gyfrif yn nydd y Farn, ond yn gwobrwyo 'holl weithredwyr cyfiawnder a thrugaredd' (tt. 15–16). Mae hwn yn llyfryn trefnus, bywiog a grymus; ac y mae'r pwyslais ynddo ar ein cyfrifoldeb personol ni bob un i weithredu yn erbyn anghyfiawnder a chamarfer yn rhoi iddo dinc cyfoes iawn.

Trwy gyfrwng y llyfryn hwn a'r daflen faledol, gwelwn Morgan John Rhys yn tanio'r ergydion cyntaf yn y wasg Gymraeg yn yr ymgyrch i ddileu caethwasiaeth, ymgyrch a fyddai'n arwain at ddiddymu'r fasnach mewn caethion gan Brydain ym mis Mawrth 1807 (ychydig dros ddwy flynedd ar ôl marwolaeth annhymig Morgan John Rhys yn Rhagfyr 1804), ac yn y pen draw at ddiddymu caethwasiaeth yn nhiriogaethau Prydain yn y 1830au. Roedd yn ymgyrch hefyd a chwaraeodd ran allweddol yn hybu'r radicaleiddio gwleidyddol a welwyd ar gynnydd cyson yng Nghymru o gyfnod y Chwyldro Ffrengig ymlaen, ac yn enwedig y radicaleiddio ar bobl efengylaidd. Mewn llawer ystyr, yn wir, gellid hawlio na fyddai Cymru radicalaidd 1868 yn bod heb yr ymgyrch yn erbyn caethwasiaeth a daniwyd gan faled a llyfryn Morgan John Rhys yn nechrau'r 1790au.

Ond pwy oedd Morgan John Rhys? Nid dyma'r lle i fanylu ar ei yrfa, ei feddwl a'i gyfraniad yn gyffredinol, ond gadewch inni nodi rhai pethau amdano.[20] Fe'i ganed yn Rhagfyr 1760 ar fferm y Graddfa, ger Llanbradach, ychydig i'r gogledd o Gaerffili. Roedd ei gartref yn agos i'r ffin rhwng siroedd Morgannwg a Mynwy ac mewn ardal a oedd yn bur nodedig am ei thraddodiadau radicalaidd ac anghydffurfiol. Ffermwyr eithaf cefnog oedd ei rieni, ac yn Ymneilltuwyr o ran eu crefydd. Annibynnwr oedd ei dad, John Rees, a'i fam Elizabeth yn Fedyddwraig, a chafodd Morgan ei fagu ymhlith y Bedyddwyr yn eglwys Hengoed. Fel Williams Pantycelyn o'i flaen, yr oedd Morgan John am fynd yn feddyg, ond yr oedd ei dad yn daer iddo fod yn gyfrifydd, ac fe'i hanfonwyd i Lundain, ac yna i Fryste a Portsmouth, i ddilyn gyrfa ym myd arian a masnach. Dychwelodd i Gymru oherwydd salwch ei fam. Cafodd dröedigaeth yng Nghaerdydd wrth ddarllen gweithiau rhai o'r Piwritaniaid, gan gynnwys *A Call to the Unconverted* gan y Piwritan dylanwadol o'r Gororau, Richard Baxter (1615–91) – a fu yntau'n llafar ei wrthwynebiad i gaethwasiaeth – a chafodd ei fedyddio yn Hengoed yn Awst 1785, pan oedd yn 24 oed. Dechreuodd bregethu'n fuan wedyn ac yn Awst 1786 aeth i gael ei hyfforddi ar gyfer y weinidogaeth yn Athrofa'r Bedyddwyr ym Mryste.

Bryste oedd un o brif ganolfannau Prydain ar gyfer y fasnach mewn caethion duon, ond yr oedd yn y ddinas hefyd rai a oedd yn ffyrnig yn erbyn y fasnach honno, megis Llywydd yr Athrofa, a Chymro o dras, Dr Caleb Evans (1737–91), a oedd hefyd yn gefnogol iawn i fudiad newydd yr ysgol Sul ac i egwyddorion Rhyfel Annibyniaeth America; a dyma, mae'n ymddangos, yr adeg y cafodd Morgan John Rhys ei danio â'r egwyddorion radicalaidd a fyddai'n llywio gweddill ei yrfa. Cymeriad eirias, aflonydd, oedd Morgan John Rhys, nad arhosai'n hir mewn un man. Nid yw'n syndod, felly, ei weld yn gadael y coleg ym Mryste cyn gorffen ei gwrs yno. Bu am rai blynyddoedd yn weinidog ar eglwys Fedyddiedig ym Mhen-y-garn ger Pont-y-pŵl, ond mewn gwirionedd treuliodd y rhan fwyaf o'r amser rhwng gadael y coleg ym Mryste ym 1787 a gadael Prydain am America ym 1794, yn efengylu ar hyd y wlad, yn ne Cymru yn bennaf, ond hefyd yn y gogledd ac yn Lloegr, a hyd yn oed yn Ffrainc, lle y bu'n pregethu 'cyfraith rhyddid' Crist a dosbarthu Beiblau am rai misoedd ym 1791 a 1792,[21] gan ymweld â Pharis a sefyll yn adfeilion y Bastille.

Dyn cymhleth, egnïol, eang ei orwelion, oedd Morgan John Rhys, a oedd fel petai'n ymgorffori yn ei berson yr holl rymoedd creadigol a oedd ar waith yng Nghymru ei ddydd. Nid oes lle i fanylu ar hyn yn awr, ond petai gofod yn caniatáu, gellid dangos fel y mae'n etifedd i'r Diwygiad Efengylaidd ar y naill law ac i'r Oleuedigaeth ar y llaw arall, yn cyfuno'r pen a'r galon, emosiwn a rheswm, ac fel y mae ei waith yn adlewyrchu rhai o brif symudiadau'r oes: rhamantiaeth, ymneilltuaeth, radicaliaeth, milenariaeth, a sawl '–aeth' arall.[22] Meddai un hanesydd amdano: 'His theology was a fascinating mixture of the Bible and Voltaire.'[23] Mae'r Diwygiad Efengylaidd a'r Oleuedigaeth yn aml yn cael eu portreadu fel grymoedd a oedd benben â'i gilydd, ond yn sicr yn achos yr ymgyrch yn erbyn caethwasiaeth, fe'u gwelir yn rhyngweithio'n greadigol, ac yn achos Morgan John Rhys yn benodol, byddwn yn dadlau y cawn ynddo enghraifft o'r un ymdrech i gyfuno 'Teyrnas Crist' ac 'Ymerodraeth Rheswm' ag a welid gan rai yn Philadelphia yn ei ddydd – dinas a oedd â lle canolog ym mywyd Morgan John Rhys mewn sawl ffordd.[24] Ond heb fanylu ymhellach ar feddwl cymhleth a chyfoethog Morgan John Rhys, gallwn fentro crynhoi yr hyn a yrrai ei yrfa liwgar yn ei blaen i un gair, sef 'rhyddid'. Credai'n angerddol mewn rhyddid *personol*, gan wrthwynebu unrhyw gaethiwed corfforol neu feddyliol a rwystrai'r unigolyn rhag datblygu'n fod cyflawn. Credai hefyd mewn rhyddid *gwladol*. Yr oedd o blaid cael llywodraeth – nid anarchydd mohono – ond credai fod 'holl bwerau llywodraeth yn dechreu gyd â'r bobl',[25] ac nid fel arall. Yr oedd yn Gymro twymgalon, ac un wedd ar y rhyddid gwladol hwnnw oedd ei gred y dylai fod gan y Cymry ryddid i fyw fel Cymry, a diogelu eu hiaith a'u hunaniaeth. A chredai'n ogystal mewn rhyddid *ysbrydol*. Yr oedd yn gryf o blaid rhyddid i gredu ac addoli yn ôl cydwybod, ac yn erbyn cael eglwys wladol. Ond credai'n gryf hefyd mewn cenhadu, er mwyn ennill pobl i'r rhyddid ysbrydol y gwelai ei fod i'w gael yng Nghrist Iesu wrth i rywun ddod i ffydd bersonol ynddo.[26]

Ym 1789 – blwyddyn y Chwyldro Ffrengig – dechreuodd Morgan John Rhys ddefnyddio'r argraffwasg i hyrwyddo ei weledigaeth a'i genhadaeth, cyfrwng y byddai'n ei ddefnyddio'n helaeth yn y blynyddoedd wedi hynny. Cyhoeddodd amrywiaeth eang o ddeunyddiau – yn gyfieithiadau ac yn weithiau gwreiddiol, yn farddoniaeth a rhyddiaith, yn y Gymraeg a'r Saesneg – ar bob math o bynciau crefyddol, addysgol a radicalaidd. Ei gyhoeddiad mwyaf adnabyddus, mae'n siŵr, yw'r *Cylch-grawn Cynmraeg*, cyfnodolyn arloesol ond byrhoedlog, a ymddangosodd yn bum rhifyn o dan ei olygyddiaeth rhwng Chwefror 1793 a Chwefror 1794 ac a anelai at oleuo'r Cymry uniaith ynghylch rhychwant eang o bynciau. Ceir nifer o gyfeiriadau ar dudalennau'r cylchgrawn at gaethion duon, a hefyd at Frodorion America (yr 'Indiaid'), a dadleuai'n gryf dros gyfiawnder iddynt ac annog cenhadu iddynt. Yr oedd gan Morgan John Rhys ddiddordeb mawr ym Mrodorion America. Ei gyhoeddiad cyntaf un, ym 1789, oedd ei gyfieithiad Cymraeg o bregeth gan arweinydd Cristnogol o blith llwyth y Moheganiaid yn Connecticut o'r enw Samson Occom (1723–92), pregeth a draddodwyd adeg dienyddio Moses Paul, dyn arall o'r un llwyth, ar gyhuddiad o lofruddiaeth. Ymddangosodd y llyfr Saesneg gwreiddiol ym 1772, ac fe'i hystyrir yn garreg filltir bwysig iawn yn hanes llenyddiaeth gyhoeddedig Brodorion America. Mae i'r cyfieithiad Cymraeg ei bwysigrwydd hefyd. Fel y dywed Hywel M. Davies, 'This translation showed the monoglot Welshman that the Indian was able to preach the gospel and receive the gift of grace as effectively as the white man'.[27] Ac y mae diddordeb mawr a chyson Morgan John Rhys ym Mrodorion America ac yn y caethweision duon, a'u lles corfforol ac ysbrydol, yn enghraifft dda o'r cyfuno dyheadau radicalaidd ac efengylaidd a gawn yn ei waith.[28]

Un o'r eitemau mwyaf diddorol am y caethion duon a gyhoeddwyd yng nghylchgrawn Morgan John Rhys oedd yr erthygl 'Hanes Bywyd Mr. David George' a ymddangosodd yn rhifyn Tachwedd 1793 (tt. 213–20). Cyfieithiad Cymraeg ydyw o hanes caethwas a aned yn Virginia tua 1743 ac a ddaeth maes o law yn weinidog Bedyddiedig yn Sierra Leone, gan farw yno, yn Freetown, ym 1810. Mae'r hanes yn agor gyda disgrifiadau cignoeth o'r cosbedigaethau y byddai ef a'i deulu yn eu derbyn gan eu meistr creulon – ei frawd, er enghraifft, yn derbyn 500 neu ragor o wialenodau am geisio dianc, cyn golchi ei gefn â dŵr a halen, ei fflangellu a'i rwto â chadach, a'i yrru yn ôl yn syth i'r meysydd i weithio'r cnydau tybaco. Dihangodd David George pan oedd tua 19 mlwydd oed, ac mae'r erthygl yn adrodd am y ffordd y cafodd ei ddal gan rai o'r Indiaid a'i werthu ganddynt hwy maes o law i ddyn gwyn arall yn Ne Carolina. Yno daeth yn Gristion, a dod tua 1774 yn un o sylfaenwyr eglwys Fedyddiedig Silver Bluff – o bosibl yr eglwys gyntaf ar gyfer pobl dduon i gael ei ffurfio yng Ngogledd America. Cafodd ei ryddhau gan y Prydeinwyr adeg Rhyfel Annibyniaeth America ac aeth i Ganada ym 1782, lle y bu'n gweinidogaethu i gyn-gaethweision cyn ymfudo i Sierra Leone ym 1792. Mae'r hanes yn y *Cylch-grawn Cynmraeg* yn gorffen gydag ef yn cyrraedd Sierra Leone ac yn cael cymorth gan un o'r 'Clapham Sect', Henry Thornton, i ymweld â Phrydain. Bu David George ym Mhrydain rhwng Rhagfyr 1792 ac Awst 1973, pryd y bu'n adrodd ei hanes wrth Dr John Rippon a'i cyhoeddodd yn erthygl yn *The Baptist Annual Register, for 1790, 1791, 1792, and Part of 1793*. Cyhoeddwyd y cyfieithiad yn y *Cylch-grawn Cynmraeg* yn fuan iawn ar ôl i'r Saesneg gwreiddiol ymddangos; ac oni bai i William Williams (1717–91) o Bantycelyn, yr arweinydd mawr Methodistaidd a phrif emynydd Cymru, gyhoeddi cyfieithiad Cymraeg o hanes Ukawsaw Gronniosaw ym 1779, y cyfieithiad Cymraeg hwn o hanes David George fyddai'r enghraifft gyntaf o *genre* ddylanwadol y *slave narrative* yn y Gymraeg.[29]

Mae'n werth nodi wrth fynd heibio fod cyfieithiad Williams Pantycelyn yn rhan o ffrwyth cydweithio agos rhyngddo ac un arall o arweinwyr y mudiad Methodistaidd, sef Selina, Iarlles Huntingdon (1707–91). Roedd yr Iarlles wedi sefydlu coleg hyfforddi i ddarpar weinidogion ger cartref Howel Harris yn Nhrefeca yn Sir Frycheiniog yn y 1760au, ac aeth nifer o'r myfyrwyr allan i America yn y 1770au i genhadu i gaethweision ac i'r Brodorion, gan gynnwys myfyriwr croenddu o'r enw David Margrate.[30] Bu Williams Pantycelyn yn cydweithio ag Arglwyddes Huntingdon yn y mentrau cenhadol hyn, ac fe'i gwelwn yn ei weithiau yn condemnio'r fasnach mewn caethion duon ac yn cynnwys yn ei emynau weddïau am lwyddiant yr efengyl Gristnogol ymhlith y duon a'r Indiaid.[31] Yn wir – fel emyn John Newton, 'Amazing Grace' – daeth ei emyn Saesneg, 'O'er those gloomy hills of darkness', a gyhoeddwyd gyntaf ym 1772, yn un o hoff emynau'r cyn-gaethweision a aeth i Sierra Leone yn y 1790au yn y gobaith o greu gwlad newydd well yng Ngorllewin Affrica; ac nid rhyfedd hynny, am fod yr emyn yn ymgorfforiad o hyder Pantycelyn fod gwawr y Milflwyddiant, a'i ryddid ysbrydol a chorfforol, wrth y drws: 'Blessèd Jubil! / Let thy glorious morning dawn.'[32]

Noddodd Arglwyddes Huntingdon gyhoeddi cyfrol barddoniaeth y gaethes ddu efengylaidd, Phillis Wheatley o Boston, ym 1773 – y gyfrol gyntaf o farddoniaeth gan un o bobl dduon America i gael ei chyhoeddi. Hybodd hefyd gyhoeddi *slave narratives* gan nifer o gaethweision duon a oedd wedi cael tröedigaethau Cristnogol (gan gynnwys *narratives* dylanwadol Olaudah Equiano a Quobna Ottobah Cugoana yn y 1780au, yn ogystal ag un arloesol Ukawsaw

Gronniosaw ym 1772), ac mae'n debyg mai yn y cyd-destun hwnnw y mae gosod cyfieithiad Williams Pantycelyn o naratif Gronniosaw ym 1779.[33] Yn y ddeunawfed ganrif yr oedd crefydd yn elfen bwysig iawn wrth ddiffinio hunaniaeth a'r 'arall' neu'r 'dieithryn'. Meddai Roxann Wheeler:

> Skin color was not the only – or even primary – register of human difference for much of the eighteenth century. [...] Religion, in fact, was arguably the most important category of difference for Britons' understanding of themselves at various times during the century. [...] In eighteeth-century texts, Christianity often functions like a proto-racial ideology. [...] To be Christian was to be fully human.[34]

Fe welir felly mor bwysig oedd y *slave narratives*, a'u disgrifiadau o dröedigaethau a gweithgarwch Cristnogol pobl dduon, i ddisgwrs y dydd ynghylch caethwasiaeth.[35] Er bod gan Iarlles Huntingdon gaethweision yn ei chartref i blant amddifaid yn Georgia, 'anniddig' efallai yw'r ffordd orau o ddisgrifio ei hagwedd hi a Williams Pantycelyn at gaethwasiaeth. Eu safbwynt cyffredinol, gellid casglu, oedd derbyn bod caethwasiaeth yn rhan o'r drefn economaidd a chymdeithasol ryngwladol, y byddai'n anodd iawn, onid amhosibl, ei newid, a'i bod yn well cadw caethweision dan amodau da ac mewn awyrgylch Cristnogol na'u rhyddhau i fyd ansicr a gelyniaethus.[36] Bu farw'r ddau ym 1791, y flwyddyn y dechreuodd yr ymgyrch boblogaidd i ddileu'r fasnach mewn caethion gael ei thraed odani o ddifrif, ond gallwn weld yn eu cenhadu a'u cyhoeddi y paratoi tir a arweiniodd at yr ymgyrchu mwy milwriaethus yn erbyn caethwasiaeth gan y genhedlaeth o bobl efengylaidd a'u dilynodd.

Roedd Morgan John Rhys wedi bwriadu dychwelyd i Ffrainc i barhau â'i waith cenhadol, ond dechreuodd y sefyllfa waethygu'n sylweddol yno erbyn dechrau 1793, gyda dienyddio'r brenin Louis XVI a chyhoeddi rhyfel yn erbyn Prydain. Agorodd cyfnod gwaedlyd iawn yn hanes y Chwyldro Ffrengig yr adeg honno. Yn ei sgil, collwyd llawer o gydymdeimlad tuag at y Chwyldro ym Mhrydain, a daeth y rhai a gefnogai ei egwyddorion – a Morgan John Rhys yn eu plith – dan amheuaeth ac erledigaeth gynyddol. Roedd Morgan John Rhys yn edmygu America yn fawr oherwydd y rhyddid gwladol ac eglwysig a geid yno, a bu ar fin ymfudo i'r wlad honno sawl tro. Cafwyd tipyn o ymfudo o Gymru i America yn y 1790au, nid lleiaf ymhlith y Bedyddwyr. Bu Morgan John Rhys yn frwd ei anogaeth i'w gyd-Fedyddwyr ac eraill fynd yno, ac yn Awst 1794, dyma ef ei hun yn hwylio o Lerpwl am y 'byd *newydd*, ymha un y preswylia cyfiawnder', ac yno y treuliodd ddeng mlynedd olaf ei oes, hyd ei farw sydyn yn Rhagfyr 1804, ddiwrnod cyn ei ben-blwydd yn 44 mlwydd oed, yn llawn egni aflonydd hyd ei fedd.[37]

Ychydig cyn iddo ymadael am America, cyhoeddodd Morgan John Rhys ran gyntaf detholiad o emynau, ac y mae ei deitl llawn yn cyfleu cywair y casgliad i'r dim: *Pigion o Hymnau a Salmau Wedi eu cyfansoddi fel y gallo pob Cristion eu canu yn yr Addoliad cyhoeddus; llawer o honynt yn gosod allan Lywodraeth Duw, Llwyddiant yr Efengyl, a Gogoniant y Dyddiau diweddaf* (Caerfyrddin: Ross a Daniel, 1794).[38] Gosodir naws y casgliad gan yr emyn agoriadol, o dan y pennawd 'Y JUBILI yn agosau', ac y mae sêl genhadol, ynghyd â hyder fod addewidion Duw yn mynd i gael eu cyflawni cyn hir, a bod gwawr teyrnas Crist ar fin torri, yn rhedeg trwy'r cwbl. 'Ni gawn ar fyr ei weled ef / Yn Frenin nef a daear', meddai cwpled yn yr ail emyn. Erbyn i ail ran y casgliad ymddangos o wasg John Daniel, Caerfyrddin, yn nes ymlaen ym 1794, yr oedd Morgan John Rhys wedi ymadael am America, gan roi'r cyfrifoldeb o lywio'r ail ran drwy'r wasg ar ei gyfaill, Daniel Jones, Abertawe. Yr un yw naws ail ran y casgliad. Ceir emynau gan Williams Pantycelyn yn nwy ran y casgliad, ac nid yw'n syndod, er enghraifft, weld yn yr ail ran ei emyn adnabyddus, 'Marchog, Iesu, yn llwyddiannus', a'i sôn am dynnu 'fy enaid o'i gaethiwed' a gwthio 'caethion yn finteioedd / Allan megis tonnau llif'. Ceir rhai emynau o waith Morgan John Rhys ei hun yn ail ran y casgliad, ac un ohonynt, dan y pennawd 'Torriad y Wawr', yn sôn yn benodol am ddiddymu caethwasiaeth. Dyma ddau bennill ohono:

> Mae prynu a gwerthu dyn,
> Yn awr bron d'od i ben;
> Ni waeth pwy liw neu lun
> Fo dynion îs y nen:
> Maent oll yn wrthddrych cariad rhad,
> Maent oll yn perthyn i'r un Tad.

Mae Affric fras, fu'n gaeth
Flynyddau hir, yn d'od
I dderbyn mêl a llaeth,
Trwy drefn faith y rhod:
Caiff caethion byd ar fyr ryddhad,
Mewn jubil berffaith, pwrcas gwaed.[39]

Ar ôl glanio yn Efrog Newydd yn Hydref 1794, gwelir Morgan John Rhys (neu Rhees fel y galwodd ei hun yn ei wlad newydd) yn telynegu yn ei ddyddiadur ynghylch y rhyddid gwladol ac eglwysig a oedd i'w gael yn y Byd Newydd. Roedd Morgan John Rhys yn Gymro brwd, a rhan o'i reswm dros fynd i America oedd er mwyn sefydlu gwladfa Gymreig yno. Yn syth bron ar ôl iddo gyrraedd Efrog Newydd dechreuodd ar daith bregethu hir ar gefn ceffyl, a barhaodd am dros flwyddyn, er mwyn dod o hyd i fan addas ar gyfer ei Gymru newydd.[40] Dechreuodd drwy fynd tua'r de, a chael ei siomi'n gynyddol wrth weld y driniaeth a roddid i'r caethion duon. Yna wrth fynd tua'r gogledd-orllewin dechreuodd ddod i gysylltiad â'r Brodorion, a chael ei siomi eto yn yr annhegwch a dderbynient o law'r gwynion. Yn naturiol, bu'r driniaeth a dderbyniai'r bobl dduon a'r Brodorion – a hynny, o bob man, yn y '*byd newydd*, ymha un y preswylia cyfiawnder' – yn achos siom enbyd iddo. Ar y dechrau, credai mai gweddillion dylanwad Prydain ymerodraethol oedd hyn, ac y byddai'n diflannu wrth i ddylanwad Prydain leihau ac i egwyddorion Datganiad Annibyniaeth America wreiddio'n ddyfnach, ond pylodd yr optimistiaeth honno rywfaint wrth i'r misoedd fynd yn eu blaen.[41] Effaith hyn oll oedd cryfhau ei argyhoeddiad fod angen gweithredu yn erbyn y drygau hynny, a pharhaodd i ymgyrchu weddill ei oes fer dros gyfiawnder i'r bobl dduon a'r Brodorion.[42] Ceisiodd sefydlu gwladfa Gymreig yng ngogledd-orllewin Pensylfania, ym mynydd-dir yr Allegheny. Roedd ganddo gynlluniau delfrydgar ac uchelgeisiol ar gyfer ei Gymru newydd, ond byrhoedlog ysywaeth fu'r arbrawf, fel cynifer o gynlluniau eraill Morgan John Rhys, ac erbyn iddo fynd i'w fedd yn Rhagfyr 1804, yr oedd ei wladfa arfaethedig wedi darfod i bob pwrpas.[43]

Seren wib o ddyn oedd Morgan John Rhys. Dyn gweithgar a gwresog; un eirias dros ei argyhoeddiadau; addysgydd, pregethwr a chenhadwr brwd; dyn o flaen ei amser, ond dyn aflonydd na allai ddal ati'n hir mewn unrhyw rych. Tanio oedd ei gryfder. Yng ngeiriau cofiadwy Gwyn A. Williams: 'Morgan John Rhees burns in the mind like a sudden flame, all warmth and brilliance and brevity.'[44] Ar ôl ei farw, diflannodd o ffurfafen Cymru i bob pwrpas, ac ni ddaeth yn ôl i'n hymwybyddiaeth am rai cenedlaethau. Ond cyn iddo ddiflannu, gwnaeth gyfraniad arwyddocaol iawn.

Er bod Iolo Morganwg a'i blant wedi elwa'n ariannol ar gaethwasiaeth trwy dderbyn cymynrodd o stad ei frawd, a gadwai gaethweision yn Jamaica, yr oedd Iolo yn ffyrnig a llafar ei wrthwynebiad i'r gyfundrefn honno.[45] Honnwyd yn ddiweddar mai ef oedd 'pennaf ladmerydd yr ymgyrch yn erbyn caethwasiaeth yng Nghymru' ac '[arweinydd] y frwydr yn ei herbyn ym Morgannwg'.[46] Ond amgylchiadol yw llawer o'r dystiolaeth sydd gennym am ymgyrchu Iolo, yn dibynnu i raddau helaeth ar ei honiadau ef ei hun wrth Elijah Waring ac ar ei lawysgrifau anghyhoeddedig.[47] Nid dwyn y maen i'r wal oedd cryfder Iolo, a chestyll yn yr awyr oedd llawer o'i gynlluniau i wrthwynebu caethwasiaeth. Yn wir, o ran y dystiolaeth bendant sydd ar gael, dichon y gellid gosod y Methodistiaid Edward Barnes a John Elias (heb sôn am Williams Pantycelyn) yn uwch yn y rhengoedd na Iolo o ran eu dylanwad ar y farn gyhoeddus. Nid mynd â'r maen i'r wal oedd un o gryfderau Morgan John Rhys ychwaith, ond o gymryd popeth i ystyriaeth, onid ef, o bawb, sy'n haeddu ei ddisgrifio fel 'pennaf ladmerydd yr ymgyrch yn erbyn caethwasiaeth yng Nghymru' ac '[arweinydd] y frwydr yn ei herbyn ym Morgannwg' – yn negawd allweddol y 1790au, o leiaf?

NODIADAU

1 Ar hyn, gw. E. Wyn James, 'Caethwasanaeth a'r Beirdd, 1790–1840', *Taliesin*, 119 (Haf 2003), t. 42, a'r cyfeiriadau yno. Ceir fersiwn electronig o'r erthygl hon ar Wefan Baledi Cymru.

2 Gweler, er enghraifft, y drafodaeth yn John Coffey, 'The Abolition of the Slave Trade: Christian Conscience and Political Action', *Cambridge Papers*, 15:2 (Mehefin 2006).

3 Ar hyn, gw. E. Wyn James, 'Williams Pantycelyn a Gwawr y Mudiad Cenhadol', yn Geraint H. Jenkins (gol.), *Cof Cenedl XVII* (Llandysul: Gwasg Gomer, 2002), tt. 65–101.

4 D. W. Bebbington, *Evangelicalism in Modern Britain* (Llundain: Unwin Hyman, 1989), tt. 71–2; gw. hefyd John Coffey, 'Evangelicals, Slavery & the Slave Trade: From Whitefield to Wilberforce', *Anvil*, 24:2 (2007), tt. 97–119. Ysgrifennwyd y rhan fwyaf o lawer o'r deunydd a gyhoeddwyd yn y Gymraeg yn yr ymgyrch yn erbyn caethwasiaeth o safbwynt Cristnogol efengylaidd.

5 E. Wyn James, 'Welsh Ballads and American Slavery', *The Welsh Journal of Religious History*, 2 (2007), t. 73, n. 39. Ceir fersiwn electronig o'r erthygl hon ar Wefan Baledi Cymru.

6 Geraint H. Jenkins, 'Iolo Morganwg a Chaethwasiaeth', yn Tegwyn Jones a Huw Walters (goln), *Cawr i'w Genedl: Cyfrol i Gyfarch yr Athro Hywel Teifi Edwards* (Llandysul: Gwasg Gomer, 2008), t. 67. Er bod Granville Sharp a Thomas Clarkson yn cael eu trafod yng nghanol paragraff sy'n sôn am gyfraniad y Crynwyr i'r ymgyrch yn erbyn caethwasiaeth, dylid pwysleisio mai Anglicaniaid efengylaidd ac nid Crynwyr oeddynt ill dau.

7 Jenkins, 'Iolo Morganwg a Chaethwasiaeth', t. 67. Ymwelodd â Chymru sawl tro yn ystod ei deithiau ym 1787–94. Roedd Clarkson hefyd yn ffigwr allweddol yn yr ymgyrch i ddileu caethwasiaeth yn nhiriogaethau tramor Prydain, ymgyrch a ddechreuodd o ddifrif ym 1823. Yn rhan o'r ymgyrch honno, bu ef ar daith drwy Gymru rhwng diwedd mis Mehefin a diwedd mis Awst 1824. Cedwir dyddiadur ei daith yn Llyfrgell Genedlaethol Cymru (LlGC 14984A), a cheir copi meicroffilm ohono yn Llyfrgell Prifysgol Caerdydd. Cafodd ymateb digon calonogol yn ne Cymru, ond yr oedd y sefyllfa yn bur wahanol yn y gogledd; yr oedd yr arweinwyr cymdeithasol ac eglwysig yno hanner can mlynedd ar ôl rhai'r de, meddai. Ond yr oedd John Elias o Fôn yn wahanol! Fe gyfarfu Clarkson ag ef yng Nghaer ar 28 Awst 1824, a rhoi iddo lythyr yr oedd wedi ei baratoi ar ei gyfer yn gofyn am ei gefnogaeth: 'Staid at Chester & called upon our Friends. Here I saw John Elias, the great Preacher of the Methodists in Wales, who can command many thousand People in any good cause. I delivered him his Letter, and explained to him how he was to act – He perfectly understood me – A Packet of Books is to be sent to him.' Nid yw cefnogaeth John Elias yn fater o syndod, mewn gwirionedd, o gofio iddo ymosod yn llym ar 'bechadurusrwydd y *Slave Trade* [...] melltigedig' yn sasiwn y Methodistiaid Calfinaidd Cymreig yn Lerpwl ym 1806, flwyddyn cyn i Senedd Prydain ddileu'r fasnach – gw. James, 'Caethwasanaeth a'r Beirdd', t. 51.

8 Andrew Davies, ' "Uncontaminated with Human Gore"? Iolo Morganwg, Slavery and the Jamaican Inheritance', yn Geraint H. Jenkins (gol.), *A Rattleskull Genius: The Many Faces of Iolo Morganwg* (Caerdydd: Gwasg Prifysgol Cymru, 2005), tt. 293, 297; Jenkins, 'Iolo Morganwg a Chaethwasiaeth', t. 75.

9 Disgrifiad Griffith John Williams yn ei gofnod ar Elijah Waring (*c.*1788–1857) yn *Y Bywgraffiadur Cymreig.*

10 Thomas Clarkson, *The History of the Rise, Progress, and Accomplishment of the Abolition of the African Slave-Trade by the British Parliament,* dwy gyfrol (Llundain: Longman, Hurst, Rees, and Orme, 1808), cyf. 2, tt. 347–55. Mae Gwynne E. Owen yn rhestru 11 o'r deisebau o Gymru yn ei draethawd MA, 'Welsh Anti-Slavery Sentiments 1790–1865' (Prifysgol Cymru [Aberystwyth], 1964), Atodiad A. Daw'r cyfan o drefi ger arfordir de a de-orllewin Cymru ac eithrio un o Wrecsam.

11 Timothy Whelan, 'William Fox, Martha Gurney, and Radical Discourse of the 1790s', *Eighteenth-Century Studies*, 42:3 (Gwanwyn 2009), tt. 397–411; Timothy Whelan, 'William Fox (fl. 1791–1794)', www.brycchancarey.com/abolition/williamfox.htm.

12 Cyfieithodd Edward Barnes nifer o weithiau eraill o'r Saesneg, gan gynnwys *Village Politics* gan y ddiddymwraig efengylaidd Hannah More a phregeth gan y gweinidog Annibynnol Calfinaidd, Timothy Priestley (brawd Dr Joseph Priestly), ar farwolaeth Selina, Iarlles Huntingdon. Am gyhoeddiadau Edward Barnes, gw. y mynegai i enwau yn Eiluned Rees, *Libri Walliae* (Aberystwyth: Llyfrgell Genedlaethol Cymru, 1987), t. 778, ynghyd ag eitem rhif 302.

13 James, 'Welsh Ballads and American Slavery', tt. 66–7.

14 Sonia llyfryn Caerfyrddin fod 'amryw o bapurau a llyfrau' wedi ymddangos ar y pwnc yn y Saesneg 'yn ddiweddar', ond dim un yn y Gymraeg; fod 'amryw o filoedd yn *Lloegr* wedi ymwadu â'r melusderau yma'n hollol, a llawer hefyd mewn rhai parthau o *Gymru*'; a bod cynnig aflwyddiannus i ddiddymu'r fasnach mewn caethion wedi bod o flaen y Senedd 'yn ddiweddar (a diweddar oedd)' – cyfeiriad at naill ai'r mesur a gyflwynodd Wilberforce yn Ebrill 1791 neu'r un a gyflwynodd yn Ebrill 1792 – ond nid yw'n sôn am ddeisebau. Sonia'r llyfryn hefyd fod y disgrifiadau sydd ynddo o'r driniaeth greulon a dderbyniai'r caethion yn cael eu cadarnhau gan 'dystiolaeth cymmaint a *thrugain* o wyr cyfrifol, y rhai a holwyd yn fanol ar eu llw o flaen parliament *Lloegr*, yn y ddwy flynedd a aeth heibio' – cyfeiriad, mae'n debyg, at y deunydd a gyflwynwyd i bwyllgor dethol Tŷ'r Cyffredin ar y fasnach mewn caethion, a fu'n casglu tystiolaeth rhwng 1789 ac 1791. Daeth gwaith y pwyllgor i ben yn gynnar ym 1791, a chyhoeddwyd crynodeb o'r tystiolaethau yn y gyfrol, *An Abstract of the Evidence Delivered Before a Select Committee of the House of Commons, in the Years 1790, and 1791; on the Part of the Petitioners for the Abolition of the Slave-Trade* (Llundain: James Phillips, 1791), yng ngwanwyn y flwyddyn honno – sy'n awgrymu i lyfryn Caerfyrddin gael ei lunio rywbryd yn ystod y deuddeg mis o tua gwanwyn 1791 ymlaen. O

ran y dystiolaeth fewnol, felly, gellid tybio fod llyfryn Caerfyrddin wedi ymddangos rywbryd rhwng tua mis Mai 1791 a mis Mai 1792; ac o gofio fod Morgan John Rhys yn Lloegr ac yna yn Ffrainc am y rhan fwyaf o ail hanner 1791 a misoedd cyntaf 1792, hwyrach y gellid dyfalu i'r llyfryn ymddangos naill ai tua mis Mai 1791 (a fyddai'n bur gynnar yn hanes yr ymgyrch yn erbyn siwgr) neu tua dechrau mis Mai 1792, yn fuan ar ôl i Wilberforce gyflwyno ei fesur diddymu yn y Senedd y flwyddyn honno.

15 Mae elfen o amwysedd yma gan y gall 'Brutaniaid' gyfeirio at bobl Prydain yn gyffredinol – fel sy'n wir ym mhennill olaf y gân hon, sy'n sôn am fendithio 'trigolion *Brydain* fawr' – neu gall gyfeirio'n benodol at y Cymry ('yr Hen Frytaniaid') – gw. E. Wyn James, *Glyndŵr a Gobaith y Genedl: Agweddau ar y Portread o Owain Glyndŵr yn Llenyddiaeth y Cyfnod Modern* (Aberystwyth: Cymdeithas Lyfrau Ceredigion, 2007), tt. 26–7.

16 Ymhlith papurau Iolo Morganwg yn y Llyfrgell Genedlaethol y mae'r unig gopi o'r daflen faledol hon sydd wedi goroesi, hyd y gwn i (LlGC 21405E). O gofio hynny, diddorol yw gweld Iolo yn dweud hyn mewn llythyr at ei wraig tua 1794: 'We have all or most of our [g]old & silver[, t]hose gods so much adored even by the best people, from the mountains of Peru, where we read that the cruel Spaniards chain their slaves both whites & black to the rocks a hundred fathom under ground and, once there, they are never more permitted to see the light of the day, but work naked going to and fro the length of their chain for life. The poor blacks in our sugar islands fare not much better. The tears and even blood of those poor wretches makes up a considerable part of the sugar which is so sweet to us, but very bitter to them. They were made by the same God who made us, the same Saviour bled for them and we, though we keep the gospel which was equally intended for them & us from [them ...]' – Geraint H. Jenkins, Ffion Mair Jones a David Ceri Jones (goln.), *The Correspondence of Iolo Morganwg*, tair cyfrol (Caerdydd: Gwasg Prifysgol Cymru, 2007), cyf. 1, t. 629. Er bod llythyr Iolo at ei wraig yn ddiddyddiad, awgryma'r golygyddion '?1794' ar ei gyfer.

17 Cyfeiriad, o bosibl, at y gân 'Rule Britannia', a luniwyd ym 1740, y mae ei chytgan yn diweddu â'r geiriau 'Britons never, never, never shall be slaves'.

18 Nid yw'r pwyslais ar 'deimlad' yn annisgwyl mewn oes a ddisgrifiwyd fel 'The Age of Sensibility', lle y rhoddid pwys ar synwyrusrwydd a chydymdeimlo fel elfennau hanfodol i'r profiad dynol cyflawn – gw. Jenkins, 'Iolo Morganwg a Chaethwasiaeth', tt. 64–5. Fel y dywed Brycchan Carey yn *British Abolitionism and the Rhetoric of Sensibility* (Basingstoke: Palgrave Macmillan, 2005), t. 2: 'Many critics of the last two centuries, especially those of the modernist period, have used the terms "sensibility" and, more especially, its near-synonym "sentiment",

pejoratively, to denote a trite and probably feigned emotionality. To the eighteenth-century writer, however, "sentiment" was not a pejorative term. Rather than worrying about degenerating into sentimentality, many aspired to it, recognising an opportunity to tap directly into the heart of the human condition. If sentimental literature could put people in touch with their emotions, as many in the eighteenth century believed, it was clearly a powerful persuasive tool.'

19 Roedd Owen Rees (1770–1837) – a symudodd i Lundain i ymuno â chwmni cyhoeddi enwog Longman ym 1794 neu 1795, a dod yn bartner yn y cwmni – yn fab i Josiah Rees, y gweinidog Undodaidd o'r Gellionnen, Pontardawe, a chyfaill Iolo Morganwg; gw. W. J. Phillips, 'Iolo Morganwg and the Rees Family of Gelligron', *Cylchgrawn Llyfrgell Genedlaethol Cymru*, 14:2 (Gaeaf 1965), tt. 227–36. Ceir hysbyseb Saesneg ar gyfer siop Owen Rees, 'No. 10, Wine-Street, Bristol', ar gefn y llyfryn *Dioddefiadau Miloedd Lawer o Ddynion Duon*, lle y dywedir ei fod yn gwerthu 'the different Books and Pamphlets that have been published concerning the Slave Trade'.

20 Am drafodaeth fanylach, gw. E. Wyn James, '"Seren Wib Olau": Gweledigaeth a Chenhadaeth Morgan John Rhys (1760–1804)', *Trafodion Cymdeithas Hanes y Bedyddwyr*, 2007, tt. 5–37, a'r cyfeiriadau yno.

21 Morgan John Rhys, *Coffadwriaeth o Farwolaeth y Parchedig Mr. Dafydd Jones* (Trefeca, 1792), t. 7.

22 Gw. James, 'Seren Wib Olau', tt. 10–25.

23 Yr hanesydd Americanaidd, Seth Cotlar, mewn anerchiad ar y testun 'A Brief History of the Word "Democracy", 1789–1803', i gyfarfod blynyddol 'The Pennsylvania Society of Sons of the Revolution', Philadelphia, 9 Ebrill 1998 (www.amrev.org/htdocs/html/fm/Report_98.shtml#VI).

24 James, 'Seren Wib Olau', tt. 19–20, 28 (n. 3); Coffey, 'Evangelicals, Slavery & the Slave Trade', t. 102. Mae'n werth nodi fod cysylltiadau agos rhwng Morgan John Rhys a Dr Benjamin Rush (1745–1813), y meddyg a'r diwygiwr cymdeithasol o Bensylfania a oedd yn un o arloeswyr yr ymgyrch yn erbyn caethwasiaeth.

25 Dyfynnwyd yn J. J. Evans, *Morgan John Rhys a'i Amserau* (Caerdydd: Gwasg Prifysgol Cymru, 1935), t. 132.

26 James, 'Seren Wib Olau', tt. 24–5.

27 Hywel M. Davies, *Transatlantic Brethren: Rev. Samuel Jones (1735–1814) and His Friends* (Bethlehem, UDA: Lehigh University Press; Llundain: Associated University Presses, 1995), t. 171. Yr argraffiad Saesneg a ddefnyddiodd Morgan John Rhys ar gyfer ei gyfieithiad oedd un ei gyfaill, Dr John Rippon (1751–1836), y gweinidog Bedyddiedig dylanwadol, a gyhoeddwyd ym 1788.

28 Un wedd ar hyn, a gyfunai ei ddiddordebau cenhadol a gwladgarol, oedd ei ddiddordeb yn yr 'Indiaid Cymreig' honedig. Bwriadai i unrhyw elw o gyhoeddi y *Cylch-grawn Cynmraeg* fynd tuag at gynnal cenhadon Cristnogol ymhlith Brodorion America, ac yn arbennig i geisio dod o hyd i ddisgynyddion yr hen Gymry a aethai i Ogledd America gyda Madog ab Owain Gwynedd; a rhoddodd sylw yn ei gylchgrawn i ymgais John Evans, Waunfawr, i ddod o hyd i'r 'Madogiaid'. Gw. James, 'Seren Wib Olau', t. 22; E. Wyn James, 'Iolo Morganwg, Thomas William a Gwladgarwch y Methodistiaid', *Llên Cymru*, 27 (2004), t. 173, n. 2.

29 Ar David George, gw. y 'Dictionary of Canadian Biography Online' (www.biographi.ca), lle y gelwir erthygl David George yn 'one of the few existing black loyalist documents'.

30 Edwin Welch, *Spiritual Pilgrim: A Reassessment of the Life of the Countess of Huntingdon* (Caerdydd: Gwasg Prifysgol Cymru, 1995), tt. 139, 142; Boyd Stanley Schlenther, *Queen of the Methodists: The Countess of Huntingdon and the Eighteenth-Century Crisis of Faith and Society* (Durham: Durham Academic Press, 1997), t. 91.

31 James, 'Welsh Ballads and American Slavery', tt. 61–5; James, 'Williams Pantycelyn a Gwawr y Mudiad Cenhadol', tt. 72–93.

32 John Saillant, 'Hymnody and the Persistence of an African-American Faith in Sierra Leone', *The Hymn*, 48:1 (Ionawr 1997), tt. 8–17; James, 'Williams Pantycelyn a Gwawr y Mudiad Cenhadol', tt. 73–9. Mae'r gair 'Jiwbili' yn un llawn arwyddocâd o safbwynt rhyddid corfforol ac ysbrydol. Bob hanner can mlynedd cyhoeddid Jiwbili yn Israel yng nghyfnod yr Hen Destament, ac un o'i phrif nodweddion oedd bod holl gaethion y wlad yn cael eu rhyddhau. I Gristnogion fel Williams Pantycelyn yr oedd hyn yn gysgod o'r rhyddid ysbrydol a ddeuai gyda chyhoeddi'r efengyl Gristnogol o gyfnod y Testament Newydd ymlaen, a hefyd o Jiwbili fawr ar ddiwedd amser, pan fyddai pechod a drygioni yn cael eu trechu'n derfynol. Gw. James, 'Caethwasanaeth a'r Beirdd', tt. 46–8.

33 Yr oedd gan Iarlles Huntingdon gysylltiad hefyd â chyhoeddiad pwysig arall gan ddyn du, sef *A Narrative of the Lord's Wonderful Dealings with John Marrant*. Nid caethwas oedd John Marrant (1755–91), ond dyn rhydd a aned yn Efrog Newydd ac a dreuliodd lawer o'i ieuenctid yn Fflorida, Georgia a De Carolina. Cyhoeddwyd ei naratif am y tro cyntaf ym 1785, y flwyddyn y cafodd Marrant ei ordeinio'n weinidog yng nghyfundeb Arglwyddes Huntingdon, ac y mae'n adrodd hanes ei fywyd hyd at yr adeg honno, gan gynnwys cyfnodau yn byw gyda'r Indiaid ac yn gwasanaethu yn llynges Prydain adeg Rhyfel Annibyniaeth America. Treuliodd y rhan fwyaf o'r amser ar ôl ei ordeinio yn gweinidogaethu yn Nova Scotia a Boston. Daeth argraffiad Saesneg o'r naratif o wasg Zecharias B. Morris

yng Nghaerfyrddin ym 1817, gyda chyfieithiad Cymraeg (dienw) yn ymddangos o'r un wasg ym 1818, ac argraffiad Cymraeg arall, hefyd ym 1818, o wasg Richard Lloyd yng Nghaerdydd. Am olygiad diweddar o gyfrolau Saesneg gwreiddiol Gronniosaw, Marrant, Cugoano ac Equiano – Calfiniaid oll o ran eu diwinyddiaeth – gw. Adam Potkay a Sandra Burr, *Black Atlantic Writers of the Eighteenth Century* (Llundain: Macmillan, 1995). Yr oedd Arglwyddes Huntingdon hefyd yn gyfaill i Samson Occom, yr awdur arloesol o blith Brodorion America.

34 Roxann Wheeler, *The Complexion of Race: Categories of Difference in Eighteenth-Century British Culture* (Philadelphia: University of Pennsylvania Press, 2000), tt. 5, 15–16.

35 Noda Adam Potkay wedd bwysig arall ar y *slave narratives*: 'It was evangelicalism that gave these Africans an English voice; but, conversely, these voices gave evangelicalism a new resonance, by making it clear that each Christian self is rooted in cultural pasts that cannot and ought not be forgotten' (*Black Atlantic Writers of the Eighteenth Century*, t. 3).

36 Welch, *Spiritual Pilgrim*, tt. 144–5; James, 'Welsh Ballads and American Slavery', tt. 62–3. Llugoer oedd ymateb Iarlles Huntingdon yn y 1770au i anogaethau Anthony Benezet o Philadelphia, un o arloeswyr mawr yr ymgyrch i ddileu caethwasiaeth, iddi ymroi i'r ymgyrch honno; gw. Coffey, 'Evangelicals, Slavery & the Slave Trade', t. 99. Gw. hefyd Cedrick May, 'John Marrant and the Narrative Construction of an Early Black Methodist Evangelical', *African American Review*, 38:4 (Gaeaf 2004), tt. 553–70. Anodd derbyn dyfarniad Boyd Stanley Schlenther mai di-hid braidd oedd Iarlles Huntingdon ynghylch efengylu i'w chaethweision yn Georgia (*Queen of the Methodists*, t. 91); ar ei goruchwylwyr yno yr oedd llawer o'r bai am hynny.

37 James, 'Seren Wib Olau', tt. 8–10; Hywel M. Davies, '"Very Different Springs of Uneasiness": Emigration from Wales to the United States of America during the 1790s', *Cylchgrawn Hanes Cymru*, 15:3 (Mehefin 1991), tt. 368–98.

38 Mae copi personol Iolo Morganwg o'r casgliad hwn yn Llyfrgell Prifysgol Caerdydd. Dywed Morgan John Rhys mewn llythyr at William Owen [-Pughe], 2 Ebrill 1794, ei fod yn bwriadu cyhoeddi rhan gyntaf y casgliad emynau erbyn dechrau mis Mai 1794; gw. G. J. Williams, 'Letters of Morgan John Rhys to William Owen [-Pughe]', *Cylchgrawn Llyfrgell Genedlaethol Cymru*, 2:3–4 (Haf 1942), t. 136. Yn yr un llythyr, mae'n feirniadol iawn o'r argraffydd, John Daniel.

39 Gw. James, 'Caethwasanaeth a'r Beirdd', tt. 46–9, am ddau bennill arall yr emyn a thrafodaeth arno.

40 Cadwodd ddyddiadur ar y daith. Cyhoeddwyd rhannau ohono yn John T. Griffith, *Rev. Morgan John Rhys: The Welsh Baptist Hero of Civil and*

Religious Liberty of the Eighteenth Century, ail argraffiad (Caerfyrddin: W. M. Evans & Son, 1910), pennod 15. Mae'r dyddiadur gwreiddiol yn Llyfrgell Prifysgol Columbia, Efrog Newydd; ceir copi meicroffilm ohono yn Llyfrgell Prifysgol Caerdydd. Mae Hywel M. Davies yn trafod y daith yn bur fanwl yn *Transatlantic Brethren*, pennod 7.

41 Fel y dywed Hywel M. Davies, y mae Morgan John Rhys yn mynd yn fwy ac yn fwy hallt ei feirniadaeth wrth iddo weld mwy a mwy o gam-drin ar y caethion yn ystod ei fisoedd o deithio trwy daleithiau'r De, yn enwedig wedi iddo gyrraedd Georgia – Davies, *Transatlantic Brethren*, tt. 217–22; Hywel M. Davies, '"Cymro, Gelynol i Bob Gorthrech": Morgan John Rhys (1760–1804)', yn Geraint H. Jenkins (gol.), *Cof Cenedl IX* (Llandysul: Gwasg Gomer, 1994), tt. 88–91; gw. hefyd Gwyn A. Williams, 'Morgan John Rhees and His Beula', *Cylchgrawn Hanes Cymru*, 3:4 (Rhagfyr 1967) t. 450; Griffith, *Rev. Morgan John Rhys*, tt. 99–102, 122, 129, 143, 146, 148–9, 151, 152, 159, 165, 167–72, 173–5, 196–7, 209, 210, 221, 234.

42 Dylid nodi'n benodol, efallai, 'The Altar of Peace', ei bregeth yn Greenville, Ohio, o flaen swyddogion y fyddin Americanaidd ar 5 Gorffennaf 1795 (a gyhoeddwyd yn llyfryn gan Gymdeithas Genhadol Philadelphia ym 1798), lle y mae'n dadlau dros drin y Brodorion yn deg a dyngarol ac efengylu iddynt, a chyfres o lythyrau, 'Letters on Liberty and Slavery' (a gyhoeddwyd yn yr *American Universal Magazine* ym 1797 ac yna yn llyfryn ym 1798), a luniwyd yn wrthwyneb i bamffledyn a ddadleuai fod modd cyfiawnhau caethwasiaeth o'r Beibl. Gw. Davies, *Transatlantic Brethren*, tt. 221–2, 227–9; Griffith, *Rev. Morgan John Rhys*, tt. 235–43.

43 James, 'Seren Wib Olau', tt. 25–6.

44 Williams, 'Morgan John Rhees and His Beula', t. 443.

45 James, 'Caethwasanaeth a'r Beirdd', tt. 39–42.

46 Jenkins, 'Iolo Morganwg a Chaethwasiaeth', tt. 80, 64.

47 Davies, '"Uncontaminated with Human Gore"?'; Jenkins, 'Iolo Morganwg a Chaethwasiaeth'.

[Traddodwyd fersiynau cynharach ar y bennod hon yng nghynhadledd 'Cerrig Milltir' Canolfan Uwchefrydiau Cymreig a Cheltaidd Prifysgol Cymru yn Aberystwyth yn haf 2005 ac mewn cynhadledd ryngwladol ar astudiaethau Cymreig a drefnwyd gan y 'North American Association for the Study of Welsh Culture and History' (NAASWCH) yn Abertawe yn haf 2006.]

YMESTYN FFINIAU'R 'BAU GYHOEDDUS' DDIDDYMOL:[1] GWASG YR EVERETTIAID A HENRY HIGHLAND GARNET

Jerry Hunter

Ymysg yr ysgrifau coffa a geir yn *Cofiant y Diweddar Barch. Robert Everett* mae pennod 'gan y Parch. E. Davies, Waterville, N.Y.' sy'n trafod 'Dr. Everett fel Diwygiwr'. Egyr y bennod hon â diffiniad: 'Swyddogaeth Diwygwyr yn y byd yw effeithio cyfnewidiad ynddo er gwell.'[2] Wrth ddisgrifio'r modd y dylanwadodd y diwygiwr hwn ar y byd 'er gwell', mae'r Parchedig Davies yn pwysleisio'r ffaith mai'r byd Cymreig Americanaidd oedd byd Robert Everett, ac i'r perwyl hwnnw mae'n cynnwys anecdot bersonol ddifyr:

> Dywedai Cymro yn un o Dalaethau y Gorllewin wrthym unwaith, ei fod ef yn ystyried fod Mr. Everett wedi gwneuthur mwy tuag at ryddhau y caethion nag un dyn arall yn y wlad, oddieithr yr Arlywydd Lincoln. Cymro oedd hwnnw, a hawdd gwybod mai o fewn y byd bach Cymreig yn unig yr oedd yn byw; a chan na wyddai nemawr am un byd arall, naturiol oedd iddo dybied mai hwnnw oedd y mwyaf. Gwyr y cyffredin, fodd bynnag, nad yw holl Gymry y byd ond megys defnyn o gelwrn i'w cydmaru â chenhedloedd; ac y mae cylch eu dylanwad, o angenrheidrwydd, yn dra chyfyngedig yn y byd. Eto, nid wrth eangder cylch eu defnyddioldeb y gwobrwyir dynion, yn gymaint ag yn ôl eu ffyddlondeb yn y cylch y byddont ynddo; ac o'i farnu wrth y safon yma, ac yn ôl y goleu hwn, mae'n ddiau fod Dr. Everett wedi derbyn gwobr fawr, oblegid yr hyn a allodd, efe a'i gwnaeth.[3]

Mae'r awdur hwn yn ein cymell i chwerthin am ben y modd y mae (rhai) Americanwyr Cymraeg eu hiaith yn gweld yr Unol Daleithiau trwy'u llygaid Cymreig. Perthyn yr anecdot hon i ffrwd o hiwmor Cymreig Americanaidd sy'n cynnwys jôc y gellir ei chlywed heddiw mewn rhai cylchoedd Cymreig (a Chymraeg) yn yr Unol Daleithiau. Mae'r jôc hon yn disgrifio dau Gymro a ymfudodd o'r 'Hen Wlad' i Utica, Efrog Newydd – yr enwocaf o gymunedau Cymreig yr Unol Daleithiau – ond gan eu bod wedi glanio yn ninas fawr Efrog Newydd gyntaf, penderfynodd y ddau gyfaill dreulio ychydig o amser yno cyn symud ymlaen i'w cartref newydd yn Utica. Wrth iddynt grwydro strydoedd prysur y ddinas anferthol honno mae un ohonynt yn ebychu: 'os yw Efrog Newydd mor fawr â hyn, dychmyga sut bydd Utica!'

Mae'r straeon digrif hyn yn dadlennu llawer ynghylch hunaniaeth Gymreig Americanaidd gan eu bod yn cymryd un o elfennau creiddiol yr hunaniaeth honno – yr awydd neu'r ymdrech i ddehongli'r 'wlad fabwysiedig' mewn termau Cymreig – a'i gwthio i eithafion hurt. Dyna'r hyn sydd wrth wraidd y chwerthin a ddaw wrth i'r darllenydd ddysgu bod y dyn dienw yn anecdot y Parch. Davies wedi dyrchafu Robert Everett ar draul holl ddiddymwyr enwog yr Unol Daleithiau a'i osod ar frig pantheon o arwyr cenedlaethol – yn ail yn unig i Abraham Lincoln.[4] Wrth gwrs, nid dychanu'r math hwn o Gymro Americanaidd yw prif bwrpas y darn hwn, ac felly daw sylweddoliad ar sodlau'r chwerthin: mae'r awdur yn canmol Robert Everett am ei 'ffyddlondeb' i'r byd Cymreig Americanaidd ac yn talu teyrnged iddo am newid y byd hwnnw er gwell.

Bu Robert Everett yn ymgyrchu yn erbyn caethwasanaeth am dros 40 mlynedd, a hynny trwy nifer o gyfryngau, gan ddefnyddio'r pulpud, yr ysgrifbin, y wasg argraffu a'r blaid wleidyddol er mwyn radicaleiddio Cymry America a'u byddino yn erbyn y drefn anfoesol honno. Roedd yn gweithio'n ddiflino ar ei stepen drws ei hun yn swydd Oneida, Efrog Newydd, yn cynnal cyfarfodydd gwrthgaethiwol ac yn teithio o bentref i bentref ac o fferm i fferm er mwyn dosbarthu deunydd diddymol.[5] Ond roedd ei statws cenedlaethol – ei enw da ar lefel y 'Gymru Americanaidd' – yn deillio'n bennaf o'i weithgareddau ym myd y wasg argraffu. Yn awdur ac yn gyfieithydd Cymraeg toreithiog, yn olygydd nifer o gylchgronau a chyfrolau, ac yn berchen ar wasg a oedd ymysg prif gonglfeini diwylliant print Cymraeg yr Unol Daleithiau, trwy gyfrwng y gair printiedig yn anad dim y daeth Robert

Everett yn enw adnabyddus mewn cymunedau Cymraeg ar draws yr Unol Daleithiau. Ac roedd y Robert Everett cyhoeddus hwn yr oedd Cymry America yn dod i'w adnabod drwy gyfrwng y gair printiedig wedi'i gyplysu'n bennaf oll â diddymiaeth. Y cysylltiad hwn rhwng Dr. Everett a'r wasg ddiddymol Gymraeg yw'r hyn sy'n egluro pam y penderfynodd John Williams, gweinidog Cymraeg yn Harrison, Ohio, enwi ei blentyn yn Robert Everett Williams, fel arwydd o barch at y diddymwr Cymraeg enwog,[6] a dyma hefyd sy'n egluro geiriau 'Cymro yn un o Dalaethau y Gorllewin' a ddywedodd 'fod Mr. Everett wedi gwneuthur mwy tuag at ryddhau y caethion nag un dyn arall yn y wlad, oddieithr yr Arlywydd Lincoln'.

Daeth y rhifyn cyntaf o *Y Cenhadwr Americanaidd* o'r wasg ym mis Ionawr 1840. Robert Everett oedd y golygydd ac o'r rhifyn cyntaf hwnnw sicrhaodd fod gwedd wrthgaethiwol ar y cylchgrawn.[7] Cyhoeddid y misolyn ar gyfer Annibynwyr Cymraeg yr Unol Daleithiau, ond ym mis Medi 1842 penderfynodd Cymanfa yr enwad yn swydd Oneida 'fod y *Cenhadwr* rhaglaw i gael ei ystyried yn eiddo y Parch. Robert Everett, i'w ddwyn yn mlaen yn ei enw ac ar ei draul ei hun'.[8] Ac o ddiwedd y flwyddyn honno ymlaen roedd y cylchgrawn yn cael ei argraffu ar wasg yng nghartref yr Everettiaid. Yn wir, er bod Cymry ar draws yr Unol Daleithiau yn ei hadnabod fel 'gwasg Robert Everett', mae'n well ei disgrifio fel 'gwasg yr Everettiaid'. Roedd ei wraig Elizabeth yn helpu i ddarllen proflenni ac roedd yr holl blant – ac, yn ddiweddarach, nifer o'r wyrion hefyd – yn helpu gyda gwaith ymarferol megis rhwymo, lapio a dosbarthu. Cyfrannodd pob un o ferched Robert ac Elizabeth Everett (sef Elizabeth, Jennie, Mary a Cynthia), ond roedd y meibion John, Robert a Lewis yn aelodau cwbl hanfodol o'r fenter. Gan fod y ddau fab hynaf, John a Robert, wedi dysgu crefft yr argraffydd, hwy oedd yn gyfrifol am weithio'r wasg. Daeth Lewis yn ei dro i gynorthwyo'i dad gydag agweddau llenyddol ar y busnes teuluol, yn cyfieithu ysgrifau Saesneg i'r Gymraeg ac yn helpu gyda'r gwaith golygyddol.

Gyda chymaint o adnoddau a doniau i'w cael ar ei aelwyd ei hun, nid yw'n syndod bod Robert Everett wedi penderfynu cychwyn ail gylchgrawn ar ddechrau 1843, sef *Y Dyngarwr*, cyhoeddiad a roddai sylw i ddau achos yn unig, dirwest a diddymiaeth. Nod Robert Everett oedd anrhegu pob gweinidog Cymraeg yn yr Unol Daleithiau â'r cylchgrawn hwn, ac felly nid yw'n syndod bod y fenter wedi profi'n rhy ddrud i'w chynnal ar ôl y flwyddyn gyntaf honno.[9] Ond, er gwaethaf ei fyrhoedledd, credaf fod *Y Dyngarwr* wedi chwarae rhan allweddol yn y mudiad gwrthgaethiwol Cymraeg. Roedd nifer o gymdeithasau gwrthgaethiwol Cymraeg wedi'u ffurfio yn ystod 1843, ac erbyn diwedd y flwyddyn honno – blwyddyn *Y Dyngarwr* – roedd y cymdeithasau hyn yn dechrau cysylltu fwyfwy â'i gilydd. Roedd rhwydwaith o ddiddymwyr Cymraeg wedi'i ffurfio, ac roedd y diddymwyr hyn yn dechrau ymgyrchu o ddifrif. Dyna fu cenhadaeth *Y Dyngarwr*.[10] Byddai deunydd gwrthgaethiwol yn parhau i ymddangos ar dudalennau *Y Cenhadwr Americanaidd* a byddai'r wedd ddiddymol ar wasg yr Everettiaid yn dwysáu ymhellach ym 1854 wrth i'r teulu argraffu cyfieithiad Cymraeg o *Uncle Tom's Cabin*.[11]

Cyn craffu'n fanylach ar rai enghreifftiau penodol o weithgareddau aelodau eraill o'r teulu, mae'n werth ystyried eto statws cenedlaethol pen y teulu hwnnw. Er mwyn deall yn well y berthynas rhwng Robert Everett, ei wasg deuluol a'r Gymru Americanaidd, mae'n fuddiol ystyried gyrfa un o ddiddymwyr enwocaf yr Unol Daleithiau, William Lloyd Garrison. Mae Robert Fanuzzi yn dadansoddi'r berthynas rhwng Garrison, ei wasg ef, a darllenwyr y wasg honno mewn modd sy'n cynnig model hylaw i ni:

> Garrison embodied the abolition movement precisely because he was a name whose currency bore witness to the structures of pamphleteering, newspaper publishing, and public discussion that abolitionists had put in place throughout the 1830s. As such, the true register in which Garrisonism obtained was not in the private sphere of moral influence and individual sovereignty but in a print culture of publicity and public discussion, where both his name and the newspaper that bore it could be said to circulate. In sharing the social structure of the abolitionists' public sphere, Garrisonism shared also its discursive structure and demonstrated their continuing investment in the historical associations of their printed articles. Garrisonism . . . thus . . . stood for the prospect of a public sphere . . .[.] Far from signaling the embodiment of the abolition movement in the form of a single person, it symbolized the possibility of Garrison's disembodiment from himself in accord with the republican values of the abolitionists' print culture and its public standards of expression.[12]

Yn ôl dadansoddiad Fanuzzi, prif amcan y diddymwyr radicalaidd newydd a oedd yn dechrau codi'u lleisiau yn y 1830au oedd creu 'public sphere' – term y gallwn ei gyfieithu fel 'pau gyhoeddus' – ar gyfer dadleuon gwrthgaethiwol. Er bod ymgyrchoedd y diddymwyr hyn yn cynnwys llawer o waith o fathau eraill hefyd (teithio er mwyn dosbarthu deunydd, hel deisebau, cynnal cyfarfodydd cyhoeddus, ac yn y blaen), roedd yn fenter lenyddol yn anad dim. Yn gyntaf, y nod oedd creu cymuned genedlaethol o ddarllenwyr a fyddai'n fodlon derbyn cyhoeddiadau gwrthgaethiwol. Wedi sefydlu'r *public sphere* priodol, yr ail gam oedd radicaleiddio'r gymuned honno'n gynyddol gan felly ymestyn ffiniau'r bau gyhoeddus yr oedd y wasg ddiddymol wedi'i chreu.

Fel yr oedd William Lloyd Garrison wedi'i droi'n bersona a'i ddyrchafu drwy gyfrwng y wasg i gynrychioli'r mudiad diddymol a elwid yn Garrisonism, felly hefyd y cyplysid enw Robert Everett â'r mudiad diddymol Cymraeg yn yr Unol Daleithiau. Ac mae'n bosibl dadlau bod gwasg Everett wedi dechrau trwy greu pau gyhoeddus Gymraeg ar gyfer dadleuon gwrthgaethiwol yn gynnar yn y 1840au cyn symud ymlaen i radicaleiddio'r gymuned newydd honno ymhellach drwy gyhoeddi ysgrifau a gyflwynai agweddau newydd – a mwy milwriaethus – ar ddiddymiaeth.

Er ei fod yn gweithio'n bennaf i radicaleiddio Cymry America, roedd gan Robert Everett gysylltiadau â nifer o ddiddymwyr amlwg y tu allan i'r cylch Cymraeg. Un ohonynt oedd Beriah Green, prifathro yr Oneida Institute.[13] Uchelgais Green oedd troi'r coleg hwn yn fagwrfa ar gyfer y genhedlaeth nesaf o ddiddymwyr. Yn ogystal ag astudio pynciau academaidd, roedd y myfyrwyr yn ymroi i lafur corfforol ac yn cael dysgu nifer o sgiliau ymarferol. Un ohonynt oedd crefft yr argraffydd; roedd dau fab hynaf Robert Everett, John a Robert, yn fyfyrwyr yn yr Oneida Institute ac yno y dysgodd y ddau y sgiliau a fyddai'n eu galluogi i argraffu *Y Cenhadwr Americanaidd*, *Y Dyngarwr* a chyhoeddiadau eraill gwasg yr Everettiaid. Ar wasg y coleg y cyhoeddid papur Cymdeithas Wrthgaethiwol Efrog Newydd, *The Friend of Man*,[14] ac felly mae'n bosibl iawn fod y ddau Everett ifanc wedi argraffu rhifyn neu ddau o'r cyhoeddiad Saesneg hwnnw, a hynny rhyw dair neu bedair o flynyddoedd cyn iddynt argraffu *Y Dyngarwr* (ac mae'n werth nodi yn y cyswllt hwn fod teitl y cylchgrawn diddymol Cymraeg hwnnw'n gyfieithiad o deitl *The Friend of Man*).

Diolch i Beriah Green, yr Oneida Institute oedd un o'r colegau cyntaf yn yr Unol Daleithiau i dderbyn Affro-Americanwyr. Roedd nifer o fyfyrwyr duon hynod alluog yno ar yr un pryd â'r ddau Everett, gan gynnwys Henry Highland Garnet.[15] Wedi'i eni'n gaethwas yn Maryland, dihangodd Henry Highland Garnet gyda'i deulu pan oedd yn blentyn i dalaith rydd Pennsylvania. Ond er iddo adael caethiwed, dysgodd Garnet fod hiliaeth yn rhemp ymysg trigolion gwyn y taleithiau gogleddol hefyd. Dechreuodd ei addysg uwch ym 1835 yn y Noyes Academy yng Nghanaan, New Hampshire, ond gorfodwyd ef i ymadael pan ymosododd torf o hilgwn lleol ar yr Academi. Ond aeth wedyn i'r Oneida Institute ac yno y graddiodd ym 1839. Symudodd i ddinas Efrog Newydd, ac ym 1842 cafodd Henry Highland Garnet ei urddo'n weinidog gyda'r Presbyteriaid yn Eglwys Liberty Street.[16] Roedd yn hyrwyddo diddymiaeth mewn nifer syfrdanol o wahanol ffyrdd. Yn awdur dawnus ac yn areithiwr grymus, gweithiai Garnet yn ddiwyd gyda'r 'Rheilffordd Danddaearol' hefyd.[17] Yn ogystal, roedd ymysg arloeswyr y *free produce movement*, sef mudiad masnach deg a ddarparai nwyddau i brynwyr nad oeddynt wedi'u cynhyrchu gan gaethweision.[18]

Mewn cynhadledd a gynhaliwyd ym mis Awst 1843 yn Buffalo, Efrog Newydd, traddododd Henry Highland Garnet araith danbaid ger bron y *National Convention of Colored Citizens.* [19] Daethpwyd i alw'r araith hon yn 'Alwad Garnet i Wrthryfel' (*Garnet's Call to Rebellion*):

> Brethren, arise, arise! Strike for your lives and liberties. Now is the day and the hour. Let every slave throughout the land do this, and the days of slavery are numbered. You cannot be more oppressed than you have been – you cannot suffer greater cruelties than you have already. Rather die freemen than live to be slaves. Remember that you are FOUR MILLIONS![20]

Roedd prif ffrydiau diddymol y cyfnod yn heddychlon, nodwedd a grisielir mewn term a oedd yn greiddiol i ddaliadau Garrisoniaeth, *nonresistance.* Ni ellid dehongli araith Garnet ond fel galwad i gefnu ar ddull di-drais y Garrisoniaid. Atebwyd Garnet yn syth o lawr y gynhadledd gan neb llai na Frederick Douglass, yr enwocaf o'r holl ddiddymwyr Affro-Americanaidd. Collfarnodd Douglass yr anogaeth gan ddweud y dylai'r diddymwyr barhau i arddel dulliau heddychlon o hyd. Atebodd Garnet feirniadaeth Douglass yn ei dro cyn i'r gynhadledd orffen, ond Douglass a orfu pan ddaeth yn bleidlais: ni chafodd awgrym gwrthryfelgar Garnet sêl bendith y cynadleddwyr.[21]

Erbyn i Henry Highland Garnet ysgwyd y mudiad diddymol yn y modd hwn, roedd trydydd mab Robert Everett, Lewis, wedi dod yn aelod llawn o'r wasg deuluol. Os oedd ei frodyr hŷn wedi'u haddysgu yn yr Oneida Institute gyda Garnet, Lewis, y brawd iau, fyddai'n sicrhau bod gwasg yr Everettiaid yn cyhoeddi rhai o syniadau'r Affro-Americanwr radicalaidd hwn. Traddododd Garnet araith gofiadwy arall mewn cyfarfod yn Homer, Efrog Newydd, ar 4 Gorffennaf 1845, 'The Wrongs of Africa'.[22] Cafodd Lewis Everett afael ar gopi ohoni, ei chyfieithu a'i chyhoeddi yn rhifyn Medi o *Y Cenhadwr Americanaidd* y flwyddyn honno o dan y pennawd 'Cwynion Affrica'. Mae disgrifiad o'r awdur yn rhagflaenu'r cyfieithiad ei hun ar dudalennau'r *Cenhadwr*:

> Y Parch. Henry Highland Garnet, dyn du, gweinidog eglwys Affricanaidd yn Troy [, Efrog Newydd], ar ôl traddodi araeth synwyrlawn ar y 4ydd o Orphenaf diweddaf, i gynulleidfa dra luosog o bobl wynion yn Homer, C[aerefrog] N[ewydd], ar ddiwedd ei araeth a ddarllenodd y cwyn galarus a ganlyn, o barthed ei genedl yn ôl y cnawd.[23]

Trwy gyfieithu'r araith hon roedd Lewis Everett yn troi'r geiriau a draddododd Garnet gerbron cynulleidfa fyw yn Homer yn ddarn o lenyddiaeth ddiddymol Gymraeg. Ac felly mae'r modd y cyfarchodd Garnet ei wrandawyr ar y Pedwerydd o Orffennaf hwnnw yn troi'n anerchiad ysgrifenedig wedi'i anelu at bau gyhoeddus y wasg: 'GYD-DDINASYDDION O'R UNOL DALAETHAU – Tad y trugareddau a roddodd i ni etifeddiaeth mewn gwlad dda[.]'[24] Mae'n ailadrodd yr anerchiad 'Cyd-ddinasyddion' ar ganol yr araith:

> Gyd-ddinasyddion, edrychwch ar y gwirionedd. Yn enw fy mrodyr yr wyf yn erfyn na throwch oddiwrtho gyda dirmyg, ond syllwch arno yn araf ac yn deg [. . .]. Y mae y foment hon dair miliwn o gaethion yn yr Unol Dalaethau. Drugarog Dduw, pa ddirfawr rifedi yw hyn!'[25]

Gydag ymadroddion sy'n tynnu sylw at gymuned a lluosogrwydd y ddynoliaeth ('brodyr', 'cyd-ddinasyddion'), mae llais Cymraeg

Garnet yn gofyn i'r bau gyhoeddus Gymraeg ystyried cymuned Americanaidd arall – y caethweision.

Wrth i ran gyntaf yr araith/ysgrif ddatblygu mae'n galw ar awdurdod y Beibl er mwyn awdurdodi'r neges y mae'n ei chyflwyno. Dywed fod 'Y Gyfrol sanctaidd honno' yn datgan 'mai "o un gwaed y gwnaeth [Duw] bob cenedl o ddynion"'.[26] Nid hwn oedd y tro cyntaf i wasg yr Everettiaid gyflwyno'r safbwynt hwn i'r bau gyhoeddus yr oedd yn ei chynnal. Mewn ysgrif a ymddangosodd yn *Y Dyngarwr* ddwy flynedd union cyn i'r darn hwn ymddangos yn *Y Cenhadwr Americanaidd*, roedd awdur a ddefnyddiai'r ffugenw 'Gogleddwr' wedi dadlau bod rhagfarn yn erbyn Affro-Americanwyr yn 'Rhagfarn yn erbyn Gwaith Duw'.[27] Ac roedd y Gogleddwr Cymraeg hwn yn dilyn y modd yr oedd Robert Everett ac awduron eraill a gyhoeddai yn *Y Dyngarwr* a'r *Cenhadwr* wedi dadlau o blaid cydraddoldeb hiliol.[28] Nid oedd y cysyniad ei hun yn newydd i ddarllenwyr *Y Cenhadwr Americanaidd* ym mis Medi 1845, ond y tro hwn roedd 'Cwynion Africa' yn cyflwyno'r cysyniad o safbwynt Affro-Americanwr. Os oedd Robert Everett ac awduron Cymraeg Americanaidd eraill wedi bod yn dyfynnu'r Beibl wrth ofyn i'w darllenwyr gofio bod y caethweision duon yn frodyr ac yn chwiorydd iddynt, Henry Highland Garnet oedd yn gofyn iddynt ystyried y ffaith Gristnogol honno, a hynny trwy gyfrwng y llais Cymraeg yr oedd Lewis Everett wedi'i roi iddo. Dyma felly radicaleiddio ymhellach y bau gyhoeddus yr oedd gwasg yr Everettiaid wedi'i chreu drwy gyflwyno neges a oedd yn gyfarwydd i'r gymuned honno o ddarllenwyr a'i chyplysu ag un o ddiddymwyr duon mwyaf radicalaidd y wlad.

Yng nghorff yr araith/ysgrif ceir rhestr hir o'r holl droseddau a gyflawnir gan y caethfeistri yn erbyn y caethweision. Wedi cyflwyno'r 'Cwynion' hyn, mae'r darn pwerus hwn yn gorffen gydag un erfyniad cynhwysfawr: 'Yn enw dynoliaeth – yn enw cyfiawnder – yn ngolwg barn ddynesaol – ac yn enw Duw tragywyddol, yr ydym yn gofyn iawn am y camweddau hyn.'[29] Mae'r gair 'dynoliaeth' yn atgoffa'r darllenydd o'r frawdoliaeth/chwaeroliaeth Gristnogol a drafodir ar y dechrau, ac o gofio dwy ffaith seml, sef pwy oedd yn darllen y cylchgrawn Cymraeg hwn a pha garfan o bobl sydd dan sylw yn yr ysgrif hon, gwelwn fod y diweddglo'n cryfhau'r awgrym bod y Cymry a'r Affro-Americanwr yn frodyr ac yn chwiorydd. Unwaith eto, nid oedd y cysyniad hwnnw'n newydd i ddarllenwyr cyhoeddiadau'r Everettiaid, ond yn yr ysgrif hon roedd gweinidog Affro-Americanaidd yn pregethu'r neges honno iddynt a hynny drwy gyfrwng eu mamiaith.

Rhaid bod cyfran sylweddol o'r darllenwyr hynny wedi clywed am araith ddadleuol Henry Highland Garnet hefyd. Mae'n wir na chyhoeddwyd cyfieithiad Cymraeg o *Garnet's Call to Rebellion*, ond mae'r ffaith bod golygydd *Y Cenhadwr Americanaidd* wedi cyhoeddi cyfieithiad ei fab o un o areithiau Garnet yn ffaith y dylem gnoi cil arni. Os oedd y wasg deuluol yn wasg ddiddymol, bu'n cyhoeddi ysgrifau heddychol hefyd. Yn wir, mae'r testunau a gyhoeddodd yn ogystal â rhai o'i lythyrau personol yn dangos yn ddigamsyniol fod Robert Everett ei hun wedi arddel heddychiaeth o ddechrau'i yrfa lenyddol hyd at ddechrau'r Rhyfel Cartref.[30] Felly ar un olwg gellid meddwl y byddai heddychwr o olygydd yn gwrthod cyhoeddi unrhyw beth gan ddiddymwr a awgrymodd fod gwrthryfel ymysg yr opsiynau y dylid eu hystyried er mwyn rhyddhau'r caethweision.

I'r gwrthwyneb, cyhoeddai Robert Everett nifer o draethodau a llythyrau nad oeddynt yn cyd-fynd â'i safiad heddychlon ei hun. Yn ogystal â llais Cymraeg Garnet, roedd gwasg yr Everettiaid yn cyflwyno nifer o leisiau milwriaethus i'w phau gyhoeddus ddiddymol. Dyna, er enghraifft, ysgrif gan George Roberts a gyhoeddwyd ym mis Mai 1846 yn *Y Cenhadwr Americanaidd*: 'Dilead Caethiwed'. Awgrymodd y diddymwr milwriaethus Cymraeg hwn fod gwrthryfel arfog yn ffordd ddilys o ryddhau'r caethweision:

> Un modd ydyw trwy wrthryfel – trwy i'r bobl gyfodi yn eu grym ac yn arfog a dyweyd wrth y caethfeistri, 'Mae yn rhaid i gyfiawnder gael ei wneud bellach yn yr achos hwn ac i holl deulu y gaethglyd gael eu rhyddid.'[31]

Nid oedd yn croesawu trais, ac ychwanegodd frawddeg sy'n pwysleisio'r pwynt hwnnw: 'Ond *gobeithiwn*, *gweddïwn* a *llafuriwn* am gael dilead caethiwed heb i'n maesydd fod yn faesydd gwaed!'[32] Ond, ar y llaw arall, roedd George Roberts am sicrhau bod ei ddarllenwyr yn gwybod ei fod yn credu y gellid cyfiawnhau'n foesol wrthryfel arfog o'r fath. Dywedodd 'y byddai yn llawer mwy teilwng i bobl yr Unol Dalaethau godi eu harfau i'r dyben hwn na myned i ymladd â Lloegr' er mwyn datrys y dadleuon a fuasai'n creu rhwyg rhwng y ddwy wlad ynghylch tiriogaeth Oregon.[33]

Mae'r ymrafael rhwng heddychiaeth a diddymiaeth – neu'r ymrafael rhwng diddymiaeth heddychlon a diddymiaeth 'arfog' – ymysg yr agweddau mwyaf diddorol (a mwyaf cymhleth) ar hanes gwasg yr Everettiaid. Nid ysgrifennodd Robert Everett hunangofiant ac ni chofnododd ei resymau dros gefnu ar yr heddychiaeth yr oedd wedi'i harddel ers degawdau er mwyn cefnogi ymgyrch rhyfel yr Undeb ym mis Ebrill 1861. Mae'r ffaith ei fod yn dehongli'r Rhyfel Cartref fel rhyfel yn erbyn caethwasanaeth yn egluro'r penderfyniad hwnnw i raddau helaeth, ond byddai'n braf cael disgrifiad yn ei eiriau ef ei hun o'r hunanholi a esgorodd, yn y pen draw, ar safiad 'pro-rhyfel'. Rhaid bod y profiadau a ddaeth i ran ei fab hynaf John yng 'Nghansas waedlyd' yn ystod y 1850au wedi chwarae rhan yn hunanholi Robert Everett. Cyhoeddodd lythyrau John yn *Y Cenhadwr Americanaidd* ac roedd rhai o'r testunau hynny yn awgrymu bod natur yr ymrafael rhwng caethiwed a rhyddid yn gorfodi pob diddymwr heddychlon i ailystyried ei heddychiaeth. Ond, yn ddiddorol ddigon, er iddo gyhoeddi'r llythyrau hyn – y testunau a oedd yn awgrymu bod safiad arfog bellach yn ddewis moesol dilys – ysgrifennodd Robert Everett at John ac erfyn arno i arddel heddychiaeth o hyd.[34]

Er nad oes gennym ddisgrifiad personol o daith foesol Robert Everett, mae'n bosibl i ni ddisgrifio'r modd yr aeth gwasg yr Everettiaid ati i gyflwyno dadleuon radicalaidd newydd i'r bau gyhoeddus ddiddymol yr oedd yn ei chynnal. Un wedd ar y math hwn o radicaleiddio cynyddol oedd cyflwyno lleisiau diddymol milwriaethus a awgrymai y dylid ystyried ffyrdd treisgar o ddymchwel y drefn gaeth. Ac felly wrth ymestyn ffiniau pau gyhoeddus ei wasg yn y modd hwn roedd Robert Everett yn gorfodi'r gymuned honno o ddarllenwyr i wynebu cwestiynau anodd a phosibiliadau na fyddai'n hawdd eu derbyn – gan gynnwys y posibiliad y byddai'n rhaid cefnu ar yr union safiad heddychlon yr oedd ef ei hun yn ei arddel.

Mae'n bosibl iawn na phenderfynodd Robert Everett gefnu ar ei heddychiaeth tan ar ôl i Fort Sumter gwympo. Bid a fo am yr union amser, profodd y penderfyniad hwnnw'n boblogaidd iawn gan fod y rhan fwyaf o Gymry America yn gadarn eu cefnogaeth i achos yr Undeb yn ystod y rhyfel.[35] A chynifer o'r Cymry Americanaidd hyn yn ei ystyried yn arweinydd moesol, nid yw'n syndod clywed bod dyn yn un o'r taleithiau gorllewinol wedi dweud 'ei fod ef yn ystyried fod Mr. Everett wedi gwneuthur mwy tuag at ryddhau y caethion nag un dyn arall yn y wlad, oddieithr yr Arlywydd Lincoln'. Yn hytrach na chwerthin am ben y Cymro Americanaidd hwn, dylem ddiolch iddo am estyn gwahoddiad i ni archwilio union natur statws Robert Everett. Er mwyn deall yn iawn enw da a statws y diddymwr hwn mae'n rhaid i ni ystyried y bau gyhoeddus ddiddymol a grëwyd gan y wasg Gymraeg a gysylltid â'i enw. Roedd ymestyn ffiniau'r bau ddiddymol yr oedd gwasg yr Everettiaid yn ei chynnal yn golygu cynnwys mathau newydd o leisiau diddymol, gan gynnwys rhai na fyddai Robert Everett ei hun yn cytuno'n llwyr â hwy. Roedd y wasg yn ymestyn ffiniau'r bau honno mewn ffordd arall hefyd, sef trwy Gymreigeiddio lleisiau diddymol newydd. Er na chyflwynwyd cyfieithiad Cymraeg o 'Alwad' wrthryfelgar Henry Highland Garnet i ddarllenwyr *Y Cenhadwr Americanaidd*, cyflwynwyd iddynt ysgrif a awgrymodd fod yna groeso i'r diddymwr Affro-Americanaidd hwnnw ar diroedd llenyddol eu pau gyhoeddus Gymraeg.

NODIADAU

1 'Diddymiaeth' yw'r term a ddefnyddid ac a ddefnyddir i ddisgrifio'r adain fwyaf radical yn y frwydr yn erbyn caethwasanaeth. Mae'n wahannol i 'wrth-gaethwasiaeth' am fod y diddymwyr yn credu y dylid dod â chaethwasanaeth i ben ar unwaith, a hynny ar sail cydraddoldeb. O fewn y mudiad gwrth-gaethiwol ehangach roedd yna rai a ddadleuai dros ddod â'r gaethfasnach i ben am resymau economaidd yn unig gan ddal i gredu fod pobl o dras Affricanaidd yn iselradd.

2 'Dr. Everett fel Diwygiwr gan y Parch. E. Davies, Waterville, N. Y.' yn *Cofiant y Diweddar Barch. Robert Everett, D. D. a'i Briod, Steuben, Swydd Oneida, N Y. Yn Nghyd a Detholion o'i Weithiau Llenyddol, Cyhoeddedig gan ei Deulu dan Olygiaeth y Parch. D. Davies (Dewi Emlyn), Parisville Ohio* (Utica, 1879), t. 105.

3 Ibid., t. 124.

4 Am drafodaeth ar y modd yr oedd awduron Cymraeg yr Unol Daleithiau yn delfrydu safiad Abraham Lincoln parthed caethwasanaeth, gw. Jerry Hunter, *Sons of Arthur, Children of Lincoln* [:] *Welsh Writing from the American Civil War* (Caerdydd: Gwasg Prifysgol Cymru, 2007), tt. 482-7.

5 Gw. Jerry Hunter, *I Ddeffro Ysbryd y Wlad* [:] *Robert Everett a'r Ymgyrch yn erbyn Caethwasanaeth Americanaidd* (Llanrwst: Gwasg Carreg Gwalch, 2007), tt. 63–93 a tt. 114–28.

6 Ibid., t. 232.

7 Ibid., tt. 94–100.

8 *Cofiant y Diweddar Barch. Robert Everett*, t. 29.

9 *I Ddeffro Ysbryd y Wlad*, tt. 103–4.

10 Ibid., t. 111.

11 Ibid., tt. 178–80.

12 Robert Fanuzzi, *Abolition's Public Sphere* (Minneapolis: University of Minnesota Press, 2003), t. 45.

13 *President* yw'r term Americanaidd cywir. Am hanes Beriah Green, gw. Milton C. Sernett, *Abolition's Axe: Beriah Greene, Oneida Institute, and the Black Freedom Struggle* (Syracuse [Efrog Newydd]: Syracuse University Press, 1986).

14 Ibid., t. 169, nodyn 49.

15 *I Ddeffro Ysbryd y Wlad*, tt. 83–5.

16 Am fanylion bywgraffyddol Henry Highland Garnet, gw. Earl Ofari, *"Let Your Motto Be Resistance"* [:] *The Life and Thought of Henry Highland Garnet* (Boston [Mass.]: Beacon Press, 1972).

17 Dyma'r term a ddefnyddid i ddisgrifo'r llwybr hir a pheryglus o daleithiau caeth y De i'r Gogledd ac i Ganada. Nid rheilffordd lythrennol mohoni ond rhwydwaith o lwybrau cudd yn cysylltu cartrefi diddymwyr lle byddai modd i gaethweision ffoëdig guddio'n ddiogel.

18 Lawrence B. Glickman, 'Abolitionism and the Origins of American Consumer Activism', *American Quarterly*, 56/4 (2004); C. Peter Ripley (gol.), *The Black Abolitionists, Volume III, 1830-1846* (Chapel Hill: University of North Carolina Press, 1991), t. 337.

19 Gw. Benjamin Quarles, *Black Abolitionists* (Efrog Newydd: Oxford University Press, 1969), tt. 116–7 a 133–8; a hefyd, Joel Schor, *Henry Highland Garnet: A Voice of Black Radicalism in the Nineteenth Century* (Santa Barbara: Greenwood Press, 1977).

20 Deirdre Mullane (gol.), *Crossing the Danger Water: Three Hundred Years of African-American Writing* (Efrog Newydd: Anchor Books 1993), t. 120.

21 William S. McFeely, *Frederick Douglass* (Efrog Newydd: Norton, 1991), 106. Fe newidiodd Douglass ei safbwynt gan arddel diddymiaeth fwy milwriaethus o'r 1850au ymalen.

22 Joel Schoer, *Henry Highland Garnet*, tt. 73–4.

23 *Y Cenhadwr Americanaidd*, Medi 1845: 'Cyfieithiad gan L. Everett, Steuben.'

24 Ibid.

25 Ibid.
26 Ibid.
27 *Y Dyngarwr*, Medi 1843.
28 Gw., e.e., Robert Everett, 'Beth a all y Cymry Wneud', *Y Dyngarwr*, Ionawr 1843, a J. J. Jones, 'Cydraddoldeb', *Y Dyngarwr*, Mai 1843.
29 *Y Cenhadwr Americanaidd*, Medi 1845.
30 Jerry Hunter, *Sons of Arthur, Children of Lincoln [:] Welsh Writing from the American Civil War*, tt. 80–1 a 97–8; *I Ddeffro Ysbryd y Wlad*, tt. 159, 195 a 224–6.
31 *Y Cenhadwr Americanaidd*, Mai 1846.
32 Ibid.
33 Ibid.
34 Am drafodaeth lawn, gw. *I Ddeffro Ysbryd y Wlad*, tt. 188–203.
35 *Sons of Arthur*, tt. 96–151 a 232–7.

CAETHWAS FFOËDIG YNG NGHAERDYDD: HANES WILLIAM A. HALL A DIDDYMIAETH GYMREIG 1861–65

Bill Jones a *David Wyatt*

Ym 1862 cyhoeddodd James Wood, lithograffydd yn Stryd Bute, Caerdydd, lyfr yn dwyn y teitl, *Slavery in the United States of America: Personal Narrative of the Sufferings and Escape of William A. Hall fugitive slave, now a resident in the town of Cardiff.* Argraffwyd y gwaith gyda chefnogaeth ariannol y Wesleaid Saesneg yng Nghaerdydd. Mae dwy bennod y testun hynod hwn yn olrhain profedigaethau a thrall-odion caethwas ffoëdig o Tennessee o'r enw William Anderson Hall. Ceir ynddo ddisgrifiadau byw o'r gamdriniaeth greulon a gafodd yr awdur dan ormes ei amryw feistri, gan gynnwys cael ei ailwerthu'n fynych, ei guro, a'i wahanu oddi wrth ei deulu. Un bwriad amlwg oedd ceisio ennyn pob un a ddarllenai'r gwaith i gefnogi diddymiaeth. Mae gan yr hanes hefyd elfennau Ymneilltuol trawiadol, wrth fanylu ar ddeffroad ysbrydol dramatig William Hall, a chyflwyno dadleuon diwinyddol cymhleth yn erbyn caethwasiaeth. Dadlenna'r testun, felly, ddylanwad clir y nawdd a gafodd yr awdur gan y Wesleaid, ac ar yr un pryd ddatblygiadau diwylliannol cyfoesol ar ddwy ochr i'r Iwerydd. Argraffwyd y 'narrative' ar adeg pan oedd diddordeb y Cymry yn ffawd y caethweision yn nhaleithiau deheuol America ac mewn diddymiaeth wedi ei ailgynnau yn sylweddol gan ddadleuon ynglŷn â Rhyfel Cartref America a dorrodd allan y flwyddyn flaenorol. Yn wir, sbardunodd dechreuad y rhyfel hwnnw nifer o ddarlithiau yng Nghymru, rhai ohonynt gan gyn-gaethweision eraill.

Does fawr neb yn ymwybodol o fodolaeth *Slavery in the United States of America.* Ymddengys mai'r unig drafodaeth ohono sydd ar gael yw'r disgrifiad byr gan Alan Llwyd yn ei *Cymru Ddu: Hanes Pobl Dduon Cymru.*[1] Mae ein hymholiadau ymhlith ysgolheigion, ac mewn llyfrgelloedd ac archifdai, yn dadlennu mai gwaith eithaf anghyfarwydd yw hwn ac mae'n debygol iawn mai'r unig gopi sydd mewn bodolaeth yw'r un yn Llyfrgell Salisbury, Prifysgol Caerdydd. Ond er ei ddinodedd ymddangosiadol, dadleuir yma fod testun William Hall yn arwyddocaol ar sawl cyfrif. I ddechrau, mae'n un o'r ychydig lyfrau Saesneg ei iaith am brofiad y caethweision ffoëdig a gyhoeddwyd yng Nghymru. Tanlinellir ymhellach natur unigryw yr hanes gan y ffaith nad ymgyrchydd dros ddiddymiaeth yn yr Unol Daleithiau oedd yr awdur, ond yn hytrach un a honnai ei fod wedi byw erioed yng Nghymru. Ein nod yn yr hyn a ganlyn yw tynnu sylw at y testun diddorol hwn a thaflu mwy o oleuni arno trwy ei ddadansoddi o fewn dau gyd-destun allweddol. Trafodwn yn gyntaf gynnwys hanes William Hall a lleoli'r gwaith yn *genre* hanes y caethwas ffoëdig, a ddaeth yn fwyfwy poblogaidd ymhlith cynulleidfaoedd o ddiddymwyr yn ystod hanner cyntaf y bedwaredd ganrif ar bymtheg. Nodwyd eisoes gan sawl sylwebydd fod natur fformwläig i'r hanesion hyn, ac mae'n hysbys hefyd i lawer ohonynt gael eu ffugio gan noddwyr gwyn a oedd o blaid diddymiaeth.[2] Ffynonellau cymhleth ac anodd eu dehongli yw'r testunau hyn, felly. Serch hynny, dadleuir yma fod hanes William Hall yn cynnig golwg ddiddorol ar y prosesau a ddefnyddiwyd i ddarostwng caethweision yn nhaleithiau'r De ym mlynyddoedd canol y bedwaredd ganrif ar bymtheg. Mae'r gyfrol hefyd yn datgelu sut y portreadwyd ac y cyflwynwyd y prosesau hynny yn nisgwrs y mudiad gwrth-gaethwasaidd.

Dilynir y dadansoddiad o'r testun ei hun gan drafodaeth ar ein hymdrechion i ddarganfod mwy am William Hall a *Slavery in the United States of America*, a'r cysylltiadau posib rhyngddynt a'r garfan wrth-gaethwasaidd yng Nghaerdydd yn y 1860au cynnar. Er na fu ein hymchwil yn gyfan gwbl ffrwythlon, gall testun William Hall daflu peth goleuni ar rwydweithiau'r garfan wrth-gaethwasiaeth yng Nghymru, yn enwedig yng nghyd-destun ymgyrchoedd y diddymwyr a gweithgarwch y Methodistiaid Wesleaidd yng Nghaerdydd yn ystod Rhyfel Cartref America 1861–1865. Dadleuir yma hefyd fod testun William Hall yn deillio, i raddau o leiaf, o natur amrywiol a chyfnewidiol yr ymatebion i'r gyflafan honno a gafwyd yng Nghymru, ac yn arbennig felly yng Nghaerdydd – porthladd a oedd yn masnachu â thaleithiau'r Undeb yn y Gogledd, a'r Taleithiau Cydffederal yn y De.

YR WYF YN BOD!

Ni ellir iawn ddeall natur ac arwyddocâd *Slavery in the United States of America* na'r hyn a ysgogodd William Hall i'w ysgrifennu, heb yn gyntaf ystyried sawl pwynt pwysig ynglŷn â hanesion caethweision ffoëdig yn gyffredinol. Fel y gwelwn, yn gyffredinol dilyna gwaith Hall batrwm nodweddiadol ysgrifau o'r fath ond ceir hefyd wahaniaethau diddorol. Mae gan hanesion caethweision ffoëdig lawer iawn yn gyffredin â *genre*'r hunangofiant. Deongliadau testunol o atgofion a phrofiad yw'r ddau, a ysgrifennwyd gyda'r bwriad o greu a chyflwyno delwedd neilltuol o'r awdur i gynulleidfa ehangach.[3] Er hynny, ceir hefyd wahaniaethau pwysig rhwng y ddau *genre* llenyddol hyn. Er y gallai deongliadau'r hunangofiannydd o'i fywyd gael eu cwestiynu, prin y byddai darllenwyr yn amau a oedd yr awdur mewn gwirionedd yn bodoli ai peidio.[4] Ond i gaethweision ffoëdig, ar y llaw arall, roedd profi eu bod yn bobl real, yn bobl go iawn, yn fater sylfaenol yr oedd yn rhaid iddynt ei ystyried wrth gyfansoddi eu testunau. Cymhlethwyd ymhellach y dasg o sgrifennu'r hanesion gan y ffaith bod bodolaeth yr awduron, a'u gallu i ysgrifennu, yn cwestiynu'r trais a'r creulonderau erchyll yr oeddent yn eu disgrifio.[5] Roedd dilysrwydd unrhyw hanes a ysgrifennwyd gan gaethwas ffoëdig yn fater hanfodol bwysig, felly, yn enwedig wedi i wrth-ddiddymwyr ddatgelu bod sawl hanesyn yn ffug.[6] Roedd yn hollbwysig fod yr awdur a fu'n gaethwas yn profi heb unrhyw amheuaeth nad ffuglen wedi ei chyfansoddi gan ddiddymwr gwyn oedd ei destun. Pe na lwyddid i wneud hynny, byddai'r cyfanwaith yn cael ei ystyried, ar y gorau, yn amherthnasol, ac ar y gwaethaf, yn dwyll.[7]

Ond nid tystiolaethau profiad yn unig mo hanesion caethweision; roeddent yn ogystal yn berfformiadau llenyddol a oedd wedi eu hanelu'n ymwybodol iawn at gynulleidfa gyhoeddus, y rhan helaeth ohoni'n wyn.[8] Yn amlwg, yr oedd gan y gynulleidfa hon ei disgwyliadau, ei gwerthoedd diwylliannol a'i safbwyntiau ideolegol ei hun. Roedd her anodd yn wynebu caethweision ffoëdig fel William Hall, felly, gan fod rhaid iddynt gydbwyso eu safbwyntiau, eu profiadau a'u gwirioneddau eu hunain â gwerthoedd eu cynulleidfa.[9] Yn fwy na hynny, yr oedd rhaid iddynt gyflawni hyn o fewn fframwaith disgwrs dominyddol y diddymwyr gwyn. Hawdd amgyffred, felly, bod llawer o'r hanesion gan gaethweision ffoëdig yn llywio llwybr fformiwläig trwy ddisgwrs y diddymwyr. Wrth wneud hynny llwyddwyd i gyflawni anghenion a disgwyliadau'r gynulleidfa hegemonaidd trwy gyflwyno disgrifiad derbyniol, 'dilys', o brofiad y caethwas.

Wedi dweud hynny, er natur fformwläig hanes y caethwas, a chyfyngiadau'r maes disgyrsiol ['discursive terrain'] y cyfansoddwyd gweithiau o'r fath ynddo, yn ddiweddar mae ysgolheigion wedi pwysleisio gwerth y testunau hyn o safbwynt llenyddol a hanesyddol. Yn ôl Kimberly Rae Connor, 'Slave narratives are now seen as having transcended the circumstances of their making and their expression, and are considered profound artistic achievements because they continue to provide a source for ongoing moral reflection on the human condition and for aesthetic analysis of how we image humanity and contruct identities'.[10] Dadleua Helen Thomas, er enghraifft, fod yr hanesion hyn yn herio rhagdybiaethau diwylliannol eu cynulleidfa ac yn gwyrdroi ideolegau hegemonaidd trwy ddefnyddio eironi a digrifwch.[11] Mae Henry Louis Gates Jr. wedi nodi arwyddocâd y corpws o hanesion tra ailadroddus, gan ddadlau bod unffurfiaeth yr hanesion yn rhoi llais i gymuned ehangach yr Affro-Americaniaid. Mae pob un hanes felly'n rhan o 'communal utterance, a collective tale rather than merely an individual's biography'.[12]

O fewn y cyd-destun cyffredinol hwn, felly, gallwn weld mai er mwyn cyflawni dau nod pendant yr ysgrifennai'r caethweision ffoëdig am eu profiadau. Yn gyntaf, yr oedd eu tystiolaethau'n tynnu sylw at anghyfiawnderau ac anfoesoldeb caethwasiaeth ac felly'n hyrwyddo'r mudiad diddymiaeth. Yn ail, trwy'r weithred o ysgrifennu a chreu eu hanesion, yr oedd yr awduron yn pwysleisio eu dynoliaeth, eu hunaniaeth a'u gallu deallusol.[13] Nid yw'n syndod felly bod y weithred o gyfansoddi yn un symbolaidd ynddi ei hun. I ddyfynnu Connor eto, 'by the act of writing and demonstrating their achievement of "higher" skills and thought they could convince white people that they (and, by extension, all black people) were indeed human and worthy of freedom'.[14] Roedd cyfansoddi hanes yn ddatganiad clir o hunaniaeth a bodolaeth ar ran unigolion a oedd yn cael eu trin fel anifeliaid. Ar ben hynny, yr oedd y weithred o ddweud y stori ynddi ei hun yn llawn arwyddocâd gwleidyddol. Un o'r dadleuon mwyaf grymus a ddefnyddiwyd dros ddiraddio caethweision oedd honni eu bod yn ddeallusol isradd. Pwysleisiwyd hynny'n arbennig mewn perthynas ag iaith ac, yn enwedig, yr honiad nad oedd gan y caethwas y gallu i ddod yn llythrennog ac i'w fynegi ei hun drwy gyfrwng y gair ysgrifenedig.[15]

Yr ysgogiad pwysicaf i'r caethweision ysgrifennu eu hanes, felly, oedd yr angen i gyflwyno prawf clir mai unigolyn go iawn, person a oedd yn troedio ar dir y byw ac nid yn y byd dychmygol yn unig, oedd y caethwas ffoëdig. Pe bai modd dilysu a phrofi bodolaeth y caethwas, yna gellid cyfreithloni hefyd awduriaeth a gwrthrychedd y testun, a rhesymau'r awdur dros roi pin ar bapur. I'r perwyl hwn, yr oedd llawer o ddogfennau ategol a oedd yn tystio i fodolaeth yr awduron a dilysrwydd eu cymeriadau yn cael eu cynnwys o fewn cloriau hunagofiannau'r cyn-gaethweision: llofnod yr awdur neu lun ohono, rhagair neu eirda gan ddiddymwr gwyn parchus, darluniau, biliau gwerthiant, toriadau o'r wasg, dyfyniadau o farddoniaeth yn y testun a phregethau a thraethodau yn dadlau yn erbyn caethwasiaeth. Defnyddiwyd y rhain i gyd i gyfleu'r farn digamsyniol: 'Mae'r dyn hwn neu'r fenyw hon yn bodoli a rhaid clywed ei stori'.[16]

Mae'n ddiddorol nodi nad yw *Slavery in the United States of America* yn cynnwys datganiad clir am fodolaeth William Hall. Ni cheir ynddo bron ddim tystiolaeth ategol o'r math a nodwyd uchod. Nid yw'r testun yn manylu llawer ac mae'n fyr ei hyd. Diddorol yw cymharu gwaith William Hall â hanesion caethweision ffoëdig mwy blaenllaw a mwy adnabyddus a oedd mewn cylchrediad yng Nghymru tua'r adeg honno, megis rhai Moses Roper neu Samuel Ringgold Ward.[17] Mae'r rhain yn gyfrolau eithaf swmpus tra bo *Slavery in the United States of America*, gyda'i 34 tudalen, yn ymddangos yn weddol denau mewn cymhariaeth. Gellir ei ddisgrifio'n well fel pamffledyn hir, efallai, yn hytrach na llyfr byr. Nid oes gan destun Hall atodiadau na llythyrau dilysu ychwaith. Yr unig ychwanegiadau i'r naratif yw rhagair bychan gan yr awdur ei hun, dyfyniad o *Virginia Declaration of Rights* 1776 gan George Mason ar y dudalen deitl, ac, i gloi'r gwaith (tt. 33-4), ychydig linellau o William Cowper, *The Negro's Complaint* – cerdd a ddyfynnwyd yn aml iawn yn llenyddiaeth ddiddymol y cyfnod.[18]

Er ei fod yn fyr, mae rhagair *Slavery in the United States of America* yn cynnwys sawl elfen sy'n haeddu sylw; nid y lleiaf ohonynt yw datganiad William Hall mai ef ei hun a ysgrifennodd y testun. Yn achos sawl hanes caethwas, cyfansoddwyd y rhagair gan y diddymwr neu'r diddymwyr a oedd wedi noddi'r cyhoeddiad, ac ymgorfforwyd llythyrau yn tystio i fodolaeth a chymeriad da yr awdur yn y rhagair. Ond yn yr hanes hwn, yr unig beth a gawn yw rhagair byr a phersonol William ei hun, sy'n cychwyn fel hyn:

> In offering the following lines to the Public, treating of incidents which transpired during my life as a slave, it may be well to observe that nothing has been introduced to give colour or effect to the narrative. It contains only a simple and true statement of the cruel and inhuman treatment to which I was subjected while under bondage. ('Preface', t. 2)

Er absenoldeb unrhyw dystiolaeth ategol, felly, mae'r testun yn dal i gynnwys datganiad clir gan William Hall ei fod ef yn bodoli, mai ef ei hun yw'r awdur, a bod ei destun yn hanes rhesymol, pwyllog a ffeithiol o'i brofiadau. Yn wir, fel yn achos y rhan fwyaf o hanesion caethweision ffoëdig, mae awydd yr awdur i gyflwyno fersiwn gwrthrychol o'i hanes yn golygu nad yw'n cydnabod y modd y gall y cof liwio hanes. Cyflwynir ei hanes fel cofnod gwir, diduedd a ffeithiol o'i brofiadau. Â yn ei flaen i nodi bod y gamdriniaeth a gafodd pan oedd yn gaethwas, a'r caledi a brofodd wrth geisio dianc, wedi peri 'a disposition which almost entirely incapacitates me from following my occupation as a joiner' (t. 2). Ailbwysleisir ei 'hawl i fodoli' trwy gyflwyno gwybodaeth ynglŷn â'i sgiliau proffesiynol fel crefftwr. Gellir dychmygu cynulleidfa Ymneilltuol yn meddwl yn uchel o'r ffaith mai saer ydoedd. Mae'r rhagair yn ei gwneud yn amlwg hefyd fod yr awdur yn gobeithio elwa'n ariannol o'r cyhoeddiad. Mae'n datgelu hefyd iddo dderbyn nawdd gan ei frodyr Wesleaidd, yn y gobaith y byddai'r llyfr yn 'awaken in the mind of every reader a stronger sympathy with those of our suffering fellow men who are still subject to the galling chain of slavery' (t. 2). Cyflwynwyd felly arwydd clir ynglŷn â natur wrth-gaethwasaidd y testun, a chydnabyddiaeth gan William Hall iddo weithredu fel lladmerydd i'w gyd-Affro-Americanwyr ar ochr arall yr Iwerydd a oedd yn dal i ddioddef o dan iau caethwasiaeth.

Yn ei draethawd dylanwadol 'I Rose and Found My Voice: Narration, Authentication, and Authorial Control in Four Slave Narratives' (1985), dadleua Robert Stepto y gellir rhannu hanesion caethweision i dri dosbarth. Perthyn hanes William Hall i'r dosbarth 'Integrated Narrative'. Yn yr hanesion hyn, 'authenticating documents and strategies are integrated into the tale and formally become voices and / or characters in the tale'.[19] Mae gan hanes Hall strwythur cronolegol sy'n fewnol gyson, a brithir y tudalennau gydag enwau pobl a lleoedd sydd bron yn galw arnom i'w dilysu. Gellir dadlau bod William Hall yn dweud ei stori mewn rhyddiaith glir a darllenadwy ond ar yr un pryd yn ymgorffori tystiolaeth ategol. Mae ei lwyddiant yn hyn o beth yn awgrymu iddo feddu ar sgiliau llenyddol a chreadigol sylweddol. Mynegir ei stori mewn arddull sy'n procio darllenwyr i brofi drostynt eu hunain y gorthrwm a brofodd yr awdur ac i ddangos empathi tuag ato yn ei ddioddefaint. Fel y mae Connor wedi ei nodi, rhoddai artistiaid fel William Hall i'w darllenwyr 'an imaginative road to travel toward seeing what they otherwise cannot see and hearing what they otherwise cannot hear, thereby providing unique access to the circumstances and conditions from which emerge constructs of identity'.[20] Gyda'r sylw hwn mewn golwg, trown yn awr at grynodeb byr o gynnwys y testun ac at drafodaeth o'n hymdrechion i ddilysu'r cynnwys hwnnw.

Rhennir hanes *Slavery in the United States of America* yn ddwy bennod. Mae'r gyntaf (tt. 5–13) yn ymwneud â ieuenctid William Hall a'r gamdriniaeth a gafodd gan ei wahanol feistri yn ystod y cyfnod hwn. Adroddir hefyd hanes ei briodas a'i dröedigaeth grefyddol. Yn yr ail bennod (tt. 13–33), sy'n fwy sylweddol, ceir disgrifiad o ymdrechion diweddarach William i ddianc i daleithiau gogleddol America a'r tu hwnt. Er y cyflwynir manylion am y nifer fawr o feistri a oedd yn ei berchen a'i hurio, gellir canfod tri chyfnod allweddol o berchnogaeth (ac o feistri), sy'n rhoi strwythur episodig i'r hanes ac sy'n cynnig strwythur cyfleus i'r drafodaeth sy'n dilyn.

PLENTYNDOD WILLIAM HALL DAN BERCHNOGAETH Y TEULU HALL, SWYDD BEDFORD, TENNESSEE

Mae'r hanes yn cychwyn drwy nodi i William Anderson Hall gael ei eni yn Tennessee, yn eiddo i feistr o'r enw Mr Hall. Roedd yn ffrwyth undeb rhwng caethferch, nas enwir yn y testun, a Dr Hall, mab ei feistr, a oedd '(as I was informed) . . . an Englishman' (tt. 5–6). Yn ôl y testun, treuliodd Hall naw mlynedd gyntaf ei fywyd gyda'i fam, ac nid oedd ganddo ond syniad niwlog iawn o'r caethiwed y cafodd ei eni i mewn iddo. Pan symudodd yr Halliaid i blanhigfa newydd yn Swydd Warren, Mississippi, aeth William a'i fam yno gyda hwy. Ond ddwy flynedd yn ddiweddarach, daeth Dr Hall, ei dad naturiol a oedd wedi aros yn Tennessee, i Mississippi gyda'r bwriad o ddychwelyd William i hen blanhigfa'r teulu. Cafodd William ei wahanu oddi wrth ei fam, digwyddiad a ddisgrifir fel hyn yn y testun:

> I was taken away without being allowed to bid my mother adieu. She was left in a state of insensibility, giving vent to her feelings in the most distressing cries imaginable. We rode but a short distance, when we met Mr Hall, senior, coming to see whether my mother had offered any resistance to my being removed. By this time my mother was restored sufficiently to follow us, and she overtook us, still screaming, and was told by my grandfather to be silent, or else he would burst her head open with his stick. (tt. 5–6)

Ymhen ychydig amser wedi i William ddychwelyd i Swydd Bedford, Tennessee, trawyd Dr Hall a'i wraig yn ddifrifol wael, a buont farw. Cyn i Dr Hall farw, cafodd William (a oedd yn dal yn blentyn ar y pryd) addewid ganddo y byddai'n cael ei aduno â'i fam ond ni wireddwyd hynny. Yn hytrach, trwy ddulliau anghyfreithlon, daeth William yn eiddo i Dr White, a oedd yn gofalu am faterion Dr Hall.

Ni ddatgelir unrhyw ddyddiadau pendant ynglŷn â'r cyfnod hwn o berchnogaeth. Ond trwy ddefnyddio'r dyddiadau cyson iawn a gyflwynwyd yn ddiweddarach yn yr hanes ynghyd â sylwadau am oedrannau William Hall, gellir amcangyfrif yn fras y ganed ef tua 1820 ac iddo fod dan berchnogaeth y teulu Hall hyd at tua 1831–2. Yn sicr, mi fyddai'r hanes am anfoesoldeb ei dad, ac am ei wahanu'n orfodol oddi wrth ei fam, wedi cythruddo a chyffroi pryderon darllenwyr Wesleaidd ac Ymneilltuol yr hanes. Ceir digwyddiadau tebyg mewn nifer fawr o hanesion caethweision ffoëdig, ond nid ffrwyth dychymyg mohonynt serch hynny. Mi fyddai perchnogion y planhigfeydd yn camddefnyddio eu caethferched yn fynych er eu boddhad rhywiol eu hunain. Trwy wneud hynny, roeddent yn defnyddio'u grym rhywiol i ddirmygu menywod caeth *a'u* partneriaid gwrywaidd caeth.[21] Roedd ymelwad rhywiol y meistri hefyd yn strategaeth er darostwng caethweision ac ar yr un pryd yn fodd o gynhyrchu mwy o gaethweision, oherwydd prin iawn y cafodd y plant a ddeilliai o'r undebau hyn eu rhyddhau.[22] Nid oedd rhieni cymysg yn beth anghyffredin ymhlith awduron hanesion caethweision ffoëdig, ychwaith. Cafodd llawer ohonynt eu hysgrifennu gan gaethweision o hil gymysg, ac ar adegau cymerai'r awduron hynny fantais o'u hymddangosiad 'golau' gan ei ddefnyddio i'w cynorthwyo i ddianc.

Er y creulondeb anghredadwy a ddadlennir, yr hyn sy'n fwyaf trawiadol ynglŷn â chywair rhan gynnar yr hanes yw ei gymedroldeb. Ychydig iawn o drais a geir, nodwedd a ddeillia efallai o sylw'r awdur mai dim ond 'a slight idea of slavery' (t. 5) oedd ganddo yn ystod ei febyd. Yn hyn o beth, ceir gwrthgyferbyniad trawiadol â hanes Moses Roper, a oedd hefyd mewn cylchrediad yng Nghymru o'r 1830au hwyr ymlaen (troswyd fersiwn ohono i'r Gymraeg ym 1841).[23] Mae ugain tudalen gyntaf hanes Roper yn ei hanfod yn gatalog cignoeth iawn o'r curo a'r arteithio mynych y gorfodwyd ef i'w ddioddef, gyda'r bwriad amlwg o apelio at werthoedd dyngarol a moesol ei gynulleidfa. Ymdriniaeth lawer mwy cynnil a geir yn *Slavery in the United States of America*.

O safbwynt dilysu'r manylion a geir yn rhan gynnar yr hanes, ymddengys yn arwyddocaol nad yw'r testun yn datgelu enwau cyntaf tad William Hall na'i dad-cu. Dyfais fwriadol gan y ffoadur i'w guddio ei hun yw hon, o bosibl. Roedd nifer o deuluoedd o'r enw Hall yn preswylio yn Swydd Bedford, Tennessee, yn y cyfnod hwn. Ym 1784 rhoddwyd i un Thomas Hall tua 3000 erw o dir yn y swydd honno. Ar ben hynny, yn ôl cyfrifiad 1820 yr oedd sawl teulu â'r enw Hall yn Swydd Bedford, gan gynnwys un William Hall ynghyd ag un Henry Hall ac un John Hall, pob un ohonynt yn berchnogion caethweision ar raddfa fechan. Er hynny, ni ellir bod yn siŵr bod yna unrhyw gysylltiad rhwng y dynion hyn a'r cymeriadau yn hanes William Hall. Mae'n bosibl hefyd mai Anderson oedd enw go iawn teulu tad William Hall, ac yn wir dyma sut y cyfeirir ato drwy'r rhan fwyaf o'r testun. Cofnoda cyfrifiad 1860 fod 25 teulu o'r enw Anderson yn byw yn Swydd Bedford, ac roedd gan nifer ohonynt ddigon o eiddo personol i'w galluogi i gadw caethweision. Roedd tua chwarter neu draean o deuluoedd yn y rhan honno o ganolbarth Tennessee yn cadw caethweision bryd hynny.[24]

Ar y llaw arall, mae'n debygol mai enw mabwysiedig oedd William Anderson Hall. Roedd ailenwi eu hunain yn fuan ar ôl iddynt gyrraedd diogelwch yn strategaeth gyffredin ymhlith caethweision ffoëdig, am resymau pragmataidd a symbolaidd pwysig. Roedd yn beryglus dros ben i gaethwas ffoëdig ddatgelu ei enw a'i hanes gan y gallai hynny arwain at gael ei ddal, yn enwedig yn nhaleithiau gogleddol America lle'r oedd deddfau caethweision ffoëdig mewn grym i hwyluso estraddodi ffoaduriaid. Roedd ailenwi'n weithred symbolaidd gan ei fod yn arwydd bod y ffoadur wedi diosg grym ei feistr ac yn creu iddo ei hun hunaniaeth newydd.[25] Os mai enw mabwysiedig oedd William Anderson Hall, y mae'n bosibl fod gan yr enw newydd hwn arwyddocâd trawiadol iawn.

Byddai'r enw Anderson yn atseinio'n uchel o fewn y mudiad diddymiaeth yn ne Cymru ar adeg cyhoeddi hanes William Hall, a hynny o ganlyniad i achos enwog caethwas ffoëdig arall o'r enw John Anderson. Denodd ei achos ef sylw byd-eang ym 1860 ac yn gynnar ym 1861. Roedd John Anderson wedi lladd ei feistr wrth amddiffyn ei hun cyn ffoi i Ganada, a bu ymgyrch cryf i geisio ei ddanfon yn ôl i daleithiau caeth y De. Ym marn diddymwyr, roedd yr ymdrechion hyn yn arwydd clir bod cefnogwyr caethwasiaeth yn ceisio lledaenu Deddf Caethweision Ffoëdig 1850 i ddominiynau Prydeinig rhydd Canada.[26] Cofnodwyd datblygiadau'r achos pwysig hwn yn gyson ym mhapurau newydd Caerdydd, yn enwedig y *Cardiff Times*, a oedd yn gyffredinol yn arddel gwrth-gaethwasiaeth, a phapurau Cymraeg.[27] Cyhoeddwyd adroddiadau hefyd yn y *Cardiff and Merthyr Guardian*, papur Ceidwadol a oedd yn fwy amwys ei safiad ar gaethwasiaeth drwy gydol y cyfnod, gan gynnwys blynyddoedd y Rhyfel Cartref eu hunain.[28] Ailgyhoeddwyd adroddiadau o'r *Toronto Globe* yn y ddau newyddiadur. Ceir mewn llythyr gan ddyn o Gaerdydd, Timothy Ragan, a gyhoeddwyd yn y *Cardiff Times* ym 1861, brawf ychwanegol fod diddordeb yn achos John Anderson a theimlad gwrth-gaethwasaidd yn bodoli yn y dref. Mynegodd Ragan ei 'fervent desire' y byddai llywodraeth Prydain yn dal i roi lloches i John Anderson 'and that the curse of slavery may soon be swept away'.[29] Yn ei lyfr *Divided Hearts: Britain and the American Civil War*, dadleua Richard Blackett fod cefnogaeth i wrth-gaethwasiaeth wedi pylu ym Mhrydain erbyn dechrau'r Rhyfel Cartref, ond serch hynny roedd yr 'overwhelmingly positive popular reaction' i ryddhau Anderson yn 'evidence there still existed a strong undercurrent of abolitionist sentiment'.[30]

Mae'n bosibl fod gan yr enw William Hall gysylltiadau diddorol eraill yn y cyfnod hwn. Yn fwyaf nodedig, ym 1857 cafodd un

William Hall o Nova Scotia y fraint o fod y dyn du cyntaf i ennill Croes Fictoria. Yn fab i gaethwas a enillodd ei ryddid, gwirfoddolodd yr Hall hwn i'r Llynges rhywbryd cyn 1852. Yn Nhachwedd 1857 bu'n aelod o frigâd lyngesol yr *HMS Shannon* a gynorthwyodd i ryddhau'r Cartref Swyddogol Prydeinig o ddwylo'r gwrthryfelwyr brodorol yn Lucknow, India, ac enillodd y fedal ochr yn ochr ag is-gapten gwyn o'r enw Thomas Young.[31] Daeth camp Hall yn enwog ledled yr Ymerodraeth Brydeinig ac er mai ofer fu ein hymdrechion i ddod ar draws adroddiadau amdano ym mhapurau de Cymru, cafodd yr achos gyhoeddusrwydd eang yn Lloegr a Chanada ill dau.[32] Dichon fod y cysylltiad hwn â Chanada yn arwyddocaol oherwydd mae hanes William Hall yn datgan bod yr awdur wedi byw yno yn y 1850au hwyr. Hawdd tybio felly bod i'r enw William Anderson Hall arwyddocâd arbennig yn y 1860au. Dygai i'r cof cyhoeddus frwydr John Anderson i sicrhau ei ryddid, a gwroldeb William Hall VC yn y Llynges Brydeinig.

PROFIADAU WILLIAM HALL DAN BERCHNOGAETH B. G. WHITE

Fel y gwelwyd eisoes, wedi marwolaeth ei dad / meistr, daeth William yn eiddo i Dr White. Cadwodd hwnnw ef am flwyddyn ac yna fe'i trosglwyddwyd i frawd Dr White, B. G. White. Bu'n eiddo i B. G. White am gryn amser cyn iddo gael ei hurio allan i nifer o unigolion, a chafodd ei drin yn ofnadwy ganddynt. Tua'r un amser priododd William gaethferch (eto, fel ei fam, nas enwyd yn y testun), a oedd yn byw ar blanhigfa un o'i amryw feistri yn y cyfnod hwn. Yn sgil hynny gofynnai sawl gwaith i'w feistri am ganiatâd i ymweld â'i wraig ond cafodd ei wrthod yn aml. Penderfynai fynd ati bob tro, yn groes i orchmynion ei feistri:

> I married . . . and requested my master to let me go and see my wife twice a-week, but he refused. I was determined to stand the consequences, and visited her without leave. (t. 7)

Pris ei anufudd-dod oedd iddo dderbyn nifer o gurfeydd treisgar ac yn dilyn pob un ohonynt, rhedodd yn ôl at B. G. White er sicrhau amddiffyniad ei feistr. Mae gan y pwynt hwn yn yr hanes (t. 10) arwyddocâd arbennig oherwydd cyflwynir dyddiadau pendant am bron yr unig dro yn y testun, gan ddatgan y bu William Hall gyda B. G. White rhwng 1836 a 1841. Yn y man hwn yn y testun hefyd dywedir wrthym mai dyma'r cyfnod y dechreuodd William droi at Dduw, ac ar 7 Awst 1842 ymrwymodd i'r Arglwydd:

> In 1840, through God's mercy, I became convinced of my state as a sinner, and sought the Lord fervently; and in 1842 I found him, to the great joy and relief of my soul. On the 7th day of August between 12 and one'o'clock, the light of the Lord shone in my soul; it seemed that everything around me was giving glory to God. I gave thanks unto the Lord, and then enquired, is it possible that I am a child of God? Yes, it was a blessed fact, for I could say, I know that my Redeemer liveth, for he hath forgiven all my sins. (t. 10)

Yn dilyn ei dröedigaeth, huriwyd ef i ddyn o'r enw Mr Jackson Flemming, a bu gydag ef am saith mlynedd. Aelod o sect anghydffurfiol y Camelites (h.y. y Campbellites) oedd Flemming, a pherswadiwyd William i ymuno â hwy. Yn dilyn y datganiad hwn, â'r hanes yn ei flaen i gyflwyno dadl hir rhyngddo ef a'r Parch. Benjamin Fugit, gweinidog yr efengyl a oedd hefyd yn cadw caethweision. Mae William yn dadlau'n huawdl yn erbyn caethwasiaeth ac yn mynnu bod cadw caethweision yn gwbl groes i ddysgeidiaeth Gristnogol. Wrth wneud hyn, y mae'n datgelu am y tro cyntaf ei fod nid yn unig yn medru darllen ond hefyd yn gallu dyfynnu o'r ysgrythurau. Barn Fugit a gwynion eraill a oedd yn bresennol yw y dylai William gael ei fflangellu am ei ryfyg, ond trwy ymyrraeth ei feistr, B. G. White, llwydda i osgoi'r ffawd honno. Er hynny, yn fuan wedi'r ffrae hon, gwerthir gwraig William, datblygiad sy'n dirwyn y bennod gyntaf i ben gyda'r geiriau noeth, ysgytwol, 'he sold my wife' (t. 13).

Egyr ail bennod y testun gyda phenderfyniad William i ddianc, wedi i'w wraig gael ei gwerthu. Dilynir hyn gan gyfres o ymdrechion aflwyddiannus i ffoi i daleithiau'r Gogledd ar hyd gwahanol lwybrau. Ond mae'n cael ei ddal bob tro, a'i ddychwelyd i'w feistr. Yn ôl yr hanes fe'i curwyd ef yn fynych, a hynny'n atgyfnerthu ei awydd i ddianc. Costiodd ei ystyfnigrwydd iddo'n ddrud oherwydd ymateb ei feistr oedd hurio plant William allan i berchennog llym. Dywedir wrthym y bu farw ei ail ferch, Rosetta, tua'r amser hwn. Hi yw'r unig aelod o deulu William Hall sy'n cael ei henwi yn y testun; efallai y credai'r awdur ei bod, a hithau'n farw, y tu hwnt i niwed neu ddial. Wedi marwolaeth Rosetta yr oedd William Hall hyd yn oed yn fwy penderfynol o gyrraedd Canada. Darbwyllodd un o'i gydgaethweision i roi cynnig arall ar ddianc a llwyddodd y ddau ohonynt i gyrraedd Kentucky a bwrw am y Gogledd, ond yn fuan wedi hynny cawsant eu dal a'u carcharu yn Bowling Green, gogledd Kentucky. Yn dilyn hyn penderfynodd y dyn a anfonwyd yno i'w hadennill, Rory Millar, eu gwerthu yn Nashville a phrynwyd William gan ei berchennog olaf, saer o'r enw Robert (Bob) Campbell.

Mae i'r rhan ganolog hon o'r hanes sawl elfen bwysig. Yn gyntaf, y berthynas rhwng William a B. G. White, sy'n mynd o un eithaf i'r llall – o garedigrwydd tadol i drais milain a chreulon ac, yn waeth byth, hollti teulu William. Unwaith eto gellir dychmygu cynulleidfaoedd Ymneilltuol yn cynddeiriogi wrth glywed am yr ymosodiadau ar ymdrechion William i fyw bywyd teuluol gweddus. Mae ei ysfa am fywyd parchus hefyd yn rhoi'r esgus a'r cyfiawnhad iddo ddianc. Ar ben hynny ceir cysylltiadau agos rhwng ei ddeffroad ysbrydol a'i 'ailenedigaeth' yn ddyn sydd wedi penderfynu ei fod am fynnu cael ei ryddid. Atgyfnerthir yr aileni hwn gan y datguddiad ei fod yn awr yn llythrennog. Mae ei lythrennedd yn sicrhau iddo fynediad i destunau ysbrydol a gwybodaeth sy'n ei alluogi i lunio dadl foesol rymus yn erbyn caethwasiaeth, fel y tystia'r darllenydd yn y disgrifiad (dychmygol o bosibl) o'i ddadl gyda'r Parch. Ben Fugit. Wrth awgrymu bod yr olygfa yma'n ddychmygol nid ydym yn awgrymu nad oedd yn bosibl i William lunio dadl o'r fath, ond yn hytrach ei bod yn annhebyg y byddai wedi lleisio ei deimladau o flaen pregethwr gwyn rhag ofn iddo gael ei gosbi.

O safbwynt dilysu cynnwys y rhan hon o'r hanes, gellir casglu bod enwau'r lleoedd a'r llwybrau a grybwyllir yn y testun yn gyson ac eithaf dibynadwy. Mae'r manylion a roddir am lawer o'r cymeriadau hefyd yn argyhoeddi. Rhestra cyfrifiad 1860 sawl J. Flemming a oedd yn y lle iawn ar yr amser iawn, ac mae'n bosibl mai un ohonynt oedd perchennog William Hall. Mae gan y cyfenw Fugit gysylltiadau penodol â thalaith Kentucky gerllaw, sydd hefyd yn cynnwys tref o'r enw Fugit. Yn fwyaf arwyddocaol, efallai, dengys cyfrifiad 1860 fod dyn o'r enw B. G. White, 52 oed (a oedd felly yn ei ugeiniau hwyr / tridegau cynnar rhwng 1836 a 1841), yn ffermio yn ardal Millersburgh yn Swydd Rutherford. Roedd White yn meddu ar lawer iawn o dir ac eiddo personol gwerth $60,000, ac yn amlwg yn gaethfeistr sylweddol. Yn ôl yr un cyfrifiad trigai saer o'r enw Robert Campbell yn Nashville, Swydd Davidson, Tennessee, yn 51 oed (ac felly tua 41 ym 1851). Wrth gwrs, dim ond dyfalu yw hyn, ac ni ellir hoelio unrhyw un o'r cymeriadau hyn gyda sicrwydd. Er hynny, diddorol a dweud y lleiaf yw nodi y gallwn ddarganfod yn y ffynonellau hanesyddol ddynion gyda'r enwau, yr oedrannau a'r galwedigaethau cywir, a'r cyfoeth perthnasol, yn byw yn y lleoliadau iawn. Credwn, felly, ei bod yn gwbl resymol awgrymu mai naratif dilys yw hanes William Hall a bod yr awdur yn amlwg yn gyfarwydd â daearyddiaeth a chymunedau Tennessee ym mlynyddoedd canol y bedwaredd ganrif ar bymtheg.

GWERTHU WILLIAM HALL I ROBERT CAMPBELL A'I DDIHANGFA I'R GOGLEDD

Edrydd William Hall fod Robert Campbell yn fodlon talu swm sylweddol amdano oherwydd ei sgiliau nodedig fel saer. Ar ben hynny, awgryma'n fras mai dyn o eiddo gweddol gyfyng a oedd yn anghyfarwydd â chadw caethweision oedd ei feistr newydd, yn wahanol i B. G. White. Ymddengys fod Campbell yn cadw llygad barcud ar William a'i drin yn arbennig o dreisgar. Ar y dechrau cafodd William rybudd i beidio â cheisio dianc eto neu byddai ei feistr newydd yn siŵr o'i erlid, i uffern hyd yn oed, pe byddai rhaid. Ond ni chafodd y fath fygythiad unrhyw effaith ar benderfyniad William i ddianc i'r Gogledd. Rhoddai gynnig arni yn gyson. Yn ei ymdrech gyntaf adeiladodd ganŵ, a llwyddodd i fordwyo 400 milltir i lawr afon Duck i mewn i Tennessee ac yna i groesi afon Ohio a chyrraedd talaith rydd Illinois. Yno, ar y dechrau, cafodd ef a ffoadur arall gymorth gan y rheilffordd danddaearol ond cawsant eu dal yn ddiweddarach a'u cadw yng Ngharchar Benton. Yna anfonodd Campbell ddau ddyn i gasglu'r ffoaduriaid ac aethpwyd â William yn ôl dros afon Ohio i Kentucky, i dre Shawnee, ac oddi yno i Nashville. Yno derbyniodd gweir bwystfilaidd gan Campbell a chydymaith iddo, Tom Jefferson Kelly.

Wedi'r gurfa hon, dechreuodd William gynllunio i ddianc eto, y tro hwn gyda chaethwas arall, ond cawsant eu bradychu i un o'r arolygwyr. Cafodd ei gyd-droseddwr ei fflangellu'n ofnadwy o ganlyniad. Derbyniodd William 70 llach erwin, ac fe'i rhoddwyd mewn cadwynau gyda'r addewid y byddai'n derbyn 700 llach ychwanegol y diwrnod canlynol. Ac yntau ar ben ei dennyn, llwyddodd William i ddianc rhag ei arteithwyr, gan groesi afon Ohio a chyrraedd Illinois unwaith eto. Hon fyddai ei ymdrech olaf i ddianc oherwydd o'r diwedd gwobrwywyd ei ddyfalbarhad â llwyddiant. Trwy gymorth diddymwr gwyn yn Bloomington, Illinois, medrodd gyrraedd y Gogledd a dinas Chicago. Oddi yno teithiodd i Detroit a chroesi'r ffin i Ganada. Unwaith iddo gyrraedd y wlad honno teimlai'n ddigon diogel i fuddsoddi mewn cwch, a daeth yn feistr arno'i hun, yn cludo coed o Ganada i Detroit. Ond nid dyma ddiwedd y stori o bell ffordd. Collodd ei gwch mewn tymestl a bu rhaid iddo chwilio am fywoliaeth arall. Cafodd gyngor gan gyfaill i deithio i Lerpwl neu Lundain er mwyn gwneud ei ffortiwn, ac felly penderfynodd ddal llong Seisnig a oedd yn hwylio i Lerpwl. Gweithiodd ei ffordd yn ystod y fordaith, ond am gyflog gwael iawn. Wedi iddo gyrraedd Lerpwl fe'i gorfodwyd gan ei ddiffyg incwm i weithio ar long a oedd yn hwylio i Mobile Bay, Alabama i gasglu cotwm. Dychwelodd y llong honno i Le Havre yn Ffrainc, yn gyntaf, ac yno daliodd William agerlong i Lundain, lle ceisiodd chwilio am waith am ychydig ddyddiau, ond yn ofer. Yna teithiodd i Fryste ac oddi yno i Gaerdydd.

Yn adran olaf yr hanes, felly, canolbwyntia William yn fanwl ar ei ymdrechion i ddianc a'i berthynas ymfflamychol gyda'i feistr, Robert Campbell. Gellir dadlau mai un bwriad amlwg yma oedd tynnu sylw at anghyfiawnderau Ddeddf Caethweision Ffoëdig 1850. O dan y ddeddf roedd rhaid dychwelyd caethweision ffoëdig o daleithiau'r Gogledd i'w meistri yn y De. Ym marn gyffredinol diddymwyr ym Mhrydain, deddf oedd hon a ddangosai fod y Gogledd wedi ildio i ddiddordebau taleithiau caeth y De ac y gallai Gogleddwyr, er eu holl egwyddorion rhyddfrydol, fod yn ddauwynebog eu hagwedd tuag at gaethwasiaeth. Yn wir, ymddengys fod yr adran hon o'r hanes yn awyddus i ailbwysleisio'r elfennau tebyg rhwng stori William Hall ac achos John Anderson, a grybwyllwyd yn gynharach yn yr ysgrif hon. Ar ddalen olaf ond un ei hanes, ceir William yn disgrifio'r hyn a wnaeth unwaith iddo gyrraedd Canada:

> On the next day I had my arrival advertised, so that my master, Mr Bob Campbell, could see that I was not in hell, as he asserted, but in a free land, where he would never lay hands on me. (t. 32)

Mae'r geiriau yma yn peri peth syndod o gofio bod y mwyafrif o gaethweision ffoëdig yn awyddus i guddio eu llwybrau, yn ogystal â'u henwau, wedi iddynt ymadael â'r Unol Daleithiau. Efallai mai dyfais lenyddol fwriadol yw'r gosodiad, gyda'r bwriad o ddathlu buddugoliaeth y diddymwyr wedi iddynt sicrhau rhyddid John Anderson yng Nghanada, ac o fynegi hynny i gynulleidfa Gymreig a fyddai'n dal yn gyfarwydd iawn â'r achos hwnnw. Os yw'n wir i William fod yn ddigon eofn i anfon neges at ei hen feistr, yna mae'n annhebyg y byddai'n teimlo'r angen i newid ei enw, er wrth gwrs y gallai fod wedi gwneud hynny beth bynnag am resymau symbolaidd. Daw'r hanes i ben gyda datganiad yr awdur ei fod yn dal i breswylio yng Nghaerdydd ac yn 'thankful for a residence in this glorious land of liberty, freedom and religious privilege' (t. 33). Felly trown yn awr at drafod ffawd ein hymdrechion i ddarganfod mwy am William Hall a chael hyd i gyfeiriadau at ei hanes yn y cyd-destun Cymreig.

WILLIAM HALL A'R MUDIAD GWRTH-GAETHWASIAETH YNG NGHAERDYDD

Chwiliwyd am gyfeiriadau uniongyrchol at William Hall ac at *Slavery in the United States of America* yn ffynonellau'r cyfnod. O ddechrau mewn man amlwg, nid yw cofnodion cyfrifiad 1861 am Gaerdydd yn rhestru unrhyw William Hall. Yn ôl yr un cyfrifiad, trigai ym Morgannwg 167 o unigolion a aned yn America ond nid yw un ohonynt yn gyson â manylion William, hyd yn oed pan ddefnyddiwyd gwahanol fersiynau o'r enw. Nid yw hyn yn profi nad oedd awdur yr hanes wedi ymgartrefu ym Morgannwg, dim ond na chafodd ef ei gofnodi ar noson y cyfrifiad.

Rydym wedi pori'n drylwyr trwy'r ffynonellau gwreiddiol perthnasol gan obeithio dod ar draws cyfeiriadau cyfoesol uniongyrchol at William Hall neu ei destun ar ffurf adroddiadau, adolygiadau, hysbysiadau ac ati. Methiant llwyr a rhwystredig fu ein hymdrechion, gwaetha'r modd. Archwiliwyd papurau newydd Cymraeg a Saesneg a gyhoeddwyd yn ne Cymru neu a oedd mewn cylchrediad yno, megis yr *Aberdare Times, Baner ac Amserau Cymru, Y Byd Cymreig, Cambrian, Cardiff and Merthyr Guardian, Cardiff Mercury, Cardiff Times, Y Gwladgarwr, Y Gwron, Merthyr Star, Merthyr Telegraph, Seren Cymru* a'r *Welshman*. Porwyd yn ofer, yn ogystal, trwy gylchgronau'r enwadau Anghydffurfiol. Mae absenoldeb unrhyw gyfeiriad perthnasol yng nghyfnodolyn y Wesleaid, yr *Eurgrawn Wesleaidd*, yn ymddangos yn rhyfedd ar yr olwg gyntaf, ond efallai mai'r rheswm dros hynny, yn syml, yw nad oedd llawer o gyfathrach uniongyrchol rhwng y cymunedau Wesleaidd Cymraeg a Saesneg eu hiaith. Chwiliwyd yng ngholofnau'r *Wesleyan Methodist Magazine*, a gyhoeddwyd yn Llundain, ond ychydig iawn o ddeunydd ar weithgareddau'r Wesleaid yng Nghymru a geir ynddo. Serch hynny, yn ei dudalennau gellir canfod digon o dystiolaeth o safiad cryf yr enwad hwnnw yn erbyn caethwasiaeth ac nid oes unrhyw amheuaeth nad oedd y Wesleaid yng Nghaerdydd yn rhannu'r un safbwynt. Ni cheir unrhyw gyfeiriadau at waith William Hall yn yr *Anti-Slavery Advocate*, a gyhoeddwyd yn Llundain chwaith, er iddo gynnwys, ymhlith pethau eraill, hysbysiadau am hanesion caethweision ffoëdig a oedd ar werth, e.e. *The Story of the Life of John Anderson Fugitive Slave*.[33]

Mae'r methiant i gael hyd i unrhyw sylw cyfoesol yn y ffynonellau o leiaf yn cadarnhau natur unigryw hanes William Hall, ac yn ategu'r tebygrwydd, efallai, mai'r copi sydd yn Llyfrgell Salisbury, Prifysgol Caerdydd yw'r unig un mewn bodolaeth. Nid oes cofnodion perthnasol i'r argraffydd, John Wood, o Stryd Bute wedi goroesi, ond cofnodir ef yn Llyfrau Stryd Caerdydd ym mlynyddoedd diweddar y bedwaredd ganrif ar bymtheg. Roedd ganddo argraffdy ar Stryd Gorllewin Bute ym 1858 cyn iddo symud i Stryd Bute. Yn y 1870au cartrefai yn 50 Loudon Square.[34] Ceir yr enw J. Wood ymhlith aelodau gweithgar Eglwys Methodistiaid Wesleaidd Loudon Square, a agorwyd ym 1856, yn y cyfnod hwn.[35] Pwy a ŵyr ai argraffydd *Slavery in the United States of America* oedd hwn ai peidio? Eto, y mae'n eithaf posibl y troesai'r grŵp o Wesleaid a gefnogodd gyhoeddi hanes William Hall at Wood gan fod ei argraffdy'n gyfleus iddynt.

Felly ni lwyddwyd i ddarganfod tystiolaeth uniongyrchol a allai fod wedi ein galluogi i ffurfio casgliadau pendant ynglŷn â'r ffactorau a roddodd fodolaeth i gyfrol William Hall. Sut bynnag, y mae'r dystiolaeth gyd-destunol sydd ar gael yn caniatáu inni awgrymu rhai casgliadau cyffredinol. Un o amcanion gwreiddiol ein hastudiaeth oedd lleoli testun Hall yng nghyd-destun ymgyrchoedd y diddymwyr a gweithgarwch y Wesleaid Methodistaidd yng Nghaerdydd ar y pryd. Gallwn ddyfalu'n eithaf hyderus bod ymddangosiad y gwaith wedi'i amseru i gyd-fynd â'r adfywiad yn niddordeb y Cymry yn ffawd y caethweision a diddymiaeth a gafwyd wedi i Ryfel Cartref

America ddechrau ym 1861. Fel y mae sawl astudiaeth wedi dangos, trwch barn pobl Cymru oedd mai caethwasiaeth oedd prif achos y rhyfel, ac roedd y mwyafrif yn cefnogi'r Undeb.[36] Ceir digon o dystiolaeth am weithgarwch y Methodistiaid Wesleaidd Seisnig yn erbyn caethwasiaeth. Ymddengys y cafodd yr enwad gyfnod o dwf a gweithgarwch sylweddol yn ystod blynyddoedd diweddar y 1850au a rhai cynnar y 1860au, gan gynnwys casglu'n frwd ar gyfer y genhadaeth ac adeiladu capeli newydd. Roedd nifer o arweinwyr dinesig a dyngarol blaenllaw Caerdydd ymhlith aelodau'r enwad, ac nid afresymol yw awgrymu mai hwy, neu bobl debyg iddynt, a allai fod wedi ariannu'r cyhoeddiad.[37]

Mae'r ffaith nad yw'n hysbys pryd yn union ym 1862 yr ymddangosodd *Slavery in the United States of America* yn ei gwneud hi'n anodd cysylltu'r cyhoeddi'n bendant â digwyddiad penodol. Serch hynny, mae'n debygol bod y gwaith yn ymgais i gadw ffieidd-dra caethwasiaeth yn ymwybyddiaeth y cyhoedd wrth i'r berthynas rhwng y taleithiau gogleddol a Phrydain waethygu'n sylweddol, nes bron â throi'n rhyfel rhyngddynt, ar ddiwedd 1861 oherwydd argyfwng llong y *Trent*.[38] Ofnai diddymwyr y byddai'r taleithiau caeth yn elwa'n sylweddol ar y sefyllfa, fel y mynegwyd yn y geiriau hyn o ysgrif olygyddol yn y *Merthyr Star* yn Ionawr 1862: 'A war against the North is a war in favour of the South and its slave holders'.[39] Trafodwyd llawer ar argyfwng y *Trent* yn y papurau newydd Cymreig. Roedd rhai ohonynt, er enghraifft y *Cardiff Mercury*, yn eithafol eu gwrthwynebiad i lywodraeth yr Undeb ac yn galw ar Brydain i fynd i ryfel yn hytrach na cholli wyneb yn sgil yr hyn a ddehonglwyd yn ymddygiad ymosodol yr Americanwyr.[40] Yn ôl Richard Blackett: 'The nationalistic vitriol associated with the Trent affair in December 1861 pushed many into the ranks of Confederate supporters.' Tybed a oedd hanes William Hall yn ymdrech i adennill tir trwy arddangos creulonderau, anfoesoldeb ac anghyfiawnderau caethwasiaeth? Mae'n bosibl hefyd y chwaraeodd y diwygiad a gafwyd ymhlith y Wesleaid yng ngwanwyn 1862 ei ran yng nghyhoeddi'r gyfrol. Cynhaliwyd cyfarfodydd crefyddol dwys a phoblogaidd yng Nghaerdydd, Merthyr a lleoedd eraill yn ne Cymru gan yr efengylwyr Dr a Mrs Palmer o America, ond ni cheir cyfeiriadau at gaethwasiaeth yn adroddiadau'r wasg o'r cyfarfodydd hyn.[41]

Yn sicr, roedd yna gefnogaeth i wrth-gaethwasiaeth a diddymiaeth yng Nghaerdydd, a chefnogaeth gryfach fyth yn y Cymoedd mewn trefi fel Aberdâr a Merthyr ar yr adeg honno. Roedd papurau newydd Cymraeg megis *Y Gwladgarwr* a'r *Gwron* yn gyson yn cyhoeddi adroddiadau ar ddigwyddiadau a bwysleisiai erchyllterau caethwasiaeth yn America, er enghraifft 'Llosgi Caethwas yn Missouri' yn *Y Gwron* yn Chwefror 1859.[42] Fel y mae Gethin Matthews wedi dangos, cymerai cyfnodolyn y Bedyddwyr, *Seren Cymru*, o dan olygiaeth y Parch. Dr Thomas Price, safbwynt 'cadarn, digyfaddawd yn erbyn caethwasanaeth'.[43] Cynhaliwyd yn ogystal gyfarfodydd a darlithoedd o blaid rhyddhau'r caethweision. Yn Nhachwedd 1858, traddododd caethwas ffoëdig o'r enw Mr W. Craft ddarlith yn Bethany, capel y Bedyddwyr yng Nghaerdydd. Yn ôl adroddiad o'r achlysur a ymddangosodd yn *Y Gwron*, yr oedd Craft yn '[d] dyn du, profiadol gyfarwydd â'r fasnach. Siaradodd yn rymus iawn yn erbyn y gaethfasnach yn ei holl agweddau'.[44] Disgrifiodd Craft y creulonderau a'r diraddiadau yr oedd rhaid i gaethweision eu dioddef, a'r modd y llwyddodd ef i ddianc ym 1848. Roedd Richard Cory a Charles Vachell, dau o ddyngarwyr Wesleaidd ac arweinwyr dinesig mwyaf blaenllaw Caerdydd, yn rhan o'r achlysur. Roedd y cyntaf i fod i lywyddu'r ddarlith ond, ar y noson, yr ail oedd yn y gadair.[45] Ar 10 Hydref 1861 (sef wedi dechreuad y Rhyfel Cartref), yn Neuadd y Dref, Caerdydd, llwyddodd H. Mitchell, 'a man of colour [, to sustain] the interest of a large audience . . . with a thrilling account of slavery. Richard Cory presided, and a liberal collection was made'.[46] Ddeufis yn ddiweddarach cynhaliwyd darlith Gymraeg yn Tabernacl, capel y Bedyddwyr yng Nghaerdydd, gan Dr Davies, Abertawe, ar 'The present war of the US, principally, its connection with negro slave traders'.[47] Ymddengys iddo fod yn gwbl agored ynglŷn â lle gorweddai ei gydymdeimlad ef. Mewn darlith debyg yn Hirwaun yn gynharach yn y flwyddyn, datganwyd amdano: 'he did not disguise his great sympathy with the north, and expressed a wish that they would be successful in exterminating slavery from their coast.'[48]

Cwestiwn arall y mae hanes William Hall yn ei godi yw a gafodd y gwaith ei gyhoeddi i gyd-fynd ag ymgyrch o blaid gwrth-gaethwasiaeth gan yr awdur neu fel rhan o ymgyrch o'r fath. Unwaith eto, ni cheir tystiolaeth ei fod wedi areithio'n gyhoeddus a phe bai wedi gwneud hynny, mae'n eithaf tebyg y byddai'r wasg wedi cyhoeddi adroddiadau ar y digwyddiadau. Wedi dweud hyn, nid yw pethau mor syml â hynny. Dangoswyd eisoes fod cefnogaeth i wrth-gaethwasiaeth a diddymiaeth yng Nghaerdydd ar adeg cyhoeddi *Slavery in the United States of America*, ond yr oedd y sefyllfa yn y dref yn fwy cymhleth nag yn Aberdâr neu ym Merthyr. Dadlenna ein hymchwil ddiffrwyth nad oes llawer iawn o dystiolaeth brintiedig o weithgarwch yn erbyn caethwasiaeth ym mhapurau newydd Caerdydd, beth bynnag a ddigwyddodd yno mewn gwirionedd. Mae'n ddadlennol mai yn yr *Aberdare Times* yn unig, ac nid ym mhapurau newydd Caerdydd ei hun, yr ymddangosodd adroddiadau ar y cyfarfodydd gwrth-gaethwasaidd y soniwyd amdanynt eisoes. Mae hyd yn oed y *Cardiff Times*, a oedd o blaid gwrth-gaethwasiaeth, yn dawel ar y mater. Efallai fod eglurhad syml am hyn, ond mae'r diffyg sylw yn fodd o amlygu safle amwys Caerdydd yn gyffredinol yn ystod Rhyfel Cartref America. Ni chafwyd hyd yma astudiaeth fanwl ar natur y gefnogaeth i'r mudiad diddymiaeth yn y dref yn y blynyddoedd hyn, ond mae'n destun sy'n haeddu mwy o ddadansoddi nag sy'n bosibl yma. Mae'n amlwg o waith Huw Griffiths ac Alan Milne bod yn y dref garfanau a oedd yn llai awyddus i weld diwedd caethwasiaeth. Roedd cymuned fusnes y dref yn ddigon parod i allforio glo i'r De a thorri gwarchae'r Undeb, er enghraifft, a bu'r ffaith nad arweiniodd argyfwng y *Trent* at ryfel rhwng Prydain a'r Undeb yn y pen draw yn gynnar ym 1862 yn achos tipyn o siom i rai. Yr un fu'r ymateb pan ddaeth Rhyfel Cartref America i ben dair blynedd yn ddiweddarach.[49] Roedd William Hall felly'n byw mewn porthladd a oedd yn masnachu â'r Gogledd a'r Taleithiau Cydffederal fel ei gilydd. Tybed pa mor flaenllaw oedd y realiti hwn ym meddwl William pan benderfynodd fynd ati i sgrifennu ei hanes, ac a oedd hyn yn rhan o'r rheswm pam y cytunodd y Wesleaid Saesneg i roddi cefnogaeth ariannol iddo? Mae hanes William Hall yn fan cychwyn sy'n awgrymu rhai llwybrau diddorol ar gyfer astudiaeth ehangach o'r garfan wrth-gaethwasaidd yng Nghaerdydd rhwng 1861 ac 1865.

CASGLIAD

Er gwaethaf ein hymchwiliadau, erys hanes Hall yn dipyn o enigma. Pa ffactorau a arweiniodd at gyhoeddi'r gwaith? Pa mor niferus oedd ei ddarllenwyr? A oedd William Hall yn bodoli, hyd yn oed? Fel yr awgrymwyd yn yr ysgrif hon, y mae'n anodd llunio atebion pendant i'r cwestiynau hyn. Ymddengys yn debygol iawn mai ychydig iawn o gopïau a argraffwyd, efallai dim ond un. Rhaid derbyn fod yna siawns denau iawn mai twyll yw'r hanes, ffuglen o law'r diddymwyr, ond ymddengys yn llawer mwy tebygol mai gwaith dilys ydyw. Gellir tybio bod ôl dylanwad golygydd Wesleaidd ar rannau o'r testun, ond yn y pen draw mae'r cywair cymedrol yn taro deuddeg. Mae'r dystiolaeth gyd-destunol a geir ynddo, megis enwau penodol, lleoedd, digwyddiadau a chronoleg, yn awgrymu bod hwn yn hanes dilys. Ar ben hynny, fel darn o lenyddiaeth, mae hanes William A. Hall yn destun grymus. Mae'n destun sy'n annog cydymdeimlad tuag at yr awdur, ac yn erbyn caethwasiaeth yn gyffredinol, gan hudo'r darllenydd i rannu'r profiadau gorthrymus a ddioddefodd William ac i lawenhau gydag ef wrth iddo lunio hunaniaeth a hunanymwybyddiaeth newydd iddo'i hun fel dyn rhydd.

Ar ben hynny, mae'n hysbys bod nifer o gaethweision ffoëdig wedi cynnal eu hunain drwy hybu'r achos yn erbyn caethwasiaeth. Fel y gwelwyd eisoes, yr oedd amryw ohonynt yn teithio o amgylch y capeli Anghydffurfiol yn ne Cymru a rhai ohonynt yn gwerthu fersiynau printiedig o'u hanesion i gynulleidfaoedd oedd yn gefnogol i'r achos.[50] Byddai pobl felly yn sicr wedi croesawu'r Rhyfel Cartref fel gwrthdaro a allai roi terfyn ar eu halltudiaeth. Yn wir, os oedd William Hall yn ddyn hanesyddol go iawn, pwy a ŵyr beth a ddigwyddodd iddo yn ystod gweddill ei fywyd?

Yn y pen draw nid enillodd caethweision ffoëdig fel Frederick Douglass, ac efallai hefyd William Hall, eu rhyddid pan gyraeddasant daleithiau gogleddol America neu Ganada neu Gymru; yn hytrach, wedi dianc rhag caethwasiaeth yr oeddent. Byddai William Hall wedi bod yn un o blith llawer o unigolion a fyddai'n byw mewn cyflwr o alltudiaeth, o ebargofiant neu *limbo*, neu fel y mae Samira Kawash wedi ei ddisgrifio, 'fugitivity'.[51] Felly, er bod yr awdur yn haeru ar ddiwedd ei hanes ei fod yn 'thankful for a residence in this glorious land of liberty, freedom and religious privilege' (t. 33), nid oedd yn ddyn rhydd. Byddai William Hall wedi aros yn ffoadur mewn gwlad a ystyriai yn hafan o ryddid, wedi ei ddieithrio o'i gartref genedigol, ei gyfeillion a'i deulu, yn wirioneddol yn 'fugitive slave, now a resident in Cardiff'. Mae cyfrol William A. Hall yn bwysig am ei bod yn tystio i'r rhan a chwaraeodd un Affro-Americanwr yn y frwydr yn erbyn caethwasiaeth mewn tref yr oedd ei chymuned fusnes ar y gorau'n amwys ynglŷn â diddymiaeth, ac ar y gwaethaf yn barod i gefnogi'n ymarferol barhad caethwasiaeth er ei lles ei hun.

NODIADAU

1 Alan Llwyd, *Cymru Ddu: Hanes Pobl Dduon Cymru* (Llanisien, Caerdydd: Hughes a'i Fab / Canolfan Hanes a Chelf Butetown, 2005), tt. 39–41.

2 Helen Thomas, *Romanticism and Slave Narratives: Transatlantic Testimonies* (Caergrawnt: Cambridge University Press, 2000), tt. 175–80; K. R. Connor, 'To Disembark: The Slave Narrative Tradition', *African American Review*, 30:1 (Gwanwyn 1996), t. 37.

3 S. Kawash, *Dislocating the Color Line: Identity, Hybridity and Singularity in African American Literature* (Stanford: Stanford University Press, 1997), t. 28.

4 James Olney, '"I was Born": Slave Narratives, Their Status as Autobiography and as Literature' yn C. T. Davis a H. L. Gates (goln.), *The Slave's Narrative* (Rhydychen: Oxford University Press, 1985), t. 155.

5 D. A. McBride, *Impossible Witnesses: Truth, Abolitionism and Slave Testimony* (Efrog Newydd: New York University Press, 2002), t. 142.

6 Am enghreifftiau, gw. Thomas, *Romanticism and Slave Narratives*, t. 179.

7 Ibid.

8 L. E. Tanner, 'Representation in the Slave Narrative', *Black American Literature Forum*, 21:4 (Gaeaf 1987), t. 424; Thomas, *Romanticism and Slave Narratives*, t. 176.

9 S. Burr, Adolygiad o Dwight A. McBride, *Impossible Witnesses: Truth, Abolitionism, and Slave Testimony, African American Review*, 37:1 (2003), t. 150.

10 Connor, 'To Disembark', t. 37.

11 Thomas, *Romanticism and Slave Narratives*, tt. 175-81.

12 Gates, *Classic Slave Narratives* (Efrog Newydd: Bantham, 1987), t. x, a ddyfynnwyd yn Connor, 'To Disembark', t. 37; Thomas, *Romanticism and Slave Narratives*, tt. 178–9.

13 Connor, 'To Disembark', t. 37.

14 Ibid.

15 Kawash, *Dislocating the Color Line*, t. 28.

16 Olney, '"I was Born": Slave Narratives, Their Status as Autobiography and as Literature', t. 151; Robert Stepto, "I Rose and Found My Voice": Narration, Authentication, and Authorial Control in Four Slave Narratives' yn C. T . Davis a H. L. Gates (goln.), *The Slave's Narrative* (Rhydychen: Oxford University Press, 1985), t. 225.

17 Moses Roper, *A Narrative of the Adventures and Escape of Moses Roper from American Slavery* (Llundain: Darton, Harvey and Darton, 1837). Moses Roper, *Hanes Bywyd a Ffoedigaeth Moses Roper o Gaethiwed Americanaidd* (Bangor: arg. Robert Jones, 1841). Samule Ringgold Ward, *Autobiography of a Fugitive Negro: His Anti-Slavery Labours in the United States, Canada and England* (Llundain: J. Snow, 1855).

18 Alan Llwyd, *Cymru Ddu: Hanes Pobl Dduon Cymru*, t. 41.

19 Stepto, "I Rose and Found My Voice", t. 227.

20 Connor, "To Disembark", t. 38.

21 S. V. Hartman, *Scenes of Subjection: Terror, Slavery, and Self Making in Nineteenth Century America* (Efrog Newydd: Oxford University Press, 1997), tt. 79–115. Ferguson, 'Christian Violence and the Slave Narrative', *American Literature*, 68:2 (Mehefin 1996), tt. 303–4.

22 A. S. Parent ac S. B. Wallace, 'Childhood and Sexual Identity under Slavery', *Journal of the History of Sexuality*, 3 (1992-3), 363–401.

23 Roper, *A Narrative of the Adventures and Escape of Moses Roper from American Slavery*; idem, *Hanes Bywyd a Ffoedigaeth Moses Roper o Gaethiwed Americanaidd.*

24 Yr ydym yn ddiolchgar iawn i'r Athro Stephen V. Ash, Athro Hanes, Prifysgol Tennessee am roi i ni wybodaeth amhrisiadwy (gan gynnwys manylion o gyfrifiad 1860 am Tennessee) yn ogystal â sawl sylw craff.

25 Olney, "I was born", t. 157.

26 *Anti-Slavery Advocate*, 4.3 (1 Ebrill 1863), t. 32; *Nonconformist*, 25 Gorffennaf 1860; R. J. M. Blackett, *Divided Hearts: Britain and the American Civil War* (Baton Rouge: Louisiana State University Press, 2001), tt. 54–5.

27 *Cardiff Times*, 18, 25 Ionawr, 1 Chwefror, 1, 15 Mawrth 1861; *Gwladgarwr*, 26 Ionawr, 2 Mawrth 1861.

28 *Cardiff and Merthyr Guardian*, 19, 26 Ionawr, 2 Mawrth 1861.

29 *Cardiff Times*, 18 Ionawr 1861.

30 Blackett, *Divided Hearts*, t. 54.

31 'A Nova Scotian V.C.', *Yarmouth Times*, 11 Ionawr 1900.

32 Yr ydym yn ddiolchgar iawn i John Evans, Prifysgol Caerdydd, am yr wybodaeth yma.

33 *Anti-Slavery Advocate*, 4.3 (1 Ebrill 1863), t. 32.

34 *Slaters South Wales Directory 1858-59*; *Cardiff and Newport Directory 1875–76.*

35 *Loudon Square Circuit Handbook and General Information and History 1891*, tt. 7, 8.
36 Gw. Griffiths, 'The Welsh and the American Civil War c. 1840–1865', traethawd PhD anghyhoeddedig, Prifysgol Cymru, Caerdydd (2004), 120–68. Jerry Hunter, *Llwch Cenhedloedd: Y Cymry a Rhyfel Cartref America* (Llanrwst: Gwasg Carreg Gwalch, 2003). Gethin Matthews, '*Seren Cymru* a Rhyfel Cartref America', *Trafodion Cymdeithas Hanes y Bedyddywr*, 2005, tt. 23–44, a Gwynne E. Owen, 'Welsh Anti-slavery Sentiments 1790–1865: a survey of public opinion', traethawd MA anghyhoeddedig, Prifysgol Cymru, Aberystwyth (1964), tt. 89–117.
37 Gw., e.e., *Cardiff and Merthyr Guardian*, 20 Medi 1856; *Cardiff Times*, 11 Rhagfyr 1858, 20 Hydref, 7 Rhagfyr 1860, 25 Ionawr, 5 Ebrill, 3 Mai, 21 Mehefin, 13, 20 Medi, 6 Rhagfyr 1861. Gw., hefyd, J. Austin Jenkins ac R. Edwards James, *The History of Nonconformity in Cardiff* (Caerdydd: Wesleyan and General Book Depot, 1901), tt. 100-28.
38 Gweler Robert Huw Griffiths, 'The Welsh and the American Civil War *c.*1840-1865', tt. 137-44.
39 *Merthyr Star*, 3 Ionawr 1862.
40 Gw., e.e., *Cardiff Mercury*, 30 Tachwedd, 7, 14 Rhagfyr 1861.
41 Gw. *Aberdare Times*, 8, 22 Mawrth 1862; *Cardiff Times*, 28 Chwefror–21 Mawrth, *passim*, 30 Mai 1862; *Merthyr Star*, 5, 12 Ebrill 1862; *Wesleyan Times*, 3 Mawrth, 21 Ebrill 1862.
42 *Y Gwladgarwr*, 30 Ebrill 1859, *Y Gwron*, 19 Chwefror, 9 Ebrill 1859.
43 Matthews, '*Seren Cymru* a Rhyfel Cartref America', t. 23.
44 *Y Gweithiwr*, 13 Tachwedd 1858.
45 *Cardiff Times*, 13 Tachwedd 1858, 22 Ionawr 1859; *Y Gweithiwr*, 13 Tachwedd 1858; *Y Gwladgarwr*, 20 Tachwedd, 4 Rhagfyr 1858; 'The Late Mr Cory', *Cardiff Wesley Circuit Magazine*, l:2 (Mawrth 1910); Jenkins a Jones, *The History of Nonconformity in Cardiff*, t. 192.
46 *Aberdare Times*, 12 Hydref 1861.
47 *Aberdare Times*, 21 Rhagfyr 1861.
48 *Aberdare Times*, 26 Hydref 1861.
49 Griffiths, 'The Welsh and the American Civil War *c.*1840-1865', tt. 152-68; Allan Milne, 'For Want of Cardiff Coal: The Story of the Advance', *Voice of the Tiger*, Rhif 3 (Gwanwyn 1995), t. 3.
50 Gw. Griffiths, 'The Welsh and the American Civil War *c.*1840–1865', tt. 126–37.
51 Ibid., tt. 79–84.

TYSTIO 1

PAUL ROBESON: EI ETIFEDDIAETH I GYMRU

Hywel Francis

Pan ddechreuais i ar y daith hir o baratoi'r bennod hon i esbonio etifeddiaeth Paul Robeson yng Nghymru, roeddwn yn ymwybodol o'r effaith a gafodd ar fywydau miloedd ar filoedd o bobl yng Nghymru. Ac wrth gwrs gwelwyd cadarnhad o hyn yn llwyddiant arbennig yr arddangosfa 'Gadewch i Paul Robeson Ganu!' a fu'n teithio'r wlad benbaladr. Dim ond dieithryn yng Nghymru all ddweud heddiw, 'Pwy yw Paul Robeson?' Mae Paul Robeson yn bwysig yn fy mywyd i, ac roedd yn ffigwr o bwys mawr ym mywyd fy nhad. Does dim amheuaeth bod ein gweledigaeth wedi ei heffeithio gan ei fywyd a'i egwyddorion, yn enwedig trwy ei gysylltiad â Chymru.

YN GOF I YMGYRCHOEDD

Roedd y diweddar Athro Gwyn Alf Williams yn hoff o ddweud wrthym fod baneri fel cof y mudiadau roeddent yn eu cynrychioli. Pan ymwelodd Nelson Mandela â Llundain ar ol iddo gael ei ryddhau o garchar, fe'i croesawyd i ystafell Cabinet yr Wrthblaid gan Neil Kinnock. Yn yr ystafell honno roedd lle haeddiannol i faner glowyr Aber-craf, gyda'i geiriau 'Mewn Undeb y mae Nerth a Heddwch'. Ac felly rhoddir lle haeddiannol i'r un faner yn yr arddangosfa 'Gadewch i Paul Robeson Ganu!'

> 'Pam mae'r glowyr du a'r rhai gwyn yn ysgwyd dwylo?' gofynnodd yr ymwelydd enwog. 'Mae hynny'n syml,' meddai Neil Kinnock. 'Dyma un o faneri glowyr de Cymru'
>
> 'Wrth gwrs, rwy'n deall,' atebodd Mandela. Roedd yn deall

oherwydd bod baneri glowyr de Cymru wedi chwarae rhan amlwg yn yr ymgyrch hir i ennill ei ryddid.

Roedd y faner yn llwythog â chyfeiriadau hanesyddol. Yn wir, roedd yn 'gof' i sawl mudiad oedd wedi cydgyffwrdd â'i gilydd. Fe'i gwnaed yn y flwyddyn wedi'r lladdedigaethau yn Sharpeville, mewn coch, gwyrdd ac aur, sef lliwiau yr ANC (African National Congress), ac fe'i gwnaed yn Aber-craf, cymuned gymysgryw oedd wedi croesawu glowyr o Sbaen a Phortiwgal i'w phlith cyn 1914, ac ar ôl 1936 wedi anfon sawl un o'i meibion i ymladd yn erbyn Ffasgaeth yn Sbaen gyda'r Brigadau Rhyngwladol (International Brigades). Roedd yn diferu â symbolaeth oedd yn ymgorffori sawl mudiad rhyng-gysylltiedig – y glowyr, heddwch, cydwladoldeb ac, ar yr union adeg honno, y mudiadau gwrth-apartheid oedd yn dod i'r amlwg yn Ne Affrica, Cymru ac yn wir trwy'r byd.

Dyna'r adeg hefyd, ym 1960, y clywais Paul Robeson yn canu'n fyw am y tro olaf yn y Royal Festival Hall, ac mae'n arwyddocaol iddo wneud hynny gyda chôr meibion o Gymru, sef Côr Meibion Cwmbach, a chanu hefyd mewn cyngerdd a drefnwyd gan fudiad blaengar pwysig arall, y Mudiad Er Rhyddid Trefedigaethol (The Movement for Colonial Freedom).

Mae'r ddolen ryngwladol hon rhwng glowyr de Cymru a Paul Robeson, ac yna gyda Nelson Mandela, o gryn bwys hanesyddol. Yn wir, byddwn yn haeru bod y berthynas unigryw rhwng Paul Robeson a chymunedau glofaol Cymru a ddatblygwyd rhwng y 1920au a'r 1950au wedi bod yn ffactor allweddol yn nhwf Cymru fel cartref rhwng y 1950au a'r 1990au i un o'r mudiadau gwrth-apartheid cryfaf a mwyaf eang yn y byd i gyd. Pan dderbyniodd Nelson Mandela ryddfraint dinas Caerdydd ym 1998, fe dalodd deyrnged arbennig i gyfraniad allweddol glowyr de Cymru yn yr ymgyrch i sicrhau ei ryddid ac yn y mudiad gwrth-apartheid yn gyffredinol.

Bwriad y bennod hon felly yw ystyried dylanwad Paul Robeson ar Gymru, gan ystyried y ffordd y cyfrannodd ef at adnabyddiaeth well o ymgyrchoedd gwrth-drefedigaethol y gorffennol, ac yn arbennig yr etifeddiaeth a amlygodd ei hun ym Mudiad Gwrth-Apartheid Cymru.

RHANNU'R UN GWERTHOEDD

Ganed Paul Robeson yn fab i gyn-gaethwas yn yr un flwyddyn a welodd sefydlu Ffederasiwn Glowyr De Cymru, sef 1898. Mae'r tebygrwydd rhwng bywyd a delfrydau Paul Robeson a'r rhai roedd undeb glowyr de Cymru hwythau yn eu harddel yn hynod. Does dim syndod felly i'r dyn a'r mudiad ymblethu â'i gilydd nes dod yn anwahanadwy am bron bum degawd. Fe sgrifennodd fy nhad, y diweddar Dai Francis, am gysylltiadau Paul Robeson â Chymru pan fu farw yn Ionawr 1976, ychydig cyn eu bod i fod i gwrdd yn UDA. Cyhoeddwyd teyrnged fy nhad, 'Paul Robeson: Cyfaill Cymru a'r Byd', yn rhifyn Haf 1976 o'r cylchgrawn *Y Saeth*. Beth ddenodd y gŵr hwn at gymuned ddosbarth gweithiol yng Nghymru a hwythau wedi eu gwahanu gan Fôr Iwerydd a chan ddau ddiwylliant oedd i bob pwrpas mor wahanol i'w gilydd?

Roedd bob amser yn cydnabod mai yng Nghymru y daeth 'i ddeall am y tro cyntaf mai yr un oedd ymdrech y gwyn a'r du' ac yn negawdau allweddol ei fywyd, sef y 1920au a'r 1930au, fe rannodd y weledigaeth fyd-eang hon ag undeb glowyr de Cymru. Roedd y ddau, Robeson a'r glowyr, â'u gwreiddiau'n ddwfn yn eu cymunedau a'u pobl, ac roeddent ill dau bob amser yn ymwybodol o'u hanes. Roedd y ddau yn credu yn y frwydr ryngwladol dros gyfiawnder cymdeithasol a heddwch y byd. Roedd y ddau yn llawenhau yn niwylliannau amrywiol y ddynoliaeth trwy bwysleisio na ellid gwahaniaethu rhwng gwleidyddiaeth, diwylliant a bywyd, yn arbennig pan ddaethant at ei gilydd mewn ffordd mor ddramatig yn y 1950au a'r 1960au. Roeddent hefyd yn cydnabod hawl dinasyddion pob gwlad yn y byd benbaladr i fyw'r hyn a alwodd Paul Robeson ym 1957 yn 'fywydau urddasol a helaeth'. Ac yn bwysicach na dim, roeddent yn rhoi'r pwys mwyaf ar y ffaith bod ein hymdrechion gartref a thramor yn y bôn yr un.

Wrth siarad â gweithwyr yn Awstralia ym 1960 fe gyfeiriodd Paul Robeson at lowyr o Gymru yr oedd wedi cyfarfod â nhw ar orymdeithiau'r di-waith yn y 30au. Cydnabu iddo ddysgu cryn dipyn o'u hymgyrchoedd egwyddorol a digyfaddawd dros gyfiawnder, a'u hymwybyddiaeth o bwysigrwydd cydymgyrchu; 'Rwyt ti ar ein hochr ni, Paul,' fe'u cofiai nhw'n dweud. Bu'r ymdeimlad hwnnw o adnabod a pherthyn yn bwysig ers y tro cyntaf iddo gwrdd â glowyr di-waith o Gymru yn canu yn Sgwâr Trafalgar ym 1929 ac yna ymweld â nhw yn y Rhondda ac yn hafan gorffwys y glowyr yn Nhal-y-garn, a gydol y

1930au uniaethwyd achos y naill â'r llall. Yn y 30au cynnar bu'n canu hefyd yng Nghaernarfon, Wrecsam, Castell-nedd a nifer o drefi llai. Erys dwy foment ddiffiniol, yn Aberpennar ym 1938 a'r Rhondda ym 1939.

Mewn cyngerdd yn Aberpennar i goffáu'r Cymry a roddodd eu bywydau yn ymladd yn erbyn Ffasgaeth yn Sbaen, meddai,

> I have waited a long time to come down to Wales – because I know there are friends here . . . I am here tonight because as I have said many times before, I feel that in the struggle we are waging for a better life an artist must do his part. I am here because I know that these fellows not only died for Spain but for me and the whole world. I feel it is my duty to be here.

Ac yna ym 1939 chwaraeodd ran flaenllaw yn y ffilm *Proud Valley* lle y darluniwyd ymdrechion glowyr de Cymru mewn modd tra effeithiol. O bob ffilm a wnaeth Robeson, hon ddaeth agosaf at gyfleu ei werthoedd a'i weledigaeth bersonol ef.

Gyda'r ddau ddatganiad cyhoeddus yma yng nghymoedd de Cymru fe ddiffiniwyd y dyn a'i ddelfrydau. Roedd wedi'i uniaethu ei hun â'n hachos ni. Roedd un o artistiaid mawr y byd wedi cyhoeddi nad oedd cymunedau de Cymru, er eu bod megis dan warchae, yn ddiymgeledd nac yn unig.

Bron ugain mlynedd yn ddiweddarach, wrth annerch y gynhadledd 'Let Paul Robeson Sing!' yn Neuadd y Dref, St Pancras, yn Llundain, fe gyfeiriodd fy niweddar dad at y cyfarfod hwnnw yn Aberpennar ym 1938, ac yn ôl adroddiad o'i anerchiad:

> . . . his [my father's] was one of the first organisations to raise the issue of Robeson's denial of a passport. He recalled Robeson surrounded by children welcoming the returning International Brigades home from Spain. He could never forget that, but he had no children then, and now he wanted his son to have the chance to see and hear Robeson.

Fe ddarllenais yr adroddiad hwnnw ym mhapurau Robeson yn yr archif sy'n dwyn ei enw ym Mhrifysgol Howard yn Washington D.C., lle roedd ymhlith llythyrau o gefnogaeth gan yr Arlywydd Nkrumah o Ghana, Charlie Chaplin, a'r bardd o Chile, Pablo Neruda.

Y FRWYDR YN PARHAU TU HWNT I EWROP

Wrth uniaethu'i hun fel hyn â chymunedau glofaol de Cymru, roedd yn anochel bod Paul Robeson hefyd yn dyfnhau eu hymwybyddiaeth o'r anghyfiawnderau oedd yn bod mewn mannau eraill yn y byd, o daleithiau deheuol UDA i erledigaeth yr Iddewon gan y Natsïaid yn yr Almaen, ymlaen at argyfwng pobloedd trefedigaethau Affrica ac Asia, a hyn cyn bod unrhyw fudiadau gwrth-drefedigaethol mewn bod.

Mae'n hysbys iddo ddod i gysylltiad, pan oedd yn byw yn Llundain yn y 30au, â meddylwyr ac ymgyrchwyr du o Affrica a'r Caribî, ac iddo ddysgu llawer ganddynt. Yn eu plith roedd Jomo Kenyatta, wrth gwrs, ond roedd eraill hefyd fu'n siarad ac annerch yng nghymoedd de Cymru yn y cyfnod hwnnw. Ymwelodd y Marcswyr C. L. R. James a George Padmore o India'r Gorllewin â Llansawel (Briton Ferry) a Chwm Dulais yn niwedd y 1930au. Yn wir, fe honnir i James orffen ei gampwaith *Black Jacobins* yn nhŷ prifathro ysgol y Creunant, Brinley Griffiths. Siaradodd y dyn a benodwyd yn ddiweddarach yn Weinidog Tramor yr India, Krishna Menon, yn yr Onllwyn yn y 1940au ar ran yr India League, a bu Cheddi Jagan, Prif Weinidog cyntaf Guyana Brydeinig, yn siarad yn Ystradgynlais yn gynnar yn y 1950au. Fe briododd yr Anarchydd Rwsiaidd-Americanaidd Emma Goldman â James Colton, y glöwr o Ddyffryn Aman, ac mae eu llythyron yma yn y Llyfrgell Genedlaethol. Rhwng y ddau Ryfel Byd fe siaradodd hi'n aml yn ne Cymru ar nifer o bynciau radicalaidd a gwrth-drefedigaethol.

Roedd Paul Robeson yn un o'r cylch o feddylwyr ac ymgyrchwyr gwleidyddol galluog yn niwedd y 30au a wnaeth ledaenu gorwelion glowyr Cymru tu hwnt i'r baricêds chwedlonol hynny oedd wedi ymestyn 'o Donypandy i Fadrid'. Daeth glowyr de Cymru yn ymwybodol o'r agweddau gwrth-drefedigaethol a dyfodd yn fudiadau ffurfiol yn y 1940au a'r 1950au, gan gyrraedd pwynt argyfwng yn y 1960au gyda chychwyn y frwydr arfog yn erbyn apartheid yn Ne Affrica.

Ailymddangosodd Paul Robeson ar y llwyfan byd-eang wedi'r Ail Ryfel i feirniadu polisïau trefedigaethol tramor a phrinder hawliau sifil yn nes adref, a dyna paham y bu'n destun ofn ac edmygedd i gynifer ar sawl cyfandir. Dengys papurau sydd wedi eu rhyddhau yn ddiweddar gan y Swyddfa Gartref fod ei ddull o gysylltu gwleidyddiaeth ddomestig a materion rhyngwladol, ac yn benodol ei safbwyntiau gwrth-drefedigaethol, wedi creu pryder yng ngwasanaethau cudd Prydain ac UDA oherwydd ei lwyddiant unigryw wrth bontio'r Mudiad Hawliau Sifil oedd ar gynnydd yn America a gwleidyddiaeth wrth-drefedigaethol India'r Gorllewin ac Affrica y bu'n gysylltiedig â'u harweinwyr ers dros ddegawd. At hynny, roedd yn plannu ymwybyddiaeth fwy eang trwy uniaethu'r ymgyrchoedd hyn â'r Undebau a'r mudiad Llafur, a hynny fwy na degawd cyn i Martin Luther King bwysleisio'r ddolen gyswllt bwysig hon, un a fyddai'n angheuol iddo.

Ym mis Mai 1945 apeliodd Paul Robeson, fel Cadeirydd Cyngor America dros Faterion Affricanaidd (American Council for African Affairs), am 40,000 o ddoleri. Unwaith eto dengys dogfennau o'r Swyddfa Gartref fod Pennaeth MI5 wedi cwyno bod gan fudiad Robeson gysylltiadau comiwnyddol a'i fod yn gwneud honiadau 'cyfeiliornus' ynglŷn â'r modd yr oedd Prydain yn gweinyddu ei threfedigaethau. Yn ystod ei ymweliadau â Phrydain ym 1949 a 1950 bu dan sylw manwl MI5 ac ym 1951, a'i basbort erbyn hyn wedi ei gymryd oddi arno, meddai adroddiad gan MI5:

> Robeson when last over here was a security nuisance. He is convinced he has a mission to heed oppressed negroes and colonial peoples everywhere. He is a fanatical communist and intensely ambitious . . . we think you will agree this is a case where it would be advisable on security grounds to refuse leave to land should he attempt to enter the UK.

Does dim dwywaith i'w safbwynt digyfaddawd beri braw i lywodraethau UDA a Phrydain. Ceir enghraifft o hyn mewn anerchiad a baratowyd ganddo i'w ddarlledu ar 23 Medi, 1946. Meddai,

> I stand here ashamed . . . Ashamed that it is necessary . . . eighty-four years after Abraham Lincoln signed the Emancipation Proclamation . . . to rebuild the democratic spirit that brought that document into being . . . I speak of the wave of lynch terror, and mob assault against Negro Americans. Since V. J. Day, scores have been victims, most of whom were veterans, and even women and children.
>
> But I am not ashamed to stand here as a servant of my people, as a citizen of America, to defend and fight for the dignity and democratic rights of Negro Americans . . . to fight for their right to live.'

Am y pedair blynedd nesaf byddai anerchiadau o'r fath yn rheswm i'w wahardd o theatrau ac o'r stiwdio ddarlledu, ac yn y pen draw i'w rwystro yn y 1950au rhag teithio dramor.

Bu i'r ymgyrch i adfer ei basbort iddo bara am bron ddegawd, a bu'n un ryngwladol gan gynnwys hen gyfeillion oedd bellach yn wleidyddion byd enwog fel Nehru o'r India a Nkrumah o Ghana. Fel y gellid ei ddisgwyl erbyn hyn, un o ganolfannau'r ymgyrch oedd maes glo de Cymru.

Bellach daeth y cyfarchion a gyfnewidiwyd trwy gyfrwng llinell deleffon rhwng Efrog Newydd ac Eisteddfod y Glowyr ym Mhorthcawl ym 1957 yn rhan o gof poblogaidd y genedl; roeddwn i yno, a Paul Robeson yn canu inni o'r ochr arall i Fôr Iwerydd, ac roeddwn yn bresennol eto pan lwyddodd Paul Robeson o'r diwedd i ymweld â Chymru unwaith eto ym 1958, ac ymweld â'r Brifwyl yng Nglyn Ebwy ar wahoddiad yr AS lleol Aneurin Bevan.

Roedd y croeso twymgalon a estynnwyd iddo yn y ddwy Eisteddfod hyn – Eisteddfod y Glowyr a'r Genedlaethol – yn arwydd o gefnogaeth pobl gyffredin Cymru iddo. Er bod ganddo gysylltiadau penodol â chymoedd y De dros gyfnod o dri degawd, roedd ei apêl fel artist ac ymgyrchydd dros hawliau dynol yn ymestyn drwy Gymru gyfan. Cawsom syniad o hyn yng Nglyn Ebwy pan ofynnodd am lyfr emynau Cymraeg am fod y gerddoriaeth yn ei atgoffa gymaint o ganeuon ei bobl ei hun.

Ac wrth reswm roedd ganddo berthynas agos a chyfeillgarwch personol â'r gymuned ddu yn Butetown yng Nghaerdydd, fel y gwelir o'r telegram yn dymuno'n dda iddo cyn ei noson gyntaf ar y llwyfan yn Stratford ym 1958:

> Cardiff Coloured send best wishes for success
> A. Shepherd, 213 Bute Street.

Ac ymhell cyn iddo ddychwelyd i Gymru, cafodd lythyr oddi wrth edmygydd yn Aberystwyth yn dweud:

> I am eager to arrange a concert here where you have so many admirers . . . I can assure you that your visit to Aberystwyth would be looked forward to more eagerly than I could ever let you know.
>
> Yours most sincerely and in great admiration
>
> Horace G. Thomas, Terminus Hotel, Terrace Road, Aberystwyth.

1981: MOMENT DDIFFINIOL YN HANES CYMRU AC APARTHEID

Roedd gwanwyn 1981 yn adeg deimladwy a phoenus i mi ar lefel bersonol. Bu fy nhad farw ar 30 Mawrth ac yn fuan wedi hynny penderfynodd Côr Meibion Cwm-bach deithio i Dde Affrica lle roedd apartheid yn dal mewn grym. Roedd 'Nhad yn Llywydd y côr ac ar Fudiad Gwrth-Apartheid Cymru. Fe gymerais innau ran yn yr ymgyrch lwyddiannus i rwystro'r daith rhag digwydd ac yn ystod yr ymgyrch fe gyfeiriwyd yn fynych at y cof parhaol oedd am Paul Robeson yma yng Nghymru a thaenwyd ar led neges ddwys gan ei fab, Paul Robeson Jr. Anfonwyd llythyr pwerus at y côr gan esgob alltud Namibia, Dr Colin Waite, ymladdwr praff dros hawliau dynol; ef oedd yn ymgorffori'r ymgyrch oedd erbyn hyn yn cynnwys pleidiau gwleidyddol, undebau llafur, eglwysi, ac yn wir corau, a rhoddwyd cyhoeddusrwydd eang i'w lythyr.

Mewn cyfarfod y bûm yn ei annerch yn Aberdâr ar 21 Gorffennaf 1981 – roedd Hanif Bamji, llefarydd diflino'r frwydr yn erbyn apartheid yng Nghymru am ddau ddegawd yno hefyd – dyfynnais o araith a roddodd Paul Robeson ym 1953 o dan y Bwa Heddwch (Peace Arch) ar y ffin rhwng Canada ac UDA. Meddai Robeson ar yr achlysur hwnnw:

> We who labour in the arts . . . must remember that we come from the people, our strength comes from the people and we must serve the people and be part of them.
>
> I received an invitation [to the Miners' Eisteddfod] that could not mean more [to me]. The miners in Wales . . . feel me a part of that land. For many years I have been struggling for the independence of the colonial peoples of Africa . . . I am proud of the America in which I was born. My father was a slave reared in North Carolina. I have many friends all over the earth and rightly so . . .
>
> My people are determined in America . . . to be first class citizens . . . and that is the rock upon which I stand. From that rock I reach out . . . across the world to my forefathers in Africa . . . because I know that there is one humanity . . . and that all human beings can live in full human dignity and in friendship . . .

Roedd Paul Robeson yn un o'r ychydig, ymhell cyn dyfodiad y mudiad hawliau sifil, i feddu'r fath fyd-olwg. Medrai ganfod a thynnu sylw at anghyfiawnder ym mha le bynnag y byddai, gan gynnwys De Affrica ymhell cyn sefydlu'r drefn apartheid yno. Roedd ei eiriau heriol am y wlad honno ym 1950 yn fodd i fraenaru'r tir ar gyfer twf y mudiad gwrth-apartheid ledled y byd, gan gynnwys Cymru:

> . . . for all their pass laws, for all their native compounds, for all their Hitler-inspired registration of natives and non-whites, the little clique that rules South Africa is baying at the moon. For it is later than they think in the procession of history, and that rich land must one day soon return to the natives on whose backs the proud skyscrapers of the Johannesburg rich were built.

ETIFEDDIAETH BARHAOL

Pan oedd gyrfa artistig ac ymgyrchol Paul Robeson yn tynnu i'w diwedd yn y 1960au, megis cropian yr oedd y frwydr yn erbyn apartheid. Cychwyn ar eu cyfnodau hir yn y carchar yr oedd Nelson Mandela, Walter Sisulu a'u cymrodyr.

Gellir mesur cyfraniad Paul Robeson i Gymru a'r byd mewn sawl ffordd, nid lleiaf yn y ffordd y lledaenwyd ein gorwelion wrth iddo ein paratoi ar gyfer yr ymgyrchoedd gwrth-hiliol a gwrth-drefedigaethol a fyddai'n crynhoi o gwmpas achos De Affrica. Deilliai sbectrwm y gefnogaeth a roddwyd i Fudiad Gwrth-Apartheid Cymru gan yr undebau llafur, yr eglwysi a phob sector o'r farn gyhoeddus flaengar i raddau helaeth o syniadau Paul Robeson ynglŷn â heddwch byd-eang, urddas a helaethrwydd bywyd – yr union ddelfrydau y traethodd mor huawdl amdanynt dros y wifren honno a ddygodd Efrog Newydd i gysylltiad â Phorthcawl ym 1957.

Daw i'm meddwl eiriau pwrpasol T. J. Davies yn ei deyrnged deimladwy i Paul Robeson a gyhoeddwyd ym 1981:

> Ni lwyddodd lluchio baw llywodraeth ei dawelu, ac ni thawelwyd mohono gan y pridd olaf. Mae'n dal i ganu. Mae'n dal i ysbrydoli. Mae'n fwy byw heddiw nag erioed. Trechodd.

Fel y dywedodd fy nhad amdano, roedd yn 'gyfaill i Gymru a'r Byd'.

Fe ddeallodd Paul Robeson fod urddas, heddwch, cyfiawnder a helaethrwydd yn werthoedd sylfaenol a ddylai fod o fewn cyrraedd pawb; roedd e'n unigryw wrth ein hannog i ddeall bod y gwerthoedd hynny yn anwahanadwy hefyd.

I'r sawl sy'n amau ei etifeddiaeth barhaol does ond rhaid i mi gyfeirio at yr arddangosfa lwyddiannus a dyfynnu o emyn o fawl y Manic Street Preachers iddo yn 2001, 'Gadewch i Robeson ganu!' a'r gytgan 'llais mor groyw, gweledigaeth mor glir' yn atgoffa cenedlaethau o Gymry hen ac ieuanc o'r gwerthoedd a'r aberthoedd sy'n ein clymu wrth ein gilydd.

Fel y dywedodd Paul Robeson ym 1953, mae e'n rhan o'n gwlad fach ni – pa wlad arall yn y byd all ddweud shwd beth!

CASÁU SHAKESPEARE O'R SEDD FAWR: FY NYLED I JAMES BALDWIN

Gareth Miles

Mi adewais i'r Coleg ar y Bryn ym 1960 efo gradd gyfun symol mewn Saesneg ac Athroniaeth a chasineb at Shakespeare. Er cymaint roeddwn i'n hoffi ac yn edmygu'r diweddar Athro John F. Danby, roeddwn i'n adweithio'n chwyrn yn erbyn ei Shakespeare-addoliaeth o ac ysgolheigion Seisnig eraill a oedd yn dwyfoli W.S. Mi welwn eu llafar a'u llên fel rhan o'r Seisnigrwydd imperialaidd a oedd yn rhemp y dyddiau hynny. Cenedlaetholdeb imperialaidd, haerllug yn datgan yn feunyddiol: "Gynnon ni mae'r Lluoedd Arfog dewra'n y byd, y Frenhinas anwyla', y Teulu Brenhinol mwya' urddasol, y Senedd fwya' democrataidd, y ceir a'r awyrenna' cyflyma', y Gyfraith fwya' cyfiawn, y barnwyr teca' a'r plismyn ffeindia'. Ac ar ben hyn i gyd, ma' gynnon ni fardd/dramodydd/athronydd/proffwyd mwya'r Oesoedd".

Ffyrnigwyd fy alergedd gan orfodaeth i ddarllen holl weithiau'r paragon yn ystod ychydig fisoedd. Ni liniarodd yr haint nes imi ddarllen yn yr *Observer*, rai blynyddoedd yn ddiweddarach, ysgrif gan James Baldwin, 'Why I stopped hating Shakespeare'. Roedd rhesymau Baldwin dros gasáu Shakespeare yn debyg iawn i fy rhai i, ac yntau wedi gweld Shakespeare, ar un adeg, fel eicon mawr y *WASPS*, y *White Anglo-Saxon Protestants.* Fel y Saeson, roedd yr elît hwnnw yn mawrygu ei eilun mewn modd a oedd yn codi cyfog ar aelodau o hiliau llai breintiedig. Dyma eiriau Baldwin:

> In my most anti-English days I condemned him as a chauvinist ('this England' indeed!) and because I felt it so bitterly anomalous that a black man should be forced to deal with the English language at

> all – should be forced to assault the English language in order to be able to speak – I condemned him as one of the authors and architects of my oppression ... His great vast gallery of people whose reality was as contradictory as it was unanswerable, unspeakably oppressed me. I was resenting, of course, the assault on my simplicity; and in another way, I was a victim of that loveless education which causes so many schoolboys to detest Shakespeare.

Goresgynnodd Baldwin ei ragfarn pan sylweddolodd fod awen Shakespeare yn perthyn i Ewrop gyn-Brotestannaidd nad oedd yn wyn iawn, lle roedd yr Eingl-Sacsoniaid yn lleiafrif, a bod ei ddramâu a'i sonedau yn herio ac yn tanseilio'r biwritaniaeth gul, philistaidd ac awdurdodol a arddelid – yn gyhoeddus, o leiaf – gan ddosbarthiadau llywodraethol Lloegr a'r Unol Daleithiau. Gwelodd fod gan Shakespeare, fel pob bardd ac awdur o athrylith, genadwri i bob llwyth a chenedl ym mhob oes:

> [Shakespeare] saw . . . that the people who produce the poet are not responsible to him: he is responsible to them. That is why he is called a poet. And his responsibility, which is also his joy and his strength and his life, is to defeat all labels and complicate all battles by insisting on the human riddle, to bear witness, as long as breath is in him, to that mighty, unnameable, transfiguring force which lives in the soul of man, and to aspire to do his work so well that when the breath has left him, the people – *all people!* – who search in the rubble for a sign or a witness will be able to find him there.

Canfu Baldwin fod un o hanfodion yr awen Shakespearaidd yn bresennol yn rhodd gelfyddydol werthfawrocaf yr Affro-Americanwyr i'r ddynoliaeth:

> I was listening very hard to jazz and hoping, one day, to translate it into language, and Shakespeare's bawdiness became very important to me since bawdiness was one of the elements of jazz and revealed a tremendous, loving and realistic respect for the body and that ineffable force which the body contains, which Americans have mostly lost, which I had experienced only amongst Negroes, and of which I had then been taught to be ashamed.

Rhan o'r pris y bu raid i ni Gymry ei dalu i Anghydffurfiaeth am achub ein hiaith oedd carthu maswedd o'n meddyliau ac o'n genau ac erlid dawnsio a chanu gwirioneddol werinol o'n diwylliant.

Lliniarodd sylwadau gwâr Baldwin rywfaint ar fy ngwrth-Shakespeariaeth. Lleihaodd fy ngelyniaeth ymhellach pan ddechreuais sgrifennu dramâu fy hun a gweld campweithiau Shakespeare, am y tro cyntaf, fel gweithiau i'w perfformio ar lwyfan yn hytrach na thalpiau o lenyddiaeth neu athroniaeth aruchel i'w hastudio ar gyfer arholiad, i'w trafod mewn seminar neu i draethu'n ddifrifddwys arnynt mewn cyfrolau ysgolheigaidd. Nid hyd nes imi fynd ati i drosi *Hamlet* ar gyfer cynhyrchiad Michael Bogdanov o'r ddrama honno yn Gymraeg a Saesneg y gwerthfawrogais i'r modd y mae Shakespeare yn tanseilio unbennaeth wleidyddol, rywiol, emosiynol a seicolegol trwy eu gwrthgyferbynnu â nodweddion dynol allgarol, grymus fel cariad, ffyddlondeb a maswedd.

Ganwyd a magwyd James Baldwin (1924–87), nofelydd, dramodydd a beirniad, mewn ardal dlawd o Harlem, yn fab anghyfreithlon i fam a oedd yn forwyn weini. Pan oedd yn dair oed priododd ei fam â gweithiwr ffatri, gŵr caled a chreulon a oedd hefyd yn bregethwr diwygiadol, di-ddysg. Bu Baldwin yn byw yn Ewrop, ym Mharis yn bennaf, rhwng 1948 a 1957, pryd y dychwelodd i'r Unol Daleithiau a chymryd rhan flaenllaw yn y frwydr dros gyfiawnder i'w bobl. Fel llawer o Affro-Americanwyr, ac o Gymry hefyd o ran hynny, teimlai Baldwin i'r enwadau a'r sectau Protestannaidd a fu'n fawr eu dylanwad ar ei bobl, fod yn foddion i'w llwfrhau a'u dofi, i'w cymell i ufuddhau i'r drefn a osodwyd ar eu gwarrau gan y genedl a'u gorthrymai, i gydymffurfio â gwawdluniau a luniwyd gan eu gormeswyr.

Yn Llundain, tua diwedd mis Gorffennaf 1966, gwelais, o fewn deuddydd i'w gilydd, berfformiadau o ddrama led-hunangofiannol Baldwin, *The Amen Corner,* ac *Inadmissible Evidence,* gan John Osborne. Disgrifiodd Osborne ei hun unwaith fel 'a Welsh gentleman living in Fulham', ond drama Seisnig iawn yw *Inadmissible Evidence.* Nid yw fawr mwy, yn fy marn i, na monolog faith a chwynfanllyd am ddirywiad gwleidyddol, moesol, ysbrydol a diwylliannol Lloegr ar ôl yr Ail Ryfel Byd. Gwelwn i hynny fel datblygiad i'w groesawu a ches i ddim cymaint o flas arni â gweddill y gynulleidfa er imi edmygu perfformiad *bravura* Nicol Williamson yn y brif ran; twrnai diasgwrn-cefn a chanddo ddibyniaeth druenus ar alcohol, cyffuriau, ei gyn-wraig, ei ferch a menywod eraill sy'n ei ddirmygu.

I mi, roedd *The Amen Corner*, ar y llaw arall, yn ddrama 'Gymreig' iawn, fel yr awgryma ei theitl. Sêt Fawr y Capel ydi'r 'amen corner', lle byddai'r diaconiaid yn porthi ac yn amenio'r pregethwyr wrth iddynt fynd i hwyl. Mab y Mans yw David Anderson, prif gymeriad y ddrama, a'i fam, Margaret, yn deyrn carismatig o weinidog ar eglwys fechan gornel-stryd – *store-front church* – yn Harlem. Mae canu cynulleidfaol gwefreiddiol a phregethu huawdl yn elfennau pwysig yn oedfaon yr addoldy bychan, di-raen. Roedd Margaret Anderson wedi argyhoeddi ei mab a'i ffyddloniaid bod ei gŵr, Luke, wedi ei gadael hi a David i ddilyn gyrfa bechadurus fel offerynnwr jazz; ond pan ddychwel hwnnw yn annisgwyl ac yn fregus ei iechyd, dônt i ddeall mai Margaret adawodd Luke, er mwyn ymroi yn llwyr i achos crefydd.

Er na chefais fy magu ar aelwyd grefyddol, roeddem ni'n gapelwyr, a theimlais fod themâu canolog *The Amen Corner* yn berthnasol i mi'n bersonol ac i'm cenhedlaeth i o genedlaetholwyr Cymreig yn chwedegau'r ganrif ddiwethaf. Dyma nhw:

- Dylanwad Protestaniaeth biwritanaidd a'i diwylliant beiblaidd ar gymuned ethnig ddarostyngedig.
- Sut y gall aelod o'r gymuned honno, yn enwedig os yw'n artist o ryw fath, ymryddhau o'i chulni, ei cheidwadaeth a'i philistiaeth heb ymwrthod hefyd â'r cysylltiadau teuluol a chymdeithasol, a'r etifeddiaeth ddiwylliannol gyfoethog, a ffurfiodd ei hunaniaeth a'i bersonoliaeth?
- Sut mae gwarchod yr etifeddiaeth ddiwylliannol honno wrth ymwneud â chenhedloedd a diwylliannau eraill?

Mae geiriau Baldwin am y bregethwraig, Margaret Anderson, fel dameg am Anghydffurfiaeth Cymru yn y bedwaredd ganrif ar bymtheg a hanner cyntaf yr ugeinfed:

> . . . there has certainly not been enough progress to solve Sister Margaret's dilemma: how to treat her husband and her son as men and at the same time to protect them from the bloody consequences of trying to be a man in this society. No one yet knows, or is in the

> least prepared to speculate on, how high a bill we will yet have to pay for what we have done to Negro men and women. She is in the church because her society has left her no other place to go. Her sense of reality is dictated by the society's assumption, which also becomes her own, of her inferiority. Her need for human affirmation, and also for vengeance, expresses itself in her merciless piety; and her love, which is real but which is also at the mercy of her genuine and absolutely justifiable terror, turns her into a tyrannical matriarch. In all of this, of course, she loses her old self – the fiery, fast-talking, little black woman whom Luke loved.

Wrth ddarllen y geiriau hyn yn ddiweddar, cofiais am rywbeth a ddywed Russell Davies yn ei gyfrol ragorol *Hope and Heartbreak: A Social History of Wales and the Welsh, 1776–1871:*

> . . . one of the great tensions in Welsh religion in the nineteenth century was that between the needs of the soul and those of the body. It was ironic that people who placed such great importance on love put such strong prohibitions on its physical manifestation in sex.

Ar ddechrau'r chwedegau mi fûm i'n byw yn Ffrainc am bron i flwyddyn, er mwyn meistroli iaith-fyd arall a gallu gweld y byd drwy'r iaith honno yn ogystal â'r Saesneg a'm heniaith blwyfol fy hun. Bu Baldwin yn Ffrainc rai blynyddoedd o'm blaen, ar berwyl cyffelyb. Yno daeth yn ymwybodol o'r brwydrau dros barhad ieithoedd lleiafrifol Ewrop:

> What joins all languages, and all men, is the necessity to confront life, in order, not inconceivably, to outwit death. The price for this is the acceptance, and achievement, of one's temporal identity. So that, for example, though it is not taught in the schools (and this has the potential of becoming a political issue) the south of France still clings to its ancient and musical Provençal, which resists being described as a 'dialect'. And much of the tension in the Basque countries, and in Wales, is due to the Basque and Welsh determination not to allow their languages to be destroyed. This determination also feeds the flames in Ireland for among the many indignities the Irish have been coerced to undergo at English hands is the English contempt for their language.

Fel pawb oedd yn flaenllaw yn ymgyrchoedd Cymdeithas yr Iaith Gymraeg yn y chwedegau a'r saithdegau, roeddwn i'n ymwybodol o'r brwydrau dros hawliau gwleidyddol, cymdeithasol a diwylliannol oedd yn cael eu hymladd mewn gwledydd eraill yng ngorllewin Ewrop a gogledd America, ac yn dilyn hynt yr ymgyrchoedd hynny yn eiddgar. Gan efelychu *sit-ins* Mudiad Hawliau Sifil UDA a'r protestiadau yn erbyn Rhyfel Fietnam y dechreuon ni feddiannu swyddfeydd post ac adeiladau cyhoeddus eraill. Fu'r canlyniadau ddim mor boenus i ni ag y buon nhw i'n cyfoedion Americanaidd, wrth gwrs.

Fe wnaeth Cyfalafiaeth ymateb yn ddeallus ac yn gyfrwys iawn i her mudiadau protest 'chwyldroadol' y chwedegau a'r saithdegau. Cyfuniad o ganiatáu consesiynau tactegol, ynysu neu lofruddio arweinwyr peryglus fel Martin Luther King a Malcolm X, a chyfethol neu lwgrwobrwyo aelodau blaenllaw o'r grwpiau gwrthryfelgar. Canlyniad hyn yw bod rhai Affro-Americaniaid, menywod ôl-ffeministaidd, dynion hoyw, a Chymry Cymraeg ymhlith lladmeryddion mwyaf eiddgar y farchnad rydd ddilyffethair, globaleiddio, y rhyfel yn erbyn terfysgaeth, a'r hyn yr oedd George W. Bush yn ei alw'n 'ddemocratiaeth', er bod y rhain oll yn groes i fuddiannau'r bobl y dringodd y gyrfawyr hyn dros eu cefnau i'w huchel-swyddi. Rydw i'n meddwl am Colin Powell a Condoleezza Rice yn UDA – mae gan y ddau gyfenwau Cymreig, sylwer – a Chymry wna' i mo'u henwi.

Llwyddodd Baldwin a sawl awdur Affro-Americanaidd arall i ddianc o hualau adweithiol eu treftadaeth ddiwylliannol heb golli gafael ar y sylwedd gwerthfawr. Ni ddigwyddodd yr un peth i'r un graddau yma. Er nad yw Ymneilltuaeth Cymru yn rym gwleidyddol na chymdeithasol mwyach, a channoedd o gapeli'n weigion, yn adfeilion neu'n gwerthu teiars neu garpedi, deil ei dylanwad yn drwm ar y diwylliant Cymraeg ac ar feddyliau'r rhai sy'n ymboeni fwyaf am barhad y diwylliant hwnnw a'n hiaith. Gwrthododd y dosbarth canol proffesiynol Cymraeg geidwadaeth Gatholig Saunders Lewis a sosialaeth cenedlaetholwyr asgell-chwith a chomiwnyddion, gan lynu'n saff ac yn styfnig wrth ryddfrydiaeth lipa a chrefydd sentimental sydd ar ei gwely angau.

Nid yw dyfodol yr iaith Gymraeg a chenedl y Cymry yn un

addawol, ond mae pobol wedi bod yn dweud hynny ers canrifoedd ac rwyn siŵr y byddai James Baldwin am i'n brwydr barhau fel rhan o'r ymgyrch fyd-eang dros warineb, cyfiawnder a gwir ddemocratiaeth.

NODYN

Gellir dod o hyd i'r ysgrifau perthnasol yn James Baldwin, *Collected Essays* (The Library of America, 1998). Gweler yn arbennig 'This Nettle, Danger . . .' (1964) (tt. 687–691) sy'n trafod Shakespeare, ac 'If Black English isn't a Language What Is?' (1979) (tt. 780–783) sy'n trafod ieithoedd lleiafrifol.

O SOLEDAD I HARLEM

Menna Elfyn

Hydref 1969 oedd hi a minnau newydd gychwyn yng Ngholeg Prifysgol Abertawe fel glasfyfyriwr. Bu'n haf o wrthdystio yn erbyn yr Arwisgo ac roedd ymgyrchoedd Cymdeithas yr Iaith yn eu hanterth a gwrthdystiadau lu yn yr arfaeth. Wyddwn i ddim llawer bryd hynny am y sefyllfa yn Ne Affrica ond roeddwn wedi addo i'm mam, a oedd yn llawer mwy effro i bethau nag oeddwn i, nad awn ar gyfyl cae rygbi Sain Helen, Abertawe lle roedd tîm y Springbok i chwarae. Gan gadw at fy addewid, fe es i yn lle hynny gyda ffrind i ymweld â chyn-athrawes Gymraeg a oedd yn glaf yn ysbyty Singleton. Wrth ddychwelyd, fe welsom rai o'n cyd-fyfyrwyr yn magu eu doluriau, yn gleisiau ac yn glwyfau gwaedlyd. Ychydig a wyddwn nac a ddeallwn am y sefyllfa ar y pryd, ar wahân i'r dicter a arllwyswyd ar y cae gan gefnogwyr wrth i'r protestwyr geisio rhwystro'r gêm. Bu'n frwydr waedlyd ac wedi imi ddeall y sefyllfa a sgwrsio gyda rhai o'r merched yn y neuadd a fu yno'n gwrthdystio, fe addewais i mi fy hun na chollwn yr un brotest wedi hynny. O ganlyniad, ymunais â sawl protest wrth-apartheid yn Llundain ac ymrwymo i gefnogi protestiadau Soc-Soc, sef cymdeithas Sosialaidd y coleg.

Roedd y chwedegau, felly, nid yn unig yn gyfnod o ddeffroad personol imi o safbwynt gweithredu dros yr iaith (fyddwn yn cael fy erlyn am baentio arwyddion Saesneg yng Nghastell-nedd rai misoedd wedyn a chael fy arestio yn Llundain), ond roedd y cyfnod hefyd yn gyffroad o fath arall wrth imi weld y cysylltiad rhwng yr holl anghyfiawnderau ledled y byd a'r hyn oedd yn digwydd yng Nghymru. Yn wir, roeddwn yn yr ysgol yn ysgrifennu caneuon yn erbyn y rhyfel yn Fietnam, ond gwelwn gyfle yn awr i weithio dros achosion mewn ffordd fwy ymarferol. Awn i gyfarfodydd a drefnwyd i leisio anfodlonrwydd am yr hyn a oedd yn digwydd yng Ngogledd Iwerddon ar y pryd, lle roedd Bernadette Devlin yn brif siaradwraig, yn ogystal ag ysgrifennu cerddi tywyll am sefyllfa'r byd. Trwythwn fy hun mewn gweithiau yn ymwneud â myfyrio trosgynnol a llyfrau ar Malcolm X ac Angela Davis. Flynyddoedd yn ddiweddarach hefyd fe ddarllenwn weithiau gan heddychwyr a phrotestwyr fel Daniel Berrigan, un a ddyfynnai yn gyson Thomas Merton wrth i hwnnw adrodd am y profiad o fod ar ymyl weiren bigog yr eglwys a chymdeithas ond heb gael eich goddef gan y naill na'r llall:

> But being at the edge he has the inestimable advantage of being able to talk with those whose lives are a long pilgrimage at the edge, coming in, going out, pausing here, hoping there, despairing almost always. That edge where the future is both endangered and engendered.[1]

Mae'r rhagymadroddi yma yn berthnasol er mwyn deall yr hyn a ysbrydololodd gerdd debyg i 'Harlem yn y Nos'. Ond nid y gerdd honno oedd y gerdd gyntaf imi ei llunio am y sefyllfa o fod yn ddu yn America. Lluniais gerdd hir am George Jackson, o'r enw 'Wynebau', a hynny ar ôl imi ddarllen ei lythyrau carchar a theimlo tosturi enbyd y pryd hwnnw at y sefyllfa y cafodd ei hun ynddi.[2] Oedd, roedd e'n ddrwgweithredwr, ac er fy mod efallai fel diniweityn ugain oed yn llawer rhy dosturiol wrtho, allwn i ddim peidio â gweld, wrth ddarllen ei lyfr mor anghyfiawn oedd y drefn a'r anobaith a wynebai ef a llawer o lanciau Affro-Americanaidd eraill. Yn ei lyfr hefyd fe ddown i amgyffred yr hyn a'i ffyrnigodd a gweld iddo ef ei hun ddod yn ymwybodol o'i sefyllfa; trwy ddarllen a myfyrio daeth i ddeall yn well ei frwydr ef a'i gyfoeswyr. Yn eironig, ni wnaeth hynny ei helpu rhyw lawer gan mai marw yn ifanc oedd ei dynged yntau yn y diwedd, a thynged ei frawd, ynghyd ag eraill.[3]

Dyma ddarn o'r gerdd:

> Mae tegwch y byd fel bara brith yn briwsioni
> Yn rhy fach i borthi anghyfiawnder.
> Ond wele, rym yr iawn
> Yn brint ar bapur
> Yn morthwylio'r ymennydd
> A'i osod mewn amlen
> I'w gyfeirio,
> 'I'r neb a'i dawr'.[4]

Cerdd sy'n perthyn i gyfnod arbennig yw'r uchod a gellir synhwyro elfen o ddicter er nad oedd hynny yn rhan o'm profiad. Cerdd ddidactig yw ac eto mae'r delweddau yn rhai sobr o ddiniwed, gyda geiriau fel 'bara brith' yn ymgais (aflwyddiannus) i ddelweddu düwch y cwrens a'r dorth ei hun yn cynrychioli'r byd. Ac eto, mae olrhain y math o gerdd a ymddangosai gennyf yn y saithdegau, er mor ffurfiannol oedd hi, yn rhoi gweledlad cliriach o'r ffordd y mae bardd yn newid a datblygu. Er mai 'propaganda'r prydydd' a geir yn y gerdd honno, mae'n dangos yr ymlyniad taer tuag at annhegwch ym mhen draw'r byd, er nad oeddwn yn y cyfnod y'i lluniwyd wedi ymweld ag unrhyw wlad y tu allan i ynysoedd Prydain.

Bardd y deuthum i adnabod ei gwaith yn y saithdegau oedd Denise Levertov[5]:

> I in America,
>   white, an
>   indistinguishable mixture
> Of Kelt, and Semite, grown under glass
> In a British greenhouse, a happy
> Old-fashioned artist, sassy and free.

Â ymlaen wedyn i sôn yn ei cherdd 'The Long Way Round' am ei siwrne hithau fel hanner Cymraes, hanner Iddewes, a'r ffordd y dysgodd hithau i dramwyo yn y wlad:

> Had to lean in yearning towards
> The far-away daughters and sons of
> Vietnamese struggle
> Before I could learn
>   Begin to learn
> By Imagination's slow ferment
> What it is to awaken
> Each day black in white America.

Y mae'r syniad o eplesu'n araf yn gweddu i'm dealltwriaeth innau fel bardd ac fel dinesydd a geisiodd yn y saithdegau ieuo'r gwleidyddol a'r barddonol mewn modd a oedd yn anghymharus. Ac efallai mai 'Harlem yn y Nos', ochr yn ochr â cherddi fel yr un a ddyfynnais am Jackson, yw'r gerdd sydd yn dangos gliriaf imi newid y pwyslais yn llwyr ac i'm gwaith droi'n fwyfwy goddrychol. Nid Jackson yn cerdded neu'n treio saethu ei hunan allan ar strydoedd America a geir gennyf yn awr yn nawdegau'r ganrif ond myfi, y fenyw wen, yn mynd trwy strydoedd America. Nid cerdd am ddüwch, er y mynych nodi hynny, yw'r gerdd yn ei hanfod ond cerdd am annifyrrwch gwynder, am y profiad o fod yn wyn o unig neu'n unigolyddol. A hwyrach mai fy siwrne fel bardd sydd wrth wraidd y gerdd; y syniad fy mod yn tynnu o ryw brofiad personol ac yn camu o gysgodion cerddi. Teimlaf yn eofn ac eto'n ofnus, a'r ddeuoliaeth yn gwrthdaro â'i gilydd gyda'r bardd yn troi at yr awen fel amddiffynnydd iddi.

Ym 1998, ces fy nghomisiynu i weithio gyda chyfansoddwr yn ninas Efrog Newydd. Er imi deimlo'n gyffrous wrth dderbyn y fath gomisiwn, sef libreto i symffoni gorawl ar gyfer Seindorf Ffilharmonig Efrog Newydd gyda Kurt Masur yn arwain, eto i gyd, yr oedd yn waith digon anodd. I ddechrau roedd y teithio yn flinedig a bu'n rhaid imi fyw am wythnosau ar y tro yn Efrog Newydd a theithio yn ôl ac ymlaen o Gymru i America. Trefnwyd gan y comisiynwyr[6] y byddwn yn lletya yn Park Avenue, yng ngwesty'r Regency, lle sy'n enwog am yr artistiaid a fu ac y sydd yn aros yno. Lle moethus dros ben, ac roedd hyd yn oed cegin fechan gennyf yn fy stafell wely. Dylwn fod wedi ymhyfrydu yn y fath foethusrwydd gyda holl egni artistig (ac arall) Efrog Newydd ar gael imi. Ond yn lle hynny, fe deimlwn ar adegau yn annifyr, yn euog hyd yn oed o fod mewn lle mor ysblennydd. Fel y dywedodd John Berger:

> Manhattan has a place in everybody's thinking throughout the world. Manhattan represents: opportunity, the power of capital, white imperialism ... Manhattan is a concept.[7]

Dyna hefyd a deimlwn wrth lanio ym maes awyr JFK, rhyw wefr o fod yn rhan o holl wychder a gogoniant y lle. Ac yna sobri wrth gofio imi lanio yno o le fel Llandysul, man lle roedd hyd yn oed y siop sglodion yn cau ei drws am naw o'r gloch y nos a weithiau dros amser cinio. A dyma fi yn awr mewn man lle roedd 'aml' yn air naturiol: amlieithog, aml-fwydydd, aml-ethnig. A des i ddeall mai dim ond un man ymhlith niferoedd oedd Manhattan a bod yna sawl Efrog Newydd yn bod, o Queens i Brooklyn. A Harlem wrth gwrs. A dyma gofio geiriau Langston Hughes pan ddywedodd, 'Harlem is a state of mind' – datganiad nid annhebyg i un Berger.

Yn ei gerddi hefyd mae gan Langston Hughes lu o gyfeiriadau at Harlem, o'r swynol sy'n sôn am y sêr dros Harlem i'r mwy egr:

> Here on the edge of hell
> Stands Harlem –
> Remembering the old lies,
> The old kicks in the back,
> The old, *Be patient.*
> They told us before.[8]

Wrth ddarllen am Harlem a gwaith Langston Hughes roeddwn yn ymwybodol o'r cyfoeth o ran cerddoriaeth a diwylliant, a'r syniad fod y 'Negro … in vogue' yn ôl Hughes ei hun yn ei hunangofiant *The Big Sea* (1940). Roedd unigedd (nid yn gymaint unigrwydd) yn rhan o'm cyflwr innau yn ystod y cyfnod hwn a gallwn adleisio'r bardd, gyda 'Ain't got nobody in all this world' fel adnod a berthynai i'm profiad innau yr adeg honno. Dyma stad o fodolaeth oedd yn gweddu imi er hynny; stad oedd y gallwn ymdreiddio iddi ac ailafael â chyflwr meddwl, un o ddistawrwydd mewnol. Yn y stad hon, gallwn ymollwng i dawelwch ac i lonyddwch yr enaid, a'r math o sylwgarwch y soniai Simone Weil amdano. Unwaith eto, roedd Merton fel brawd dirgel gyda mi, yn fy annog yn dawel bach i fod yn effro, i ddysgu sut oedd gwrando er mwyn dod o hyd i hapusrwydd nad oedd modd ei esbonio, sef yr hapusrwydd o fod yn un â phob dim sydd yn guddiedig ar diriogaeth Cariad, nas gellir ei esbonio.[9]

Wrth feddwl yn ôl dros y flwyddyn honno, mae'n siŵr gen i y byddai'r gerdd 'Harlem yn y Nos' wedi digwydd pa daith bynnag y byddwn wedi ymgymryd â hi. Dod i'r wyneb a wnaeth, er iddi lercian oddi mewn imi am gyfnod hir iawn cyn hynny. Yn ystod ysgrifennu'r libreto, '*Garden of Light*', roedd goleuadau neu'r cysyniad o 'oleuni' yn pwyso'n drwm arnaf, a'r daith i Washington Heights yn hwyr y nos i weithio yn feichus. Byddai fy meddwl ar drai weithiau hefyd, ymhell mewn cefnfor lle roedd yn rhaid imi ysgrifennu yn Saesneg a deall anghenion cerddorol soffistigedig y darn. Ac felly, roedd hi'n fwy na thaith drwy Harlem wrth ddychwelyd yn hwyr y nos, roedd hi'n daith oedd yn llawn amheuon ac ofnau. Yn siwrne o holi fy hun yn gyson gan na allwn ofyn i neb arall yno rannu fy mlinderau. Teithio mewn anwybod a wnawn yn aml a phob dim y tu fas i mi fy hun yn teimlo'n ddieithr. Ymddieithredd, medd Adrienne Rich, yw un o'r teimladau cyntaf a gaiff rhywun wrth geisio ysgrifennu ac yn y stad hon yr oeddwn yn cael fy ngyrru gan ddieithryn, trwy fannau dieithr Harlem tuag adre. Adre? Pa adre? Ac eto roedd y lle dieithr hwnnw yn gartref dros dro. Yn fy ngalluogi i gau drws fy stafell wedi imi ddychwelyd. Ond cyn cyrraedd y seintwar honno rhaid oedd symud o un ffin i ffin arall, symud trwy niwloedd yn y meddwl a'r gair Harlem fel her lwys neu fel hirlwm.

A dyma ddechrau siarad â mi fy hun wrth ystyried fy sefyllfa. Onid oedd 'Gwladys Rhys'[10] yn fwy agos i'm profiad fel merch y Mans: y cau'r llenni a chloi'r drws ddiwedd y prynhawn? Neu'r Brontës a'u hunig ddifyrrwch oedd cerdded yn gyflym o gwmpas y bwrdd wedi swper am hydoedd? A beth am Emily Dickinson druan a'i bychanfyd o stafell, er y gellid dadlau iddi deithio ymhellach na neb? Na, wrth feddwl am awduron o ferched fe deimlwn yn reit falch; dyma lle roeddwn *i* yn herio yr hyn oedd yn ddisgwyliedig oddi wrth ferch yn ei hoed a'i hamser drwy fynd ar fy mhen fy hun ar draws ffiniau. A dyma linell agoriadol y gerdd yn amlygu ei hunan gyda'r geiriau cyntaf hefyd yn gwestiwn: ' Meindio fy musnes? Ddaw e ddim yn hawdd i fardd.' A bod yn fardd oedd yr unig gyfiawnhad y medrwn ei roi ar y fath anturiaeth. Herio fy ofnau, herio hefyd yr hyn oedd yn ddisgwyliedig ohonof. Ac wrth gael fy ngyrru yn y car gan yrrwr nad oedd yn siarad braidd dim Saesneg, teimlwn gymhlethdod o deimladau, ymryddhad am nad oedd raid imi lunio sgwrs ond hefyd elfen o gaethiwed am na allwn gyfathrebu'n effeithiol. Wrth aros ger y goleuadau traffig ar gornel strydoedd fe welwn grwpiau o ddynion yn sefyllian yno, yn sgwrsio neu'n edrych ar y ceir a ai heibio, a byddwn yn ysu am i'r golau newid, neu iddyn nhw beidio â gweld fy mod i'n wyn. Onid oeddwn am fod yr un fath â nhw? I raddau, fe ddechreuais deimlo fel yr oedd y bobl ddu wedi teimlo, a'r ffordd yr oedd yn rhaid iddyn nhw fargeinio eu ffordd drwy fywyd. A dyna pam y daeth y daith arall honno i'r meddwl, sef taith y caethweision tua chanol y gerdd:

> Yn hirymaros i'r gwyrddni
> ein rhyddhau eto i'r cylch o ambr
> fel caethweision yn cael dringo
> mynydd i rythu ar yr haul yn codi.

Yn y gerdd, chwaraeais â'r geiriau 'taith ddirgel' gan ddwyn i gof wibdeithiau Ysgol Sul lle byddem yn mynd ar drip heb wybod ble yn gymwys oedd y gyrchfan, er i un bardd fynnu yn gellweirus eu bod nhw i gyd wastad yn cyrraedd Porthcawl! Ond mae'r cyfieithiad Saesneg yn ddiddorol gan i Nigel Jenkins drosi hwn fel 'dark night' ac i raddau mae'r syniad o noson ddu yr enaid yn gweddu'n hyfryd ac yn rhoi dimensiwn uwchfodol iddi.[11] A dyma enghraifft dda o'r ffordd y gall trosiad greu dyfais a gweledigaeth amgen wrth gyfieithu.

Yn sicr, roedd gweld sloganau fel 'Harlem is for Harlemites, Keep out' yn reit annifyr, ac yn dwysáu'r teimlad o fod yn herwr ar ddarn o dir nad oedd gennyf hawl arno. Does dim rhyfedd, felly, i'r daith ddod i ben gydag elfen o ddiolchgarwch a'r cildwrn i'r gyrrwr yn ddelwedd amwys gan chwarae hefyd ar ddeublygrwydd y llaw. Onid gyda braich a llaw yr ydym yn caru, a chofleidio, yn hela a lladd, yn addasu neu'n tarfu?[12] Ceir ar ddiwedd y gerdd bwyslais ar y gair 'hen' a'r ffordd Gymreig o bwysleisio rhywbeth drwy ailadrodd y gair. Dyfais flŵsaidd a fwriadwyd, gyda'r gair weithiau'n awgrymu anwyldeb yn ogystal â'r ystyr mwy llythrennol.

Ddegawd yn ddiweddarach, rwy'n ceisio ailgerdded camau'r gerdd heb wybod faint o ail-greu a wnes yn sgil ei galw i gof. Heb wybod ychwaith beth yw'r rhith a beth yw realiti'r gerdd. Ond mae pob gwirionedd hwyrach yn perthyn i wirionedd cyfnod yn yr un modd ag y 'Daw du er hynny yn lliw newydd / ymhob oes'. Newid a wna yn ôl y wasgfa wleidyddol sy'n arbennig i adeg ac achlysur. Ac mae'r ffaith imi deithio drwy ardal Iddewig, yna, drwy ardal yr Affro-Americanwyr hefyd yn lled-awgrymu mai fel yna y mae hanes yn digwydd, sef yn frysiog, ar daith, rhyw weledigaeth ffwr-bwt yng nghefn car a'n hanadl ar wydr.

Soledad? Harlem? Dau gyfnod. Dau brofiad tra gwahanol a rhaid pwysleisio'r newid a fu yn Harlem erbyn heddiw gyda phoblogaeth sy'n heidio yno i ymgartrefu. Bellach mae yna Arlywydd sydd yn ymgorffori'r ddelfryd ein bod yn byw mewn cyfnod ôl-hiliol. Dyna hyfryd fyddai credu hynny. Ond fel y nodais eisoes, mae'r gerdd hon yn oddrychol iawn, ac yn mynd i'r afael â theimladau merch, menyw wen, a Chymraes, a'r tri pheth yn herio disgwyliadau lle ac amser. Ac eto, efallai fod hynny yn llawer rhy syml o esboniad; yn y gerdd mae yna feirniadaeth ar holl rwysg a chyfoeth Efrog Newydd wrth i wres ei chyfalaf 'fy sgaldanu'n ddu'. Beirniadaeth lariaidd efallai o'i chymharu â cherdd egr Lorca, 'King Harlem':

> *Ay,* Harlem! *Ay* Harlem! *Ay* Harlem!
> There is no anguish like that of your oppressed reds,
> or your blood shuddering with rage inside the dark
> eclipse,
> or your garnet violence, deaf and dumb in the
> penumbra,
> or your grand king a prisoner in the uniform of a
> doorman[13]

Er i Lorca deimlo gwrthuni at safle'r bobl dduon yn America, yno hefyd y gellid dadlau iddo deimlo ymryddhad. Er nad yw 'Harlem yn y Nos' yn mynegi hynny'n groyw, mae'r frwydr am ryddid, a'r hawl i fynd a dod hefyd ymhlyg yn y gerdd. Mae hi yn atgof o daith rhwng pobloedd a'i gilydd, a'r ffaith ein bod yn troi ymysg dieithriaid yn amlach weithiau na bod ymysg ein perthnasau. Ac a fu yna gyfnod erioed lle nad oedd llwythau yn cydymddwyn a chyd-fyw â'i gilydd mewn ffordd cadw-hyd-braich? Yn 'Harlem yn y Nos', ceir dymuniad am adnabyddiaeth a dyna'r oll a fyn y bardd mewn gwirionedd. Dewis ei hewyllys rydd a wna gan amgáu ei hun mewn stad o lonyddwch gan gydnabod ar yr un pryd ei bod am 'adnabod' (yn yr ystyr Waldoaidd) awyddfrydau eraill. A derbyn bod croesi pob math o ffiniau gwaharddedig yn rhan o fuchedd yr oes.

Mae'r syniad o 'fuchedd', o Gymreictod a'r profiad Affro-Americanaidd yn dod ynghyd hefyd yn y cyfnodolyn *Seren Gomer* ym 1849, mewn llythyr sy'n sôn am awydd Gouverneur Morris,[14] i brynu tir yn Harlem. Eisoes, mae'r sylweddoliad hwn wedi fy nghyffroi ymhellach wrth imi chwilio rhagor o'r hanes a dod i wybod mwy am y bwriad i brynu tir yno. Dyma a ddywedir yn y cyfnodolyn:

> Yn y gwanwyn diwethaf, ychydig o ddynion a gytunasant i brynu tua deg erw ar hugain o dir yn ymyl cledrffordd Harlem. Yr hyn oedd ganddynt mewn golwg oedd rhannu'r tir, yn rhannau o tuag erw yr un, codi tai arnynt a gwneud y lle yn gartref iddynt mwyach ac felly eu galluogi hwy a'u teuluoedd i fwynhau awyr rydd a iachus y wlad yn ddigon pell oddi wrth demtasiynau a llithriadau dinas fawr, ac eto bod yn ddigon agos ati, i ddilyn eu galwedigaethau arferol.
>
> Mor fuan y daeth y cynnig hwn yn adnabyddus ymhlith y gweithwyr, eu nifer a gynyddodd yn fuan i dros 200 a phrynwyd dau can erw o dir gan G Morris Ys, Morrisiana, yr hwn sydd wedi cael ei osod allan

yn heolydd a'i rannu yn lotiau o chwarter, hanner ac un erw er mwyn cyfleustra y lluoedd o bobl . . .

Wrth gymeryd a'r tir hwn, y prynwyr a ffurfiasant gymdeithas ac a mynasant na fyddai i wirod nac un modd o ddiodydd meddwol . . . [fod yna]. Dyna dref ddedwydd.[15]

Ac felly, mae'r siwrne yn y meddwl yn parhau. O Soledad, i Harlem, O Morrisiana, i rannau eraill o America; hanner ffordd rhwng hanner ffordd yw hanes yr Affro-Americanwyr fel ni'r Cymry. Cyfansoddwyd cerdd arall tua'r un pryd â'r gerdd 'Harlem yn y Nos, sef 'Bore da yn Broadway,1999', cerdd sydd ar lawer ystyr yn chwaer i'r un am Harlem ond â'i lleoliad yn perthyn i olau dydd. Eto i gyd, yr un math o deimlad a geir ynddi, o berthyn heb berthyn, yr awydd i uniaethu ac i dorri'n rhydd ar yr un pryd:

Ac mor ddengar yw dwyrain a gorllewin,
– llithriad tafod sy
rhwng nam a cham ym mhroflen y cnawd.[16]

Mewn rhai gwledydd heddiw, yn sicr yn y Gorllewin, mae'n siŵr fod ymddieithredd yn gyflwr reit naturiol i ddinasyddion lle mae mudo, ymfudo, yn digwydd ac wedi digwydd ar raddfa fawr. Wrth edrych yn fanwl ar yr hiliau nad ydynt yn wyn yn America, fe ganfyddir nodwedd ddiddorol iawn am ragfarnau a deuoliaethau dinasyddion yn y wlad:

Each non-white race in the US has taken its own specific shape within its sociohistorical frame. Being Latino, black, Asian or Native-American are not equivalent categories of identity. But what each has in common is that each is always subject to scrutiny and assessment, achievers and a credit to their people, and a disorderly, welfare-dependent underclass.[17]

Wrth ysgrifennu am y cymhlethdod hwn ymhlyg yn y gerdd 'Harlem yn y Nos', deuthum i sylweddoliad arall am y sawl sy'n ysgrifennu gyda sylw o eiddo Alberto Manguel. Credai fod ysgrifenwyr yn gwahaniaethu rhwng y rhai sy'n synio am gornel o'r byd fel eu bydysawd a'r rhai hynny sy'n edrych ar y byd fel y gallan nhw ei alw'n 'gartref'.[18] Er imi gychwyn fel bardd yn coleddu'r sylw cyntaf, rhaid imi gydnabod mai perthyn i'r olaf yr wyf erbyn hyn gan weld y byd yn sobr o fach ac yn diolch er hynny am gael Cymru, chwedl Niclas y Glais, 'yn rhan o fyd mor fawr'.

NODIADAU

1 Daniel Berrigan, 'Life on the Edge' yn *America is Hard to Find,* (London, SPCK, 1973), t. 75. Ceir rhagor amdano yn fy mhennod arno yn D. Ben Rees (gol.), *Oriel o Heddychwyr Mawr y Byd* (Cyhoeddiadau Modern Cymreig, 1983), tt. 101–8.

2 George Jackson, *Soledad Brother: The Prison Letters of George Jackson* (Penguin, 1970). Rhoddais fenthyg fy nghopi i rywun sydd heb ei ddychwelyd o hyd, er y gellir prynu copi ohono am un geiniog ar Amazon erbyn hyn, swm eirionig o gofio mor ddi-werth a gwerthfawr ei eiriau.

3 Bu farw George Jackson wrth geisio saethu ei ffordd allan o'r carchar ac fe'i lladdwyd ef a rhai o swyddogion y carchar yn y frwydr dreisiol. Ymosododd ei frawd hefyd ar lys barn lle roedd George i ymddangos a rhoi'r lle dan warchae ond fe'i saethwyd yntau wrth i'r awdurdodau adfer trefn.

4 Menna Elfyn, *Mwyara* (Gwasg Gomer, 1976), t. 43.

5 Denise Levertov, *Life in the Forest* (New Directions, 1975), tt. 53–6.

6 Walt Disney Corporation, Jean Luc – cyfarwyddwr artistig. Perfformiwyd y gwaith ym mis Hydref 1999 yng Nghanolfan Lincoln, Efrog Newydd.

7 John Berger, *Sense of Sight* (Vintage, 1985), t. 61.

8 Langston Hughes, *The Collected Poems of Langston Hughes* (gol.), Rampersad a Roessel (Vintage: 1994) t. 363.

9 Thomas Merton, *Book of Hours,* gol. Kathleen Deignan (Sorin Books: Indiana, 2007), t. 11.

10 W. J. Gruffydd, 'Gwladys Rhys', *Ynys yr Hud* (Hughes a'i Fab, 1927), tt. 32–33.

11 Juan de Yepes y Alvarez (1542-91) a adnabyddid fel 'St John of the Cross', awdur '*En un nocha oscura*', sef 'y Noson Ddu', a'r syniad o nos ddu'r enaid yn llifo drwy'r gerdd gyfriniol.

12 Anne Oakley, *Fracture* (The Policy Press, 2007).

13 Frederico Garcia Lorca, *Poet in New York* (Penguin, 1988), t. 31.

14 G. Morris, 1752-1816. Roedd yn hanner brawd i Lewis Morris. (1726–1798), a arwyddodd Ddatganiad Annibyniaeth America.

15 *Seren Gomer*, 1849.

16 Menna Elfyn, *Perffaith Nam/Perfect Blemish 1995-2007* (Bloodaxe, 2007), t. 161.

17 Bonnie Urgiuoli, *Exposing Prejudice* (Westview Press, 1998), t. 178.

18 Sanford Pinsker, 'Essayists, Obsessions, & Hardcovers', yn *The Georgia Review,* (Hydref 1997), t. 557.

DADANSODDI 2

TU ÔL I'R LLEN: AGWEDDAU AR BERTHYNAS PAUL ROBESON Â CHYMRU

Daniel G. Williams

Roedd 1953 yn flwyddyn bwysig yn hanes y Rhyfel Oer ac yn natblygiad y nofel Gymraeg fel ei gilydd. Dyma'r flwyddyn y bu farw Joseph Stalin, ac y cyhoeddwyd nofel Islwyn Ffowc Elis, *Cysgod y Cryman*. Stalin sydd yn dal i fod mewn grym pan, tua hanner ffordd drwy nofel Islwyn Ffowc Elis, y mae Harri Vaughan, yn mynychu cyfarfod y Blaid Gomiwnyddol ym Mhrifysgol Bangor:

> Pan gyrhaeddodd y stafell bwyllgor yn y coleg yr oedd tri chomiwnydd yno. Mewn cadair freichiau y tu ôl i'r bwrdd yr oedd Bill Kent, yn amlwg yn gadeirydd y gymdeithas. Yn ei gwman ar gadair arall wrth y mur, a'r haul hwyr drwy'r ffenest ar ei wyneb melyn, eisteddai Lee Tennyson. Llanc eiddil o Lerpwl, gyda llygaid culion, o dad Seisnig a mam Sineaidd ... [F]e ddaeth Affricanwr i mewn. Francis Oroko, dwylath o hynawsedd danheddog, a'i wyneb yn disgleirio fel eboni wedi'i rwbio.
>
> "'Deveneing, 'devening", meddai Francis yn heulog wrth bob un yn ei dro, a phan eisteddodd ar un o'r cadeiriau wrth y mur yr oedd ei draed ar ganol y llawr, gan fod y rhan helaethaf o lawer o'i ddwylath yn goesau.[1]

Mae'n ddigon amlwg, dybiwn i, fod y cyfeiriadau at 'hynawsedd danheddog' Francis Oroko, a'i draed 'ar ganol y llawr', yn awgrymu mai stereoteip amrwd, ystrydebol, o Affricanwr a geir yma. Tanlinellir hyn ymhellach gan yr ymgais anffodus i gyfleu tafodiaith

Francis Oroko – 'Devening, 'Devening'. Pan gyplysir y disgrifiad o Francis a'r cyfeiriadau at liw croen Lee Tennyson dechreuwn amau mai awgrym y dyfyniad yma (ac yn wir un o'r negeseuon sy'n llechu yn 'isymwybod gwleidyddol' y nofel) yw mai canlyniad ymadael â gwerthoedd bro, llinach a chenedl a ymgnawdolir yng nghartref etifeddol y Vaughaniaid, Lleifior, ac yn niwylliant Dyffryn Aerwen, yw cenhedlu llanciau 'melyn', 'eiddil', sy'n hanner Seisnig a hanner Sineaidd. Ymysg y Comiwnyddion daw Harri Vaughan wyneb yn wyneb ag unigolion nad ydynt yn ffitio'n dwt i fyd-olwg cenedlaetholdeb Cymraeg Islwyn Ffowc Elis, ac felly rhaid disgrifio'r unigolion yma mewn termau tra hiliol sy'n eu halltudio i ymylon y nofel.

Tra bo'r disgrifiad o Francis Oroko yn adlewyrchu hiliaeth anymwybodol y pumdegau, mae yna elfennau yn yr olygfa hon sy'n tanseilio'r disgrifiadau ystrydebol. Yr hyn a geir yn *Cysgod y Cryman*, a'r hyn a gyfrannodd gymaint at ffresni'r nofel, yw bod y gymdeithas Gymraeg yn cael ei phortreadu mewn nofel realaidd boblogaidd o bersbectif cenedlaetholwr Cymraeg. Cyn i Francis ymuno â chyfarfod y sosialwyr mae Harri yn teimlo'n anesmwyth iawn yno, yn wir, yn ôl y nofel, mae'n teimlo 'mor estron ag Affricanwr'.[2] Yn nes ymlaen clywn mai:

> Y cynhesaf ei groeso i Harri oedd Francis Oroko. Cymerodd ef ddiddordeb mawr ynddo ar unwaith, gan ei ddallu bron â fflach ei ddannedd godidog. Wedi'r cyfan, i Francis, dyn gwyn oedd Harri fel y lleill, ac nid oedd dyn gwyn ond dyn gwyn, boed gomiwnydd neu beidio, un o'r hil feistri a oedd yn gyfrifol am adfyd ei hiliogaeth ef.[3]

Dyna'r olaf a glywn am Francis Oroko yn y nofel, ond mae'n debyg ei fod yn ymddangos am reswm amgenach nag i fflachio'i 'ddannedd godidog' yn unig. Ymgais Islwyn Ffowc Elis yn *Cysgod y Cryman* yw darlunio'r gwahanol rymoedd gwleidyddol sy'n cydfodoli yng Nghymru'r pumdegau: hen Ryddfrydiaeth Edward Vaughan, Llafuraeth Aerwennydd Francis, Comiwnyddiaeth Gwylan, Cenedlaetholdeb Gwdig. Yn y cyd-destun yma mae Francis Oroko yn cynrychioli dull o feddwl sydd wedi'i wreiddio mewn hil yn hytrach nag mewn dosbarth cymdeithasol – 'dyn gwyn oedd Harri fel y lleill'. Y pumdegau, wrth gwrs, oedd blynyddoedd cynnar brwydrau gwrthdrefedigaethol ar draws cyfandir Affrica. O safbwynt gwleidyddol perthyn pwyslais Francis Oroko ar hiliogaeth yn agosach at genedlaetholdeb Gwdig (a'r awdur Islwyn Ffowc Elis ei hun) nag at unrhyw rym gwleidyddol arall yn y nofel. Felly, er gwaethaf y disgrifiadau sarhaus, efallai fod yma hefyd gychwyn meddwl am argyfwng Cymru mewn termau cymharol, trefedigaethol?

Mae yna ddwy agwedd ar y portread o Francis Oroko, felly. Disgrifiadau sy'n ymdebygu i *minstrel shows* sarhaus y bedwaredd ganrif ar bymtheg ar y naill law, ac ymwybyddiaeth o gysylltiad rhwng lleiafrifoedd ar y llall. Wrth ymateb i'm hymgais flaenorol i drafod ystrydebau ethnig yn *Cysgod y Cryman*, nododd Simon Brooks fod ystrydebau o ferched a dosbarthiadau cymdeithasol hefyd yn britho gwaith Islwyn Ffowc Elis.[4] Cydnabu, serch hynny, fod y 'stereoteipiau ethnig yn wahanol, gan fod disgrifiadau anymwybodol hiliol yn gwrthdaro ag ideoleg wrth-hiliol yr awdur'.[5] Ymddengys fod tensiwn rhwng rhyddfrydiaeth ymwybodol y cenedlaetholwr lleiafrifol a hiliaeth anymwybodol yn y disgrifiad yma o gyfarfod y Comiwnyddion.

Nid ysgrif ar Islwyn Ffowc Elis mo hon, ond rwy'n cychwyn fan yma am fy mod am ddadlau fod yr amwysedd yn y portread o'r Affricanwr yn *Cysgod y Cryman* yn cael ei adlewyrchu yn ymateb y Cymry i Paul Robeson. Er mai Affricanwr yw Ffrancis Oroko, credaf fod presenoldeb y canwr, yr actor a'r ymgyrchydd gwleidyddol Affro-Americanaidd Paul Robeson yn llechu y tu ôl i greadigaeth Islwyn Ffowc Elis. Nodweddwyd y pumdegau gan don o baranoia gwrth-Gomiwnyddol yn yr Unol Daleithiau. Cymerwyd pasbort Robeson oddi wrtho o 1950 hyd 1958, a difethwyd ei yrfa a'i iechyd wrth i lywodraeth yr Unol Daleithiau ei gadw'n gaeth i ffiniau'r wlad. Byddai'r Undeb Sofietaidd yn cyfeirio'n gyson at y ffaith nad oedd hawl gan Robeson deithio, gan gyflwyno Gwobr Heddwch Stalin i Robeson ym 1952 er mwyn awgrymu mai gwlad gyfalafol wedi'i heintio'n andwyol gan hiliaeth oedd yr Unol Daleithiau. Fel y nododd ei gyfaill a'i gyd-Gomiwnydd W. E. B. Du Bois, Robeson oedd 'Comiwnydd Du enwocaf y byd' ym 1953.[6]

Roedd yna gysylltiadau Cymreig penodol gan Robeson hefyd, wrth gwrs. Cychwynnodd ei berthynas â'r Cymry ym 1928. Yn ôl yr hanes, roedd Robeson ar ymweliad â Llundain pan ymunodd â mintai o lowyr Cymreig oedd yn gorymdeithio a chanu. Yn y tridegau fe roddodd Robeson gefnogaeth ariannol i Gartref Gofal y Glowyr yn

Nhal-y-garn, fe ymddangosodd ar draws Cymru mewn cyngherddau gan gynnwys cyngerdd ym mhafiliwn Caernarfon y noson wedi i 266 o lowyr golli eu bywydau yn nhanchwa Gresffordd ger Wrecsam, ac ym 1938 roedd yn Aberpennar mewn cyngerdd arbennig i gofio'r Cymry hynny a gollodd eu bywydau yn Rhyfel Cartref Sbaen. Roedd gan Robeson gysylltiadau â chymuned aml-ethnig Tre-Bute yng Nghaerdydd hefyd oherwydd roedd ewythr iddo, y sosialydd a'r cenedlaetholwr du Aaron Mosell, wedi ymsefydlu yno ar ôl gadael yr Unol Daleithiau – am resymau gwleidyddol mae'n debyg. Ym 1939 chwaraeodd Robeson ran David Goliath, Affro-Americaniad sy'n setlo mewn pentref glofaol yn y Rhondda, yn y ffilm *Proud Valley* (sy'n cael ei thrafod gan Gwenno Ffrancon yn y gyfrol hon) – un o'r ychydig ffilmiau yr oedd Robeson yn falch ohoni. Nid oedd sosialaeth na chefnogaeth Robeson i'r Undeb Sofietaidd yn cael eu gweld yn broblem yn y tridegau a'r pedwardegau cynnar pan oedd Rwsia a'r Unol Daleithiau wedi eu huno yn y frwydr yn erbyn Ffasgaeth, ond daeth tro ar fyd wedi'r Ail Ryfel Byd. Cafodd Robeson ei erlid drwy gydol y pumdegau gan y Seneddwr Joe McCarthy a'r House Committee on Un-American Activities. Nid oedd hawl ganddo deithio, ond ym 1957 trefnwyd i lais Robeson gael ei glywed yn Eisteddfod y Glowyr ym Mhorthcawl drwy gyswllt ffôn o stiwdio yn Efrog Newydd, ac wedi i'w pasbort gael ei ddychwelyd iddo ym 1958 fe ymwelodd â'r Eisteddfod Genedlaethol yng Nglyn Ebwy. Symudwyd y gymanfa ganu o'r dydd Sul olaf i'r Sul cyntaf er mwyn i Aneurin Bevan, Aelod Seneddol Glyn Ebwy, allu cyflwyno Robeson i'r gynulleidfa yn Saesneg. Byddai'r rheol Gymraeg, a gyflwynwyd ym 1952, mewn grym am weddill yr wythnos.[7]

Ni allaf brofi mai Robeson oedd ar feddwl Islwyn Ffowc Elis wrth iddo ddisgrifio cyfarfod y Comiwnyddion ym 1953, ond bu i Undebwyr blaenllaw Cymru ac Eisteddfod y Glowyr chwarae rhan yn yr ymgyrch i fynnu bod Robeson yn cael yr hawl i deithio, ac fe gafodd yr ymgyrch honno gryn dipyn o sylw yng Nghymru'r pumdegau. Mwy awgrymog na hynny, efallai, yw'r ffaith mai cyfarwyddwr y ffilm *Proud Valley* oedd Pen Tennyson (gor-ŵyr y bardd Alfred Lord Tennyson).[8] Lee Tennyson yw'r myfyriwr 'wyneb melyn' yn *Cysgod y Cryman*, â'r enw tra anarferol yn awgrymu bod Robeson a'i berthynas â Chymru yn llechu y tu ôl i'r disgrifiad o gyfarfod y Comiwnyddion yn nofel Islwyn Ffowc Elis.

Bid a fo am hynny, mae ymweliadau a chysylltiadau Robeson â Chymru wedi dod i chwarae rhan bwysig yn y modd yr ydym ni'n meddwl ac yn adrodd hanes ein cenedl. Bu tuedd gan lawer o haneswyr i danlinellu goddefgarwch y Cymry, yn arbennig felly gymunedau cymysg y meysydd glo, ac mae cysylltiadau'r glowyr â Robeson fel pe baent yn tanlinellu'r rhyng-genedlaethodeb blaengar hwnnw. Yng ngwaith yr hanesydd Dai Smith mae cysylltiadau Robeson â Chymru yn symbol o diwylliant cymoedd de Cymru:

> South Wales, at its provocative best, contradicted the curtailers of human interaction anywhere and everywhere it could. The ideal was, perhaps, often merely, though movingly, emblematic as when south Wales miners arranged a transatlantic radio link so that Paul Robeson, deprived of his civil liberties and his passport in the USA, could sing at their Eisteddfod; or when Nye Bevan . . . welcomed Robeson to the National Eisteddfod in Ebbw Vale in 1958. Yet if this south Wales was an ideal or even an abstract idea it was also its actual representation which was readily understood, in human terms, by those who came across it.[9]

Â Hywel Francis ymhellach yn y gyfrol hon gan weld apêl Robeson yn ymestyn i 'Gymru gyfan':

> Roedd y croeso twymgalon a estynnwyd iddo yn y ddwy Eisteddfod hyn – Eisteddfod y Glowyr a'r Genedlaethol – yn arwydd o gefnogaeth pobl gyffredin Cymru iddo. Er bod ganddo gysylltiadau penodol â chymoedd y De dros gyfnod o dri degawd, roedd ei apêl fel artist ac ymgyrchydd dros hawliau dynol yn ymestyn drwy Gymru gyfan. Cawsom syniad o hyn yng Nglyn Ebwy pan ofynnodd am lyfr emynau Cymraeg am fod y gerddoriaeth yn ei atgoffa gymaint o ganeuon ei bobl ei hun.[10]

Yn y blynyddoedd ers y bleidlais o blaid datganoli ym 1997, mae Robeson wedi cael ei gofio fel ffigwr o bwys yn hanes Cymru. Aeth yr arddangosfa drawiadol 'Let Robeson Sing!' ar daith o gwmpas Cymru rhwng 1999 ac 2005, arddangosfa oedd – yn ôl y llyfr a gyhoeddwyd i gyd-fynd â hi – yn ein hatgoffa 'o hen ffrind a ddysgodd gymaint oddi wrthym ni ac sydd â chymaint i'n dysgu ni fel unigolion ac fel cenedl'.[11] Roedd y teitl 'Let Robeson Sing!' yn cyfeirio yn ôl at frwydrau'r pumdegau, a dyma oedd teitl sengl gan y band roc

Cymreig y Manic Street Preachers, cân lle roedd y band o'r Coed Duon yn deisyf 'a voice so pure – a vision so clear' fel eu harwr.[12] Does dim amheuaeth i'r arddangosfa a'r sengl godi ymwybyddiaeth am fodolaeth Robeson a phwysigrwydd ei gysylltiadau â Chymru, ond anaml y mae'r trafodaethau ar fywyd a gwaith Robeson yn codi'r llen i edrych y tu ôl i'r mythau a'r ystrydebau cyfforddus.

Yr awdur, beirniad ac athronydd W. E. B. Du Bois a awgrymodd fod profiad yr Affro-Americanwr yn ymdebygu i fyw tu ôl i len. Mewn rhan enwog o'i gyfrol arloesol *The Souls of Black Folk* (1903), dywedodd:

> [T]he Negro is a sort of seventh son, born with a veil, and gifted with a second-sight in this American world – a world that yields him no true self-consciousness, but only lets him see himself through the revelation of the other world. It is a peculiar sensation, this double-consciousness, this sense of always looking at oneself through the eyes of others, of measuring one's soul by the tape of a world that looks on in amused contempt and pity. One ever feels this two-ness – an American, a Negro; two Souls, two thoughts, two unreconciled strivings; two warring ideals in one dark body, whose dogged strength alone keeps it from being torn asunder. [13]

Os yw'r ymwybyddiaeth ddwbl yn ffactor negyddol am nad yw'n esgor ar 'hunanymwybyddiaeth go iawn', mae hefyd yn bositif am fod yr Affro-Americaniad wedi ei freintio â'r gallu i edrych yn dreiddgar ar natur cymdeithas yr Unol Daleithiau: 'gifted with a second-sight in this American world'. Bu syniadau Du Bois yn ddylanwad mawr ar Robeson, ond mae symbol y 'veil' neu'r 'llen' yn awgrymog yng nghyd-destun y drafodaeth sydd i ddilyn. Bwriad y bennod yma yw cymhlethu'n darlun o Robeson drwy godi'r llen ar ei syniadaeth wleidyddol a diwylliannol yn y lle cyntaf, cyn mynd ymlaen i drafod agweddau tuag at ethnigrwydd a hil yn y Gymru a ddathlai ei pherthynas â'r canwr Affro-Americanaidd. Fe welir, gobeithio, yn sgil y drafodaeth sy'n dilyn, fod arwyddocâd ehangach i'r ddeuoliaeth rhwng disgrifiadau hiliol, amrwd, a'r ymuniaethu gwrthdrefedigaethol yn nisgrifiad Islwyn Ffowc Elis o'r Comiwnydd Du Ffrancis Oroko yn *Cysgod y Cryman*.

DOSBARTH, HIL A DIWYLLIANT

Arwr i bawb sy'n credu mewn cydraddoldeb a rhyddid yw'r Paul Robeson yr ydym ni yn ei gofio yng Nghymru. Fe frwydrodd yn arwrol dros ei bobl gan gymryd sawl safiad dewr pan fu'r Seneddwr Joseph McCarthy yn erlid Comiwnyddion yn y pumdegau cynnar, a chan fynnu canu hyd yn oed pan oedd perygl i'w fywyd fel yn Peekskill, Efrog Newydd, ym 1949. Hawdd credu mai dim ond Americanwyr asgell dde fyddai am ymwrthod â'n darlun o'r cawr addfwyn, egwyddorol, ond roedd y darlun o ddwyrain Ewrop rywfaint yn wahanol. Yn ei nofel *The Bass Saxophone* mae'r awdur Tsiecaidd, Josef Škvorecký, yn sôn am ei gariad at jazz, a'r modd y ceisiodd y Sofietiaid wahardd y gerddoriaeth. 'Degenerate music' oedd jazz ym marn yr Undeb Sofietaidd (fel y Natsïaid o'u blaen):

> . . . and instead of Louis Armstrong, Dizzy Gillespie and Stan Kenton the Communist authorities pushed Paul Robeson at us, and how we hated that Black apostle who sang, of his own free will, at open-air concerts in Prague at a time when they were raising the Socialist leader Milada Horáková to the gallows, the only woman ever to be executed for political reasons in Czechoslovakia by Czechs, and at a time when great Czech poets (some ten years later to be 'rehabilitated' without exception) were pining away in jails. Well, maybe it was wrong to hold it against Paul Robeson. No doubt he was acting in good faith, convinced that he was fighting for a good cause. But they kept holding him up to us as an exemplary 'progressive jazz man', and we hated him. May God rest his – hopefully – innocent soul.[14]

Mae 'diniweidrwydd' Robeson yn bwnc dadleuol. Yn ystod ei ymweliad â'r Undeb Sofietaidd ym 1949, fe ddaeth Robeson yn gynyddol ymwybodol o'r gorthrwm a ddioddefai'r Iddewon. Roedd Soloman Mikhoels, actor Iddewig, ymysg ei gyfeillion agosaf yn Rwsia. Llofruddiwyd Mikhoels ym 1948, ac fe greodd hyn gryn gynnwrf yn y gymdeithas Iddewig. Darganfuwyd yn ddiweddarach mai Stalin a orchymynnodd y llofruddiaeth. Roedd Mikhoels ac awdur o'r enw Itzik Feffer wedi bod yn westai gyda Robeson a'i wraig Essie yn America ym 1943, ac roedd Robeson yn naturiol am gwrdd â Ffeffer yn ystod ei ymweliad â Rwsia ym 1949. Wedi gofyn droeon, caniatawyd i Robeson weld Feffer mewn gwesty. Drwy dynnu ei fys ar draws ei wddw, a thrwy ysgrifennu ar sgrapiau o bapur mewn ystafell oedd yn sicr wedi ei bygio, fe wnaeth Ffefer hi'n hollol glir i Robeson bod pogrom yn digwydd yn erbyn Iddewon yr Undeb Sofietaidd, ac y bu i Mikhoels gael ei lofruddio gan yr heddlu cudd. (Ac fe lofruddiwyd Feffer ym 1952.)[15]

Mewn cyngerdd yn Neuadd Tchaikovsky ym Moscow rai diwrnodau yn ddiweddarach, cyfeiriodd Robeson at y 'deep emotional ties between American and Soviet Jews' cyn canu'r 'Song of the Warsaw Ghetto' yn yr iaith Yideg.[16] Nid oedd y Kremlin yn rhy falch o'r datganiad hwn o gefnogaeth i'r Iddewon, ond wedi iddo ddychwelyd i'r Unol Daleithiau, dal i gefnogi'r Undeb Sofietaidd wnaeth Robeson, ac ni chyfeiriodd o gwbl at sefyllfa'r Iddewon yno. Mae ei dawedogrwydd ar y pwnc hwn yn arbennig o ddamniol gan iddo weld tystiolaeth uniongyrchol o'r hyn a oedd yn digwydd.

Byddai'r amwysedd hwn yn parhau wrth i Robeson ddal i gefnogi'r Undeb Sofietaidd. Pan ddatguddiodd Nikita Khrushchev rai o'r erchyllterau a ddigwyddodd dan arlywyddiaeth Stalin, siglwyd Robeson i'r byw. I Affro-Americanwr a gredai mai'r Undeb Sofietaidd a gynrychiolai'r unig rym digon cryf i herio'r hiliaeth affwysol a brofodd drwy gydol ei fywyd yn yr Unol Daleithiau, roedd wynebu'r ffaith mai rhith oedd y ddelfryd o wladwriaeth ddiddosbarth, ddi-hil, yn bygwth tanseilio degawdau o ymdrechu, o herio ac o aberthu. Ym 1961 ceisiodd Robeson ladd ei hun drwy dorri ei arddyrnau mewn gwesty ym Moscow. Mae ei fab, Paul Robeson Jr, yn dal i gredu i Robeson ddatblygu ffurf o sgitsoffrenia yn sgil cael ei wenwyno gan y CIA.[17] Mae hyn yn ddigon posib, ond fe geisiodd Robeson dorri ei arddyrnau wedi parti lle bu nifer o bobl yn gofyn iddo am gymorth wrth iddynt geisio dod o hyd i gyfeillion ac aelodau o'u teuluoedd a oedd wedi diflannu, neu wedi eu carcharu, ers degawdau. Awgryma rhai fod ffydd Robeson yn yr Undeb Sofietaidd wedi cael ei siglo i'w seiliau a hynny'n tanseilio ymdrechion a brwydrau bywyd.[18] Bu farw Robeson ym 1976, ond o gychwyn y 1960au ymlaen ychydig iawn o berfformio a wnaeth, ac roedd yn absennol ar y cyfan o gynnwrf gwleidyddol y chwedegau yn yr Unol Daleithiau.

Anaml y byddwn ni'r Cymry'n gadael i ffeithiau o'r math yma aflonyddu ar y darlun o'r cawr addfwyn, egwyddorol yn ein dychymyg. Hwyrach y byddai'n werth i ni fabwysiadu safbwynt adolygiadol ('revisionist') yr hanesydd Robert Stradling sydd wedi dadlau'n ddiweddar fod y rhamantu hanesyddol a fu wrth drafod ymwybyddiaeth ryng-genedlaethol y dosbarth gweithiol yn ne Cymru wedi ei seilio ar duedd i orliwio ymlyniad y glowyr i'r Weriniaeth a'r frwydr yn erbyn Franco yn Rhyfel Cartref Sbaen.[19] Yn nychymyg hanesyddol y Cymry mae Robeson wedi'i gysylltu'n agos â'r Brigadau Rhyngwladol a aeth i ymladd yn erbyn Franco a'r Ffasgwyr, yn rhannol oherwydd iddo fynd i gefnogi'r Weriniaeth drwy ganu yn Sbaen, ac yn rhannol am iddo ganu yn Aberpennar ym 1938 mewn gwasanaeth arbennig i gofio'r Cymry hynny a gollodd eu bywydau yn ymladd byddinoedd Franco. I Hywel Francis roedd presenoldeb Robeson yn Aberpennar yn symbol o'r frwydr ryng-genedlaethol a gynrychiolwyd gan aberth glowyr Cymru yn y Rhyfel Cartref.[20] Ond noda Robert Stradling fod yna wythïen o wrth-Gatholigiaeth yn ysbrydoli cefnogaeth y Cymry i'r Weriniaeth Sosialaidd, ac er bod mwy o Wyddelod ac Albanwyr wedi mynd i ymladd yn Sbaen, 'neither of these nations felt a need to manufacture a history of popular struggle based on the deathless list of Wales's glorious dead that had begun to be memorialised at the Mountain Ash meeting'.[21] Felly yn wrthbwynt i ddarlun Hywel Francis o ryng-genedlaetholdeb Cymreig, awgryma Stradling fod yma duedd nodweddiadol Gymreig i ogoneddu aberth y meirw, a hynny'n atgyfnerthu darlleniad penodol a chamarweiniol o hanes ein cenedl.

Mae'n debyg bod yna elfen o wirionedd yn y ddau ddehongliad. Does dim amheuaeth bod ymwybyddiaeth o ryng-genedlaetholdeb, wedi ei seilio ar hunaniaeth y dosbarth gweithiol, yn wythïen ddofn yn niwylliant gwleidyddol Cymru. Does dim amheuaeth ychwaith bod y rhyng-genedlaetholdeb hwnnw yn cael ei atgyfnerthu ar brydiau, ac yn cael ei danseilio mewn cyfnodau eraill, gan ffactorau nodweddiadol ieithyddol, crefyddol a chymdeithasol Cymreig a Chymraeg. Gallwn ddefnyddio'r tyndra yma rhwng neilltuolrwydd cenedlaethol ar y naill law, a chyffredinedd rhyng-genedlaethol ar y llall, i daflu goleuni pellach ar berthynas Paul Robeson â Chymru. Oherwydd os oedd Robeson yn edmygu rhyng-genedlaetholdeb sosialwyr Cymru 'who fought not only for Spain', meddai, 'but for me and the whole world', roedd e hefyd yn edmygu, yn ôl ei fywgraffydd Martin Duberman, 'the ethnic insistence of the Welsh'.[22] Yng Nghymru tueddir i anwybyddu'r elfen genedlaetholgar yn syniadaeth Robeson, ond mae yna un eithriad nodedig i'r patrwm hwnnw. Yn ei fywgraffiad Cymraeg mae T. J. Davies yn dyfynnu barn Robeson fod 'Negroes the world over have an inferiority complex because they imitate whatever culture they are in contact with instead of harking back to their own tradition'. Â T. J. Davies yn ei flaen i ddadlau i'r canwr Affro-Americanaidd gyffwrdd â gwythïen ddofn ynom ni fel Cymry:

> Ninnau fel y Negroaid wedi cefnu, i fesur, ar ein diwylliant brodorol a mabwysiadu un Seisnig; eto, ym mêr ein hesgyrn yn gwybod bod ynddo rin a gwerth, a phan ddeuai Paul Robeson i'n mysg, yn lladmerydd huawdl i ddiwylliant dirmygedig, caem ynddo un a roddai lais i gri a foddwyd yn ein hisymwybyddiaeth ... Bid siŵr, y mae elfen o dristwch yn y sefyllfa, y miloedd ym mhabell yr Eisteddfod yng Nglyn Ebwy yn ei gymeradwyo am eu bod yn cael boddhad mawr yng nghanu gŵr a gyflwynai ei ddiwylliant ei hun heb ymddiheuro; eto, yr un rhai, er yn gweld yr hyn a wnâi Paul Robeson ac yn falch o'i genhadaeth, yn methu cymryd y cam gwleidyddol i roi i'w cenedl hwy yr urddas y credent y dylai'r Negro ei gael.[23]

Mae darlun T. J. Davies o gymdeithasau di-wraidd a diddiwylliant y de diwydiannol yn ddadleuol (ac yn nodweddiadol o un math o genedlaetholdeb ieithyddol yng Nghymru), ond mae'r dyfyniad hefyd yn tynnu ein sylw at elfen o waith Robeson sy'n cael ei hanwybyddu. Roedd Robeson, fel llawer o genedlaetholwyr diwylliannol yng Nghymru, yn credu mai iaith oedd wrth wraidd diwylliant. Yn ôl ei fywgraffydd, a'i gyfaill agos, Marie Seton, roedd yr ymwybyddiaeth o iaith yn deillio i raddau o gefndir teuluol Robeson yn ardaloedd gorllewinol Gogledd a De Carolina lle siaredir Gullah – iaith Creole yn seiliedig ar y Saesneg ond yn cynnwys nifer o eiriau benthyg o ieithoedd Affricanaidd. Yn ddiddorol, cyfeiria Seton at y ffaith hon wrth drafod perthynas Robeson â Chymru:

> [The Welsh] took him into their homes, fed him and wrapped him around tight and close in the intimacy of warmth and humour, and in the aspirations of a people in whom a national spirit had never died. The Welsh spoke Welsh to show they were themselves, just as Robeson's relatives in the Carolinas spoke the Gullah dialect becasue they, too, wanted to be themselves. Paul felt he was home.[24]

Ymddengys mai iaith sydd wrth wraidd hunaniaeth i Seton, ac mae tystiolaeth bod Robeson hefyd yn synio am ddiwylliant a hunaniaeth yn y termau yma. Roedd yn ieithydd penigamp a honnodd ym 1951 iddo ddysgu 'the African, the Welsh, the Scotch Hebridean, the Russian,

Spanish, Chinese, the Yiddish, Hebrew and others' er mwyn canu caneuon gwerin yn yr ieithoedd gwreiddiol.[25] Does dim tystiolaeth i Robeson ddysgu Cymraeg mewn gwirionedd, ac yn Saesneg y fyddai'n perfformio 'Dafydd y Garreg Wen' ac 'Ar Hyd y Nos' yn ei gyngherddau. 'The Welsh language', meddai yn Eisteddfod Glyn Ebwy, 'is a language not to be trifled with, and unless I could be perfect at it I would not attempt to sing in Welsh'.[26] Ond does dim amheuaeth fod gan Robeson ddiddordeb yn y Gymraeg. Roedd gramadegau'r iaith Gymraeg yn ei lyfrgell, a phan ofynnwyd iddo beth hoffai'n rhodd am ymddangos yn Eisteddfod Glyn Ebwy gofynnodd am lyfr emynau Cymraeg – a gyflwynwyd iddo ar y llwyfan gan T. H. Parry-Williams.[27] 'You may not know it,' meddai Robeson wrth y gynulleidfa yn y gymanfa ganu, 'but I was brought up in traditions very similar to yours. My father was a Wesleyan minister; my brother is one, and almost every Sunday I have taken part in similar hymn-singing to those you are enjoying tonight'.[28]

Mae'r elfen genedlaetholgar yn syniadaeth Robeson wedi ei hanwybyddu i raddau helaeth yng Nghymru, a hynny mae'n debyg am ein bod wedi tueddu i ystyried sosialaeth ryng-genedlaethol a chenedlaetholdeb lleiafrifol yn ddwy ffrwd syniadaethol gwrthwynebus i'w gilydd. Ymgais Robeson yn ei gyngherddau o'r tridegau ymlaen, serch hynny, oedd cyplysu ei gred yn neilltuolrwydd hanfodol pobloedd y byd a'i gred mewn sosialaeth ryngwladol. Ei ddiddordeb mewn lleiafrifoedd oedd sail ei dynfa at yr Undeb Sofietaidd yn y lle cyntaf. Disgrifiodd sut yr ymwelodd â'r Undeb Sofietaidd am y tro cyntaf yn sgil ei ddiddordeb yn Affrica, a'i fwriad oedd 'to study the Soviet national minority policy as it operates among the people of Central Asia'.[29] Yn ystod y pumdegau, pan nad oedd hawl ganddo deithio, cyfeiriodd yn ôl at y ffaith mai:

> it was an African who directed my interest in Africa to something he had noted in the Soviet Union. On a visit to that country he had travelled east and had seen the Yakuts, a people who had been classed as a 'backwards race' by the Czars. He had been struck by the resemblance between the tribal life of the Yakuts and his own people of East Africa.
>
> What would happen to a people like the Yakuts now that they were freed from colonial oppression and were a part of the construction of the new socialist society?

> I saw for myself when I visited the Soviet Union how the Yakuts and the Uzbeks and all the other formerly oppressed nations were leaping ahead from tribalism to modern industrial economy, from illiteracy to the heights of knowledge. Their ancient cultures blossoming in new and greater splendour. Their young men and women mastering the sciences and arts.[30]

Ni fu ymlyniad cynyddol Robeson wrth Farcsiaeth o ganol y tridegau ymlaen yn sail i droi'i gefn ar genedlaetholdeb, ond yn hytrach fe gyfunodd y cysyniad Marcsaidd bod hunaniaeth wedi ei gwreiddio mewn dosbarth cymdeithasol, a'r cysyniad cenedlaetholgar bod hunaniaeth wedi ei gwreiddio mewn iaith a hil. Tystia rhaglenni ei gyngherddau o ganol y tridegau iddo ganu caneuon y Duon o fewn cyd-destun ehangach – 'Dafydd y Garreg Wen' o Gymru, 'Turn Yet to me' o'r Alban, 'Encantadora Maria' o Fecsico a chaneuon Rwsiaidd wedi eu trefnu gan Gretchaninov.[31] Yn ôl Robeson, roedd ei allu i ganu caneuon gwerin y byd yn deillio o'r ffaith ei fod yn dod 'from a working class people'.[32] Ymdrechodd i gyfuno hunaniaeth wedi ei seilio ar ddosbarth gyda hunaniaeth ethnig. Canlyniad rhesymegol hyn yw byd-olwg lle ystyrir bod hunaniaeth yn deillio yn fwy o hil yr unigolyn nag o'i safle o fewn hierarchaeth gymdeithasol neu o ffactorau hanesyddol. 'I fail to see,' meddai Robeson:

> how a Negro can really feel the sentiments of an Italian or a German, or a Frenchman, for instance . . . I believe that one should confine oneself to the art for which one is qualified. One can only be qualified by understanding, and this is born in one, not bred.[33]

Yma mae natur ('born in one') yn bwysicach na magwraeth ('bred') wrth greu hunaniaeth ddiwylliannol. Dyma safbwynt a fynegodd eto ym 1934:

> I would rather sing Russian folk-songs than German grand-opera – not because it is necessarily better music, but because it is more instinctive and less reasoned music. It is in my blood.[34]

'Yn y gwaed' felly, mae olrhain hanfod hunaniaeth yr unigolyn. Yr hyn sy'n digwydd yn y 1930au yw bod y cenedlaetholdeb diwylliannol y bu Robeson yn ei arddel o ganol y dauddegau yn cael ei ehangu mewn ymgais i gwmpasu holl leiafrifoedd gorthrymedig y byd. Drwy gyfuno hil a dosbarth llwydda Robeson, mab i gaethwas oedd bellach yn byw mewn moethusrwydd dosbarth canol, i honni ei fod yn perthyn i ddosbarth gweithiol am ei fod yn aelod o bobl neu hil sydd wedi ei gorthrymu. Hynny yw, beth bynnag eich dosbarth cymdeithasol gallwch esgus eich bod yn perthyn i'r dosbarth gweithiol am eich bod yn perthyn i genedl sy'n ddosbarth gweithiol yn ei hanfod.[35]

Yr hyn sydd yn arbennig o ddiddorol o safbwynt Cymreig yw i Robeson awgrymu mai ei brofiadau yng Nghymru oedd wrth wraidd y weledigaeth hon:

> First it starts as an American Negro, interested in my own people. The other great change is very constant in my mind. I was in the Welsh valley, and the Welsh people sing very much like we do – the Negro people – in many of our songs – beautiful songs. And I was one of the few outsiders who sang at their national festival, which has gone on since the time of the Druids. And I went down into the mines with the workers, and they explained to me, that 'Paul, you may be successful here in England, but your people suffer like ours. We are poor people, and you belong to us. You don't belong to the bigwigs here in this country'. And so today I feel as much at home in the Welsh valley as I would in my own Negro section in any city in the United States. I just did a broadcast by transatlantic cable to the Welsh valley, a few weeks ago, and here was the first understanding that the struggle of the Negro people, or of any people, cannot be by itself – that is, the human struggle. So I was attracted by and met many members of the Labour Party, and my politics embraced also the common struggle of all oppressed people, including especially the working masses – specifically the laboring people of all the world. That defines my philosophy. It's a joining one. We are a working people, a laboring people – the Negro people.[36]

Mae'r dyfyniad yma'n drawiadol am fod tensiwn yn ei ganol, rhwng neilltuolrwydd ethnig ('the Negro people') a chred mewn brwydr ryng-genedlaethol ('the human struggle'). Ond mae'n debyg na fyddai Robeson wedi gweld hyn fel tensiwn o gwbl. Fe'i dylanwadwyd yn fawr gan bolisïau'r Bolsieficiaid cynnar tuag at leiafrifoedd, a chan gyfrol Stalin, *The National and Colonial Question*. Er y bu ymdrechion yn nes ymlaen yn yr Undeb Sofietaidd i ddileu tueddiadau cenedlaetholgar lleiafrifol, bu polisïau cynnar Lenin a Stalin yn fodd i greu seiliau ar gyfer diwylliannau lleiafrifol – diwylliannau a lwyddodd mewn sawl achos i oroesi'r Undeb Sofietaidd ei hun. Mae'r beirniad Kate Baldwin yn llygad ei lle pan awgryma, 'it was the transnational formations of a Leninist tradition that Paul Robeson strove to foster in his performances of national folk songs'.[37]

Mae lle, felly, i ddiwygio ein darlun o Paul Robeson mewn dwy ffordd. Yn gyntaf, fe ddylai ei gefnogaeth ddiwyro i'r Undeb Sofietaidd, hyd yn oed ar ôl i erchyllterau Stalin ddod i'r golwg, ddiwygio rhywfaint ar ein darlun o Robeson fel llais i holl bobloedd orthrymedig y byd. Yn ail, tra bo sosialaeth ryng-genedlaethol yn wythïen ddofn yn syniadaeth Robeson, yr oedd hefyd yn genedlaetholwr diwylliannol, a'i genedlaetholdeb yn cael ei amlygu yn ei ysgrifau, ei areithiau, ac yn ei berfformiadau o ganeuon gwerin y gorthrymedig. Os chwaraeodd y Cymry ran yn natblygiad syniadaeth wleidyddol Robeson, byddai'n werth i ni hefyd newid ffocws wrth ystyried agweddau'r diwylliant Cymraeg tuag at y perfformiwr Affro-Americanaidd.

HIL A HUNANIAETH YNG NGHYMRU

Yn y ffilm *Proud Valley* mae Paul Robeson yn chwarae rhan Affro-Americanwr o'r enw David Goliath sy'n edrych am waith yn y Rhondda. Mae Dick Parry, glöwr ac arweinydd y côr lleol, yn awyddus i Goliath ymuno â'i gôr ar gyfer eisteddfod sydd ar fin digwydd, ac mae'n trefnu gwaith i'r Affro-Americaniad yn y pwll glo. Mae un o'r glowyr yn gwrthwynebu gweithio gyda dyn du, ac ateb Dick Parry, yn llinell enwocaf y ffilm, yw 'god damn and blast it, man, aren't we all black down the pit'. Mae *Proud Valley* yn cael ei thrafod mewn manylder gan Gwenno Ffrancon yn y gyfrol hon, ond yma mae'r cysylltiad rhwng croen du y glowyr a wyneb yr Affro-Americanwr yn fodd o archwilio rôl hil, a syniadau am hil, yn y cymunedau diwydiannol yr uniaethodd Robeson â nhw.

Un wedd ar ddiwylliant yr ardaloedd diwydiannol sy'n berthnasol i'r ymateb a fu i Paul Robeson yw poblogrwydd y traddodiad a adnabyddir yn yr Unol Daleithiau fel 'blackface minstrelsy', sef y traddodiad o dduo wynebau mewn dynwarediadau gwawdlyd o bobl groenddu. Cyfeiriais yn y cyflwyniad i'r gyfrol hon sut y cythruddwyd Ieuan Gwyllt yn y 1860au gan boblogrwydd y 'Christy Minstrels' ac fe barhaodd y poblogrwydd hwnnw ymhell i'r ugeinfed ganrif.

Yn ystod misoedd hir y 'miners' lockout' wedi streic genedlaethol 1926, bu bandiau megis y 'Seven Sisters Black Natives', the 'Carolina Coons' a'r 'Treharris Indians' yn cynnig adloniant a dihangfa o galedi bywyd pob dydd.[38] Yn ôl Dai Smith a Hywel Francis, yn ystod Streic Gyffredinol 1926 a'r cloi allan a ddilynodd, roedd y 'jazz' a'r 'comic bands' 'as important as the Federation in maintaining morale'.[39] Byddai'n gyffredin i aelodau'r bandiau yma dduo'u hwynebau.

Er iddynt chwarae rôl amlwg mewn hybu morâl a chynnig adloniant gwerthfawr, ni ddylid osgoi'r ffaith fod tradoddiadau'r 'minstrels' wedi tyfu o gymdeithasau hiliol yr Unol Daleithiau a ddirmygai Affro-Americaniaid gan eu gwatwar a nacáu iddynt eu hawl i fod yn ddinasyddion cyflawn o'r genedl. Doedd poblogrwydd y 'cantorion blacs', fel y cyfeirid atynt, ddim yn gyfyngedig i Gymru wrth gwrs. Roedd yn draddodiad eang ei apêl ymysg gwynion am ei fod yn tanlinellu israddoldeb duon gan gyfiawnhau agweddau imperialaidd. Does dim syndod fod 'obscene jokes and smutty yarns' y glowyr yn nofel Lewis Jones *Cwmardy,* er enghraifft, yn atgoffa'r glöwr Big Jim am ei anturiaethau yn Rhyfel y Böer, pan drawodd ar

> a black 'ooman, naked as a dog, on a tump 'bout hundred yards away. Duw, duw, she was the first 'ooman us had seen for years, and the sun that hot we was full of tickles all the time. We all winked to her, but she take no notice, mun. Then I shout, 'Dera-ma. Arglwydd mawr.' She didn't half run then. All of us did race after her like mad. But I was a good runner then, and did soon leave 'em all standing. But funny thing, mun, she did leave me standing. I did go like hell, but all I could see was her little black arse shining in the sun like a brass button, before she did turn round and shout. 'Toodle-oo'.[40]

Er bod 'minstrelsy' yn gwawdio'r gymdeithas ddu, noda Eric Lott ei fod hefyd yn 'derisive celebration of the power of blackness; blacks, for a moment, ambiguously on top'.[41] Mae chwant y gwryw gwyn am ddynes ddu yn sail ar gyfer hiwmor chwareus yn stori Big Jim, gyda'r ddynes yn chwarae rôl y clown nad yw, er ei bod yn dianc o grafangau'r dyn gwyn, yn ddim bygythiad i rym y Cymro. Os mai imperialaeth Brydeinig yw cyd-destun hanesyn Big Jim, roedd confensiynau'r 'minstrels' hefyd yn cael eu haddasu ar gyfer cyd-destunau penodol Gymreig. Roedd y 'minstrels' yn rhyfeddol o boblogaidd yng Nghymru, ac fel y mae Meredydd Evans wedi ei nodi, mae'r cyfeiriadau at y cymeriad minstrel enwocaf, Jim Cro, yn ein canu gwerin yn tystio i'r dylanwad hwnnw.[42]

Rhwng 1861 a 1911, o ganlyniad i ddatblygiad y meysydd glo, cynyddodd poblogaeth Morgannwg 253 y cant, ac yn y degawd cyn y Rhyfel Byd Cyntaf roedd Cymru yn ail yn unig i'r Unol Daleithiau o safbwynt y ganran o fewnfudwyr yn y boblogaeth.[43] Trawsffurfiwyd Cymru o fod yn wlad amaethyddol â phoblogaeth o ryw 500,000 wedi ei gwasgaru yn gymharol gyfartal ar draws tiriogaeth y wlad ym 1800, i fod yn genedl ddiwydiannol a'r boblogaeth o dros 2,500,000 wedi ei chywasgu i'r de-ddwyrain erbyn 1911.[44] Mewn cymdeithas a welodd newidiadau pellgyrhaeddol yn ei chyfansoddiad ethnig, roedd gwybod pwy oedd yn frodor ac yn estron yn fater o gryn bwys. Datblygodd poblogrwydd y 'minstrels' du yng nghyd-destun diwydiannu sydyn o'r math yma yn yr Unol Daleithiau, ac fel noda Susan Gubar, roedd yr arferiad o dduo wyneb yn fodd i sicrhau cynulleidfaoedd 'that difference is visible, always encoded in the same way, skin deep'.[45] Tra dadleua Kevin Gaines i'r 'minstrels' yn America adlewyrchu ofnau gwynion ynglŷn â thwf dosbarth hyderus o dduon mewn cymdeithasau diwydiannol, noda Gubar fod traddodiadau'r 'minstrels' du yn bodoli mewn cymdeithasau cwbl wyn ac yn galluogi 'artists from manifold traditions to relate nuanced comparative stories about various modes and gradations of othering'.[46] Wrth i nofelwyr y Gymru ddiwydiannol geisio deall hanes a datblygiad y cymoedd, roedd efallai yn naturiol iddynt ddefnyddio delwedd y 'minstrels' fel modd cynnil o adlewyrchu'r newidiadau pellgyrhaeddol yng nghyfansoddiad ethnig eu cymunedau.

Fel y nodais yng nghyflwyniad y gyfrol hon, roedd y 'minstrels' eisoes wedi cyrraedd Cymru, er mawr gonsýrn i ffigyrau fel Ieuan Gwyllt, yn y bedwaredd ganrif ar bymtheg, ond roedd confensiynau a thraddodiadau 'minstrelsy' yn dal i fod yn boblogaidd yn y tridegau (ac yn wir, Cymry oedd nifer dda o'r perfformwyr yng nghyfres deledu ryfeddol boblogaidd y chwedegau a'r saithdegau – 'The Black and White Minstrel Show'). Mae'r dylanwad hwn i'w weld ar nofelau diwydiannol y tridegau, yn fwyaf amlwg felly yng ngwaith yr awdur o Ferthyr, Jack Jones. Yn ei nofel *Bidden to the Feast*, er enghraifft, mae un o'r cymeriadau yn dychwelyd i Ferthyr ac yn nodi 'how grand it is to be home' gyda'r 'children crying for more bread and butter and talking about the Christy Minstrels'.[47] Y 'Christy

Minstrels', a ffurfiwyd gan Edwin Pearce Christy ym 1843, oedd yr enwocaf o fandiau minstrel America, ac yma mae'r 'minstrels' yn un o nodweddion cyfforddus bod gartref ym Merthyr. Yn y nofel â'r teitl awgrymog *Black Parade*, mae Saran, y cymeriad canolog sydd wedi ei seilio ar Sarah Ann, mam Jack Jones, yn mynychu'r theatr sawl gwaith. Y dramâu y mae'n mynd i'w gweld (mewn trefn) yw *Uncle Tom's Cabin*, *The Octoroon*, ac wedi i'r theatr gael ei throi'n sinema, *The Singing Fool*. Byddai pob un o'r cynyrchiadau yma yn cynnwys actorion gwyn wedi duo eu hwynebau.

The Singing Fool oedd y *talkie* mwyaf llwyddiannus erioed pan gafodd ei ryddhau ym 1928. Al Jolson – yr enwocaf o'r holl actorion 'blackface' – oedd yn chwarae'r brif ran, yn dilyn ei lwyddiant mawr yn *The Jazz Singer* rai blynyddoedd ynghynt. Drama ddiddymol a ysgrifennwyd i gefnogi'r frwydr yn erbyn caethwasanaeth oedd *The Octoroon*. Gwyddel Americanaidd o'r enw Dion Boucicault oedd yr awdur ac fe'i perfformiwyd gyntaf yn y 1850au. Fersiwn ddramatig o nofel enwog Harriet Beecher Stowe yw *Uncle Tom's Cabin*, wrth gwrs, nofel a gyfieithwyd i'r Gymraeg mewn pedair fersiwn wahanol yn y 1850au.[48] Erbyn diwedd y bedwaredd ganrif ar bymtheg roedd nofel ddiddymol Stowe yn cael ei pherfformio fel comedi, ac mae Jack Jones yn awgrymu mai rhan o'r hwyl i'r gynulleidfa Gymreig yw dyfalu pwy yw'r bobl go iawn y tu ôl i'r paent du. Y cwestiwn sy'n codi yn sgil y dystiolaeth yma o *Black Parade* yw pam y byddai'r 'minstrels' mor boblogaidd yng Nghymru? Y llyfr gorau y gwn i amdano am y ffenomen yn yr Unol Daleithiau yw cyfrol Eric Lott, *Love and Theft: Blackface Minstrelsy and the American Working Class*, ac mae'n werth dyfynnu'n helaeth ohono gan gadw diwylliant diwydiannol cymoedd de Cymru mewn cof:

> Underwritten by envy as well as repulsion, sympathetic identification as well as fear, the minstrel show continually transgressed the colour line even as it made possible the formation of a self-consciously white working class . . . The minstrel show was a signal instance of the popular because its black materials, or at least its black models, were worked over, transformed, re-invented, and re-presented by its white practitioners and adopted by white, mostly male and working-class audiences with some familiarity with the culture being represented. What was on display in minstrelsy was less a black culture than a

> structured set of white responses to it . . . What is vitally important is that minstrel performers reproduced not only what they supposed were the racial characteristics of black Americans (minstrelsy's content) but also what they supposed were the principal cultural forms: dance, music, verbal play. In their rise to popularity, blackface actors let loose an iconography of racial difference, clearly graphing difference as inferiority, but at a time when difference itself could be a dangerous fact, particularly when set down in a class-inflected sphere of belly laughs and brawling.[49]

Disgrifia Lott y minstrels, felly, fel 'a signal instance of the popular because its black materials, or at least its black models, were worked over, transformed, re-invented, and re-presented'. Mewn cyd-destun amlieithog, amlddiwylliannol, fel cymoedd de Cymru, onid yw'r arfer o dduo'r wyneb yn drosiad grymus o'r broses o gymysgu diwylliannau, ac o amwysedd cynyddol y ffiniau rhwng pobloedd gwahanol? Mae'n awgrymu nad yw hunaniaeth yn fater o hil neu dras, ond yn hytrach yn fater o berfformiad. Ar y naill law mae perfformiadau'r 'minstrels' yn tanlinellu gwahaniaethau ar sail hil, ond ar y llaw arall mae'n cyfleu apêl un diwylliant at ddiwylliant arall, ac yn awgrymu bod modd croesi o un diwylliant i ddiwylliant arall.

Pan ddywed Eric Lott, 'difference itself could be a dangerous fact, particularly when set down in a class-inflected sphere of belly laughs and brawling', gallai fod yn cyfeirio at fyd nofelau diwydiannol y tridegau yng Nghymru. Ac mae confensiynau'r *minstrels* yn ganolog nid yn unig i gynnwys *Black Parade* fel rwyf wedi awgrymu yn barod, ond hefyd i ffurf y nofel. Egyr y nofel fel hyn:

> Two stark-naked young men in the living room of the cottage singing a duet from one of Dr. Parry's operas as a middle-aged woman picked up and hung away the pit clothes they had shed. They had both washed white the upper halves of their coal-blackened bodies, and the elder of the two was standing in the tub half filled with water washing his lower part . . . 'how many times have I told you about standing about naked and showing all you've got in front of Marged. Cover up for shame's sake.'
>
> 'Oh Marged don't mind, tisn't as if she was a slip of a girl. You're not particular, are you, Marged?' . . .
>
> They went on washing and dressing and singing. They were a

> handsome pair of young men, now that they could be seen free of the disguise of the coating of coal-dust.[50]

Dyma olygfa sy'n cyfuno canu, rhywioldeb chwareus, a chyrff dynion wedi eu duo – union nodweddion y sioeau minstrel. Yn wir, mae'r frawddeg agoriadol wedi ei geirio i awgrymu cyfarwyddiadau llwyfan mewn drama, a gallwn ddychmygu'r llen yn agor ar yr olygfa hon.

Rwyf eisoes wedi cyfeirio at y ffilmiau y mae Saran yn mynd i'w gweld yng nghwrs y nofel, ac mae bocsio hefyd yn enghraifft o ddiwylliant poblogaidd sy'n ymwneud â'r berthynas rhwng y gwyn a'r du yn y nofel. Mae yna ddwy ornest focsio yn *Black Parade*. Yn y gyntaf mae Harry, brawd Saran, yn ymladd y Gwyddel Flannery. Yn yr ornest hon mae Harry, ac rwy'n dyfynnu, 'plastered Flannery's mug until the nose, moustache and lips were pounded into one piece of blood-soaked hairy flesh'. Rydym yn gweld yr olygfa o bersbectif Glyn, sy'n gorfod troi oddi wrthi er mwyn chwydu. Mae'r modd y disgrifir yr ornest arall yn gwbl wahanol:

> 'I'll knock that bloody smile off your chops,' muttered Harry as he went for the nigger bald-headed. But when he got to where the nigger had been a split second before the nigger wasn't there. But he soon learnt where he was when a stinging left came from somewhere to almost flatten his nose. 'Damn you,' he muttered, turning and charging in the direction the blow had come from, only to receive a stinger from another direction. And so it went on throughout the round, a round during which Harry saw but little of the coloured man who smiled . . . 'Science, that is,' murmured Billy Samuels proudly as the smiling untouched negro returned to his corner at he end of the second round, by which time Harry was in a very bad way indeed . . . He was carried to his corner, where he was washed and brought to his senses, and after that was done Billy Samuels shook him by the hand and said that never had he seen a gamer chap than Harry had that night proved himself, and the negro boxer also shook Harry by the hand and said that he was the stiffest proposition he had met in any part of the United States of America or here in this country . . .[51]

Clywn taw Joe Wills yw enw'r paffiwr du ar ddechrau'r ornest, ond unwaith y mae'r bocsio'n dechrau fe gyfeirir ato fel 'the nigger', sy'n troi'n 'the coloured man' mwy parchus ac yna 'the negro' yn wyneb y dyrnu diddiwedd y mae Harry'n ei ddioddef. Mae gwên y negro, a'i allu i ddiflannu pan fo Harri yn ceisio'i bwnio, yn ymdebygu i ffigwr y 'trickster' yn llên gwerin yr Affro-Americaniaid, ac i'r clown croenddu yn sioeau'r 'minstrel'. Mae'r paffiwr Affro-Americanaidd yn chwarae rôl debyg i'r un y mae'r tad-cu yn ei ddisgrifio i'w ŵyr yn nofel yr awdur Affro-Americanaidd Ralph Ellison, *Invisible Man*: 'I want you to overcome 'em with yeses, undermine 'em with grins, agree 'em to death and destruction, let 'em swoller you till they vomit or bust wide open.'[52] Mae'r bocsiwr felly yn defnyddio mwgwd y 'minstrel' – y wên barhaus – i guddio'i wir deimladau tuag at y gymdeithas groenwyn, ac yn trin Harry yn nawddoglyd ar ddiwedd yr ornest drwy honni nad yw erioed wedi wynebu gwrthwynebydd caletach. Mae hyn yn ymddangos yn annhebygol gan nad yw Harry, yn ôl tystiolaeth y nofel, yn llwyddo i fwrw Joe Wills o gwbl.

Mae'r prosesau o ymuniaethu ac ymbellhau ('identification and repulsion' yng ngeiriau Eric Lott) sy'n ganolog i'r ymateb gwyn i sioeau'r 'minstrels' yn cael eu dramateiddio yn enwau'r bocswyr yn yr olygfa hon. Bu dadl enwog yn ystod y 1920au p'un a ddylai pencampwr pwysau trwm y byd, y dyn croenwyn Jack Dempsey, wynebu'r gŵr a gâi ei ystyried yn brif fygythiad iddo, sef yr Affro-Americaniad Harry Wills. Ni lwyddwyd i drefnu gornest rhwng Wills a Dempsey – yn rhannol am nad oedd hyrwyddwr Dempsey yn credu y dylid caniatáu i focswyr du herio bocswyr gwyn, ac yn rhannol oherwydd ofn mwy cyffredinol y byddai'r ornest yn arwain at y math o derfysgoedd a welwyd ar draws dinasoedd yr Unol Daleithiau pan enillodd yr Affro-Americaniad Jack Johnson bencampwriaeth pwysau trwm y byd ddegawd ynghynt. Yn nofel Jack Jones mae Harry y Cymro yn ymladd Wills yr Affro-Americaniad, a'r enwau yn cysylltu'r ddau baffiwr yn awgrymog gyda'r bocsiwr Harry Wills, yr Affro-Americanwr a rwystrwyd rhag cystadlu am deitl pencampwr pwysau trwm y byd.[53]

Wedi tynnu sylw at y ffaith fod *Black Parade* yn cynnwys dau ddyn hanner noeth yn canu mewn twba dŵr, perfformiadau theatrig, gornestau bocsio a gorymdeithiau gwleidyddol, gallwn mae'n siŵr gytuno â'r beirniad Stephen Knight pan awgryma fod confensiynau'r syrcas a'r theatr yn amlwg yng ngweithiau Jack Jones.[54] Ond wrth iddo geisio datblygu ffurf o ysgrifennu a adlewyrchai'r newidiadau o ran iaith a hunaniaeth a ddaeth yn sgil diwydiannaeth, fe awgrymwn i hefyd fod Jones yn gwneud defnydd llythrennol a metafforaidd o gonfensiynau'r sioeau 'minstrel'.

Fy awgrym pellach yw bod y traddodiad yma o drin a thrafod gwahaniaethau ar sail hil yn rhwym o ddylanwadu ar ymateb pobl i bobl dduon go iawn, megis Paul Robeson. Fel mae'n digwydd, mae yna gysylltiad agos ac awgrymog rhwng Jack Jones a Paul Robeson. Nid yn unig bu i Jack Jones actio rhan Ned, un o gymeriadau canolog *Proud Valley,* ond roedd hefyd yn un o gyd-awduron y sgript. Yn wir, roedd *Proud Valley* yn anarferol oherwydd y cafodd fersiwn o'r stori ei ddarlledu ar y radio yn Chwefror 1940, cyn i'r ffilm gael ei rhyddhau. T. Rowland Hughes oedd y cyfarwyddwr, a Jack Jones oedd yr awdur.[55] Mae'r fersiynau radio a ffilm yn cynnwys y llinell 'Damn and blast it, man, aren't we all black down that pit', ac yn y ddau achos mae'r llinell yn rhyddhau'r tensiwn sy'n cael ei greu wrth i'r sgript fynd i'r afael am eiliad â thema hiliaeth. Tra bo David Berry yn gywir i nodi bod y ffilm yn delio â hiliaeth mewn modd rhyfeddol o agored ac ystyried ei chyd-destun yn y pedwardegau cynnar, does neb hyd y gwn i wedi nodi bod y gymhariaeth rhwng croen yr Affro-Americaniad ac wynebau du y glowyr yn un sydd yn britho llenyddiaeth ddiwydiannol y tridegau.

Mae'n arwyddocaol fod cymeriad Paul Robeson, David Goliath, yn aberthu ei fywyd i achub ei gyd-weithwyr yn y pwll glo ar ddiwedd *Proud Valley.* Fel y nododd Richard Dyer, mae Robeson yn ymdebygu i gaethwas mewn rhai golygfeydd yn y ffilm, yn cymoni llanast y cymeriadau eraill.[56] Wrth aberthu ei fywyd i achub y teulu Cymreig, mae David Goliath yn fetaffor anfwriadol o'r defnydd a wnaethpwyd o ddelwedd y dyn du yn niwylliant de Cymru. Oherwydd wrth feddwl am boblogrwydd y sioeau minstrel, rwy'n credu y gellir dadlau bod y broses o greu dosbarth gweithiol unedig o'r lliaws o ddiwylliannau a gydfodolai yng nghymoedd y de, wedi esgor ar ddelwedd o'r Affricanwr 'du' fel yr 'arall' a fodolai y tu allan i ffiniau'r gymdeithas. Nododd David Roediger am America – 'even in an all-white town, race was never absent from the making of a cohesive white working class identity'.[57] Gall y trosiad enwog hwnnw, 'American Wales' – a fathwyd gan y sosiolegydd Alfred Zimmern a'i atgyfnerthu gan yr hanesydd Dai Smith yn yr wythdegau wrth ddathlu cymunedau aml-ethnig, democrataidd, radical y maes glo – gyfeirio hefyd at elfennau llai dymunol yn niwylliant America oedd yn cael eu hadlewyrchu yn niwylliant cymoedd de Cymru.[58]

Yn yr Unol Daleithiau a thu hwnt, gan gynnwys Cymru, fe frwydrodd Robeson yn erbyn confensiynau'r sioeau 'minstrel'. Yn aml câi ei orfodi i chwarae cymeriadau ystrydebol. Byddai'n dal i recordio caneuon hiraethus am daleithiau caeth y De – 'Dear Old Southland', 'Carry Me Back to Green Pastures' a hyd yn oed 'That's Why Darkies Were Born', ac yn ei gael ei hun yn gorfod chwarae Affricanwyr cyntefig mewn ffilmiau fel *King Solomon's Mines* a *Sanders of the River*.[59] Roedd sosialaeth ryngwladol y cymunedau glofaol yn sicr yn bwysig, ac yn sail i'r berthynas rhwng Paul Robeson a Chymru, ond mi fyddwn i'n dadlau hefyd fod poblogrwydd y sioeau minstrel – ers bron i ganrif erbyn y tridegau – hefyd yn rhwym o ddylanwadu ar y modd y byddai cynulleidfaoedd Cymreig yn ymateb i berfformwyr Affro-Americanaidd. Ym 1958, gyda'i basbort yn ôl yn ei ddwylo a'r mudiad dros hawliau sifil yn ffrwydro i amlygrwydd yn yr Unol Daleithiau, cyflwynwyd Robeson i Gymanfa Ganu Eisteddfod Glyn Ebwy gan gadeirydd y gymanfa ganu, Colonel Morgan. Ni chyfeiriodd fawr ddim at safbwyntiau gwleidyddol Robeson. Cyfeiriodd yn hytrach at un o'r sioeau cynnar y chwaraeodd Robeson ran ynddi, drwy nodi fod yr Eisteddfod yn falch o gael croesawu 'Ole Man River himself who is still rolling along'.[60]

DIWEDDGLO

Yn ei hunangofiant *Sugar and Slate*, mae Charlotte Williams – Cymraes ddu a'i mam yn Gymraes Gymraeg wen a'i thad yn ddyn du o Guyana – yn archwilio'r problemau sy'n deillio o gymharu'r 'Cymry' a'r 'Duon' – 'for when the "Welshman" is assumed to be "a black man at heart", where does that place "the black man who is Welsh or the Welshman who is black"'?

> So are we really all comrades under the skin? It's a curious thought. Perhaps we are in many ways. Paul Robeson in the film *The Proud Valley* isn't a Welsh folk hero for nothing . . . It's a sort of civil rights film for Wales . . . Yet maybe we have woven the connection rather too deep into the mythology of Wales.[61]

Mae 'Robeson', mewn dyfynodau, bellach yn rhan o fytholeg y Cymry, ac fel ym mhob myth mae'n ffigwr sy'n bodoli mewn math o wagle deallusol a hanesyddol, ei syniadaeth wleidyddol yn ddigyfnewid, a'i gymeriad yn symbol o nodweddion gorau'r ddynoliaeth. Bu'r bennod hon, felly, yn ymgais i gymhlethu'r 'Robeson' mytholegol. Y mae tensiynau gwleidyddol a diwylliannol yr ugeinfed ganrif yn cael eu hymgnawdoli yn mywyd a gwaith Paul Robeson. Wrth symleiddio ei fywyd a'i syniadau, rydym hefyd mewn perygl o symleiddio ein hanes ein hunain.

NODIADAU

1 Islwyn Ffowc Elis, *Cysgod y Cryman* (Aberystwyth: Gwasg Aberystwyth, 1953), tt. 114–5.
2 Ibid., t. 114.
3 Ibid., t. 117.
4 Daniel Williams, 'Realaeth a Hunaniaeth: O T. Rowland Hughes i Owen Martell', *Taliesin* 125 (Haf, 2005), tt. 12–27. Simon Brooks, 'Ystrydebau Ethnig Islwyn Ffowc Elis', *Ysgrifau Beirniadol* XXVIII (2008) tt. 95–120.
5 Brooks, 'Ystrydebau', t. 99.
6 Martin Duberman, *Paul Robeson* (Efrog Newydd: The New Press, 1989), tt. 228, 406.
7 Gweler Duberman, tt. 227–8. T. J. Davies, *Paul Robeson* (Abertawe: Gwasg Christopher Davies, 1981).
8 David Berry, *Wales and Cinema* (Caerdydd: Gwasg Prifsygol Cymru, 1994), t. 167.
9 Dai Smith, *Aneurin Bevan and the World of South Wales* (Caerdydd: Gwasg Prifysgol Cymru, 1993), t. 10.
10 Hywel Francis, yn ei erthygl 'Paul Robeson: Ei Etifeddiaeth i Gymru', yn y gyfrol hon.
11 Let Robeson Sing! A celebration of the life of Paul Robeson and his relationship with Wales (Caerdydd: Paul Robeson Cymru Committee / Bevan Foundation, 2001).
12 Manic Street Preachers, *Let Robeson Sing*, Epic Records, 2001.
13 W. E. B. Du Bois, *The Souls of Black Folk* (1903) yn *Writings* (Efrog Newydd: The Library of America, 1986), t. 364.
14 Josef Škvorecký, 'Red Music', cyflwyniad i *The Bass Saxophone* (1977. Llundain: Vintage, 1994), t. 23.
15 David Levering Lewis, 'Paul Robeson and the U.S.S.R', yn J. C. Stewart (gol.), *Paul Robeson: Artist and Citizen* (New Brunswick: Rutgers University Press, 1998), tt. 217–33.

16 Ibid, t. 226.
17 Lewis, 'Paul Robeson and the U.S.S.R', tt. 230–232. Duberman, tt. 498–501.
18 Lewis, 'Paul Robeson and the U.S.S.R', t. 232. Duberman, t. 499.
19 Robert Stradling, *Wales and the Spanish Civil War: The Dragon's Dearest Cause?* (Caerdydd: University of Wales Press, 2004).
20 Hywel Francis, *Miners Against Fascism: Wales and the Spanish Civil War* (1984. Abersychan: Warren and Pell, 2004), t. 108.
21 Stradling, tt. 177, 158–9.
22 Duberman, *Paul Robeson* (Efrog Newydd: The New Press, 1989), t. 228.
23 T. J. Davies, *Paul Robeson*, tt. 194–95.
24 Marie Seton, *Paul Robeson* (Llundain: Dobson, 1958), t. 121.
25 Robeson, 'The People of America are the Power' (1951), *Paul Robeson Speaks*. Philip S. Foner, (gol.), (Llundain: Quartet Books, 1978), t. 271.
26 'Robeson and Bevan Get Big Welcome', *Western Mail*, 4 Awst 1958.
27 Charles L. Blockson, 'Paul Robeson: A Bibliophile in Spite of Himself', yn J. C. Stewart (gol.), *Paul Robeson: Artist and Citizen* (New Brunswick: Rutgers University Press, 1998), tt. 235–250.
28 Dyfynnwyd yn y *Merthyr Express*, 9 Awst, 1958, t. 6.
29 Paul Robeson, *Here I Stand* (1958. Boston: Beacon Press, 1988), t. 36.
30 Paul Robeson, 'How I Discovered Africa' (1953), *Paul Robeson Speaks*, t. 352. Hefyd *Here I Stand*, t. 36.
31 Gweler er enghraifft y rhaglen ar gyfer cyngerdd Robeson yn y Majestic Cinema, Wrecsam ar ddydd Sul, 25 Mawrth, 1934. Copi yn Nghasgliad Paul Robeson, Llyfrgell y Glowyr, Prifysgol Abertawe.
32 Robeson, *Here I Stand*, t. 54.
33 Robeson, 'Robeson Spurns Music He Doesn't Understand' (1933), *Paul Robeson Speaks*, t. 85.
34 Robeson, 'I Want to be African' (1934), *Paul Robeson Speaks*, t. 90.
35 Dyma strategaeth sydd wedi cael ei defnyddio yn eang iawn yng ngwleidyddiaeth Cymru, wrth gwrs, o Aneurin Bevan i Rhodri Morgan.
36 Robeson, 'Pacifica Radio Interview' (1958), *Paul Robeson Speaks*, t. 453
37 Kate Baldwin, *Beyond the Color Line and the Iron Curtain* (Durham: Duke University Press, 2002), t. 211.
38 Gweler y cofnod ar 'Bandiau Jaz [*sic*] neu Bandiau Gazooka' yn Meic Stephens (gol.), *Cydymaith i Lenyddiaeth Cymru* (Caerdydd: Gwasg Prifysgol Cymru, 1986), t. 30.
39 Hywel Francis a Dai Smith, *The Fed: A History of the South Wales Miners in the Twentieth Century* (1980. Caerdydd: Gwasg Prifysgol Cymru, 1998), t. 58.
40 Lewis Jones, *Cwmardy: The Story of a Welsh Mining Valley* (1937. Llundain: Lawrence and Wishart, 1979), t. 134.

41 Eric Lott. *Love and Theft: Blackface Minstrelsy and the American Working Class* (Rhydychen: Oxford University Press, 1993), t. 29.
42 Meredydd Evans, 'Canu Jim Cro' yn *Detholiad o Ysgrifau*. Ann Ffrancon a Geraint H. Jenkins, (goln.), (Llandysul: Gwasg Gomer, 1994), tt. 288–316.
43 Gweler Dai Smith, *Aneurin Bevan and the World of South Wales*, t. 46. G. A. Williams, *When Was Wales? A History of the Welsh* (Llundain: Black Raven Press, 1985), tt. 177-78.
44 J. Davies, *Hanes Cymru* (1990. Llundain: Penguin, 1992), t. 384. Dai Smith, *Wales; A Question for History* (Pen-y-bont ar Ogwr: Seren, 1999), t. 64. G. A. Williams, *When Was Wales?*, tt. 173–181.
45 Susan Gubar, *Racechanges: White Skin, Black Face in American Culture* (Rhydychen: Oxford University Press, 1997), t. 65.
46 Kevin K Gaines, *Uplifting the Race: Black Leadership, Politics, and Culture in the Twentieth Century* (Chapel Hill: University of North Carolina Press, 1996), t. 70. Gubar, *Racechanges*, t. 48.
47 Jack Jones, *Bidden to the Feast* (1938. Llundain: Corgi Books, 1968), t. 381.
48 Gweler erthygl Melinda Gray, 'Uncle Tom's Welsh Dress: Ethnicity, Authority and Translation', yn D. Williams ac A. Von Rothkirch (goln.), *Beyond the Difference: Welsh Literature in Comparative Contexts* (Caerdydd: Gwasg Prifysgol Cymru, 2004), tt. 173–185.
49 Eric Lott, *Love and Theft: Blackface Minstrelsy and the American Working Class*, t. 101.
50 J. Jones, *Black Parade* (Llundain: Faber, 1935), t. 1.
51 Ibid., tt. 145–46.
52 Ralph Ellison, *Invisible Man* (1952. Efrog Newydd: Vintage, 1995), t. 17.
53 Randy Roberts, *Jack Dempsey: The Manassa Mauler* (Llundain: Robson Books, 1987), tt. 213–215. Rwy'n ddiolchgar i Gareth Williams am y cyfeiriad yma.
54 Stephen Knight, *A Hundred Years of Fiction: Writing Wales in English* (Caerdydd: Gwasg Prifysgol Cymru, 2004), t. 78.
55 Gweler David Berry, *Wales and Cinema*, 168. Jack Jones, *Me and Mine: Further Chapters in the Autobiography* (Llundain: Hamish Hamilton, 1946), t. 118.
56 Dyfynnwyd gan Berry, t. 169.
57 David R. Roediger, *The Wages of Whiteness: Race and the Making of the American Working Class* (Llundain: Verso, 1991), t. 3.
58 Smith, Dai, *Aneurin Bevan and the World of South Wales*, t. ix.
59 Doris Evans McGinty a Wayne Shirley, 'Paul Robeson, Musician', yn J. C. Stewart (gol.), *Paul Robeson: Artist and Citizen*, t. 115.
60 *Merthyr Express*, Sadwrn, 9 Awst 1958, t. 6.
61 Charlotte Williams, *Sugar and Slate* (Aberystwyth: *Planet*, 2002), t. 176.

AFFRO-AMERICANIAID A'R CYMRY AR Y SGRIN FAWR

Gwenno Ffrancon

Yn ystod y degawd diwethaf cafwyd sawl ymdriniaeth arloesol ar fywyd mewnfudwyr i Gymru yn ystod yr ugeinfed ganrif, astudiaethau a roes ystyriaeth i'r math o groeso a estynnid i estroniaid a'r ymwneud a fu rhyngddynt a'r Cymry.[1] O ganlyniad, gwyddom erbyn hyn nad estynnwyd croeso breichiau agored i'r rhain, boed yn bobloedd o Ewrop, megis Eidalwyr, Sbaenwyr a Gwyddelod, neu yn fewnfudwyr o Affrica ac Asia. Yn wir, chwalwyd y syniad mai cenedl oddefgar a chroesawgar oedd Cymru'r ugeinfed ganrif. Prin, serch hynny, yw'r sylw a roddwyd i swyddogaeth ffilm yn y dasg o fagu a chynnal y berthynas rhwng y Cymry a mewnfudwyr, beth bynnag fo'u cefndir. Nod yr ysgrif hon yw ymdrin ag un agwedd benodol ar y diffyg hwn, sef y berthynas rhwng Affro-Americaniaid a Chymru yng nghyd-destun ffilm. Un rheswm, efallai, am y diffyg sylw yw'r ffaith mai cymharol ychydig yw nifer y portreadau ar sgrin a gafwyd gan actorion Affro-Americanaidd mewn cyswllt Cymreig, ac, o ran hynny, actorion Prydeinig o dras Affricanaidd.

Y perfformiad enwocaf gan seren croenddu mewn ffilm nodwedd am Gymru yw gwaith Paul Robeson yn *The Proud Valley* (Tennyson, 1939). Wedi hynny, anaml iawn y darluniwyd pobl ddu ar ffilm yng Nghymru, er bod rhai eithriadau megis *Yr Etifeddiaeth* (Williams a Charles, 1949) a *Tiger Bay* (Thompson, 1959). Nid yw'r darlun ym Mhrydain fawr gwell ychwaith. Mewn ffilmiau Prydeinig hyd at y 1930au nid oedd y dyn du yn ddim byd mwy nag atyniad egsotig mewn ffilmiau *travelogue* neu gymeriad cefndirol mewn ffilmiau ffuglen a ddyrchafai rym yr Ymerodraeth Brydeinig ac a'i darluniai yn ei bentref o gytiau mwd yn gaeth i fympwyon y dyn hysbys lleol. Nid tan ddegawdau olaf yr ugeinfed ganrif y gwelwyd comisiynwyr a chynhyrchwyr yn ymddiddori yn y syniad o ddarlunio amrywiaeth ethnig y Deyrnas Unedig ar sgrin.[2] Cwyn arall gysylltiedig a glywid ar hyd y blynyddoedd yw mai actorion Affro-Americanaidd a welid yn darlunio straeon am bobl groenddu ar ffilm, ac na chafodd actorion a pherfformwyr du o Brydain ac, o ganlyniad, y darlun o Brydeinwyr croenddu, chwarae teg erioed.[3]

Ar yr olwg gyntaf y mae'r portread o'r dyn du, sef David Goliath, a geir yn ffilm Pen Tennyson, *The Proud Valley* (1939), yn ffafriol i'r gymuned Gymreig. Yn syml, hanes dosbarth gweithiol mewn cymuned yn sefyll fel un mewn cyfnod o adfyd yw *The Proud Valley*. Yn ddi-os, nod Stiwdio Ealing wrth gynhyrchu'r ffilm oedd rhoi llwyfan blaenllaw i ddoniau amrywiol a chyfoethog Paul Robeson, gŵr a oedd yn seren hynod boblogaidd ym Mhrydain erbyn diwedd y 1930au. Ymhlith ei ffilmiau enwocaf yr oedd *Emperor Jones* (Dudley Murphy, 1933), *Sanders of the River* (Zoltan Korda, 1935), *Show Boat* (James Whale, 1936), *Song of Freedom* (J. Elder Willis, 1937), *King Solomon's Mines* (Robert Stevenson, 1937), *Jericho* (Thornton Freedland, 1937) a *Big Fella* (J. Elder Willis, 1938). Rhwng 1935 a 1940 ymddangosodd Robeson mewn chwe ffilm nodwedd Brydeinig ac fe'i rhoddwyd ar ben y clodrestr ym mhob un, ac yn achos pedair ohonynt, gan gynnwys *The Proud Valley*, ymddangosodd ei enw uwchlaw teitl y ffilm. Yn rhestrau actorion mwyaf poblogaidd y *Motion Picture Herald* yr oedd Robeson yn rhif 22 ym 1936. Erbyn 1937 yr oedd wedi dringo i'w safle uchaf, sef deg, y tu ôl i ffefrynnau fel Gracie Fields, George Formby, Will Hay, Charles Laughton ac Anna Neagle.[4] Diau y gellir i raddau briodoli ei lwyddiant yn y cyfnod i'w lais canu unigryw, ei actio mesmereiddiol, ei natur a'i wên agored, ei ddeallusrwydd, a'i awydd i frwydro dros bobl dan ormes beth bynnag fo'u lliw, eu cred neu eu rhywedd.

Ymunodd Robeson â chynhyrchiad *The Proud Valley* er mwyn gwireddu dau nod penodol, sef i hyrwyddo'r daliadau sosialaidd yr oedd mor gefnogol iddynt, ac er mwyn sicrhau portread ar-sgrin o'r Affro-Americanwr y gellid, am y tro cyntaf, ei barchu, oherwydd ei fod yn dyrchafu'r dyn du. Gydol ei yrfa ymdrechodd Robeson yn ddiflino i ledaenu ei neges dros hawliau'r dyn du trwy'r cyfryngau creadigol, ond llwyddiant digon cyfyngedig a brofodd trwy gyfrwng ffilm gan ei fod byth a beunydd benben â diwydiant a chynulleidfa a fwynheai ddarluniau o'r dyn du gwasaidd yng nghyd-destun grym ac ysblander yr Ymerodraeth Brydeinig. At ei gilydd, felly, proses boenus fu cynhyrchu ffilmiau i Robeson gan iddo ymddangos yn amlach na pheidio fel gwas tlawd a gorthrymedig i'r dyn gwyn. O ganlyniad, fe'i fflangellwyd gan sawl beirniad a chymwynaswr a frwydrai dros hawliau'r dyn du yn ystod blynyddoedd cynnar ei yrfa ffilm, yn enwedig gan Marcus Garvey, y cenedlaetholwr du o Jamaica, a gondemniodd ei gyfraniad i'r portreadau o'r dyn du fel a ganlyn yn y cylchgrawn *Black Man*:

> Paul Robeson is a good actor. There is no doubt that he is one of the front liners of the profession, but featured as he is as a Negro he is doing his race a great deal of harm . . . The wonder is that Paul Robeson cannot see that he is being used to the dishonour and discredit of his race . . . Robeson is pleasing England by the gross slander and libel of the Negro.[5]

Anelwyd y feirniadaeth lem hon yn bennaf at bortread Robeson o'r dyn du, Bosambo, yn y ffilm *Sanders of the River* (1935) a'r modd y gwareiddiwyd Bosambo a'i lwyth gan y dyn gwyn a'u gosod erbyn diwedd y ffilm 'at peace in a primitive paradise', chwedl yr hanesydd ffilm Jeffrey Richards.[6] Ac yntau heb lawn sylweddoli, tra oedd yn ffilmio, ddylanwad ei bortreadau ar ddelwedd a statws y dyn du, dychrynwyd Robeson gan y feirniadaeth hon a dechreuodd ailystyried y math o rannau a gynigid iddo gan y diwydiant ffilmiau. Honnodd ym 1938 i Alexander Korda, cynhyrchydd *Sanders of the River*, ei gamarwain ynghylch natur y ffilm: 'In the completed version, *Sanders of the River* resolved itself into a piece of flag-waving, in which I wasn't interested. As far as I was concerned it was a total loss.'[7] Syrffedodd ar bortreadu stereoteipiau dirmygedig megis yr Uncle Tom gwasaidd, yr anwar brwnt, a'r Stepin Fetchit diog, a'u hebychiadau 'Yes'm' neu 'Yassuh Massa Barb'. 'I'm sick of caricatures,' meddai, 'Hollywood can only visualize the plantation type of Negro ... it is as absurd to use that type to express the Modern Negro as it would be to express modern England in terms of an Elizabethan ballad.'[8] Dyheai am gyfle i chwarae rhai o'i arwyr pennaf, megis Pushkin, Dumas, Hannibal, Menelik, Chaka, Samuel Coleridge-Taylor a Joe Louis.[9]

Er nad oedd *The Proud Valley* yn cynnig portread o arwr hanesyddol, fe'i denwyd yn syth gan ddiffuantrwydd y prif gymeriad, David Goliath. Gwelodd gyfle euraid yn rhan y cawr annwyl a feddai'r fath lais gwych i wireddu ei freuddwyd o chwarae dyn du a gâi ei ystyried yn gyfartal â phobl wynion ac o ddyrchafu enw glowyr y cymunedau a edmygai gymaint yng Nghymru. Meddai, 'I am quite satisfied that I have found something that will give me enormous pleasure, and I am starting work for the studios again with a real thrill of satisfaction'.[10] Ar hyd y blynyddoedd, serch hynny, ni fu ysgolheigion sydd wedi astudio cyfraniad Paul Robeson i'r diwydiannau creadigol gweledol yn unfryd unfarn ynghylch ei ddylanwad. Erbyn hyn, o gofio'r amrywiaeth o bortreadau yn ei *repertoire* – rhai'n cefnogi'r darluniau o rym a gormes y dyn gwyn ac eraill yn ymdrechu i ddarlunio'r dyn du mewn dull gwaraidd, cydymdeimladol – y farn yw fod Robeson wedi ceisio harneisio dylanwad a manteision y llwyfan creadigol er mwyn rhoi'r llais ehangaf posibl i'w ddaliadau, ond na lwyddodd erioed i reoli'n llwyr y modd y câi ei ddelweddu. Er gwaethaf ei statws a'i allu, ni chafodd erioed ddilyn ei gŵys ei hun; fe'i caethiwyd gan bortreadau a luniwyd gan eraill.

Prif benseiri sgript *The Proud Valley*, ffilm a oedd yn seiliedig ar syniad gwreiddiol y Comiwnydd Herbert Marshall, oedd cyfarwyddwr y ffilm, Penrose Tennyson (gor-ŵyr y bardd Alfred Lord Tennyson), y cynhyrchydd Sergei Nolbandov, a Jack Jones, cyn-löwr, awdur a dramodydd o Ferthyr. Cafwyd sawl fersiwn o'r sgript ar gyfer y ffilm, a adwaenid yn ystod y cyfnod cynhyrchu fel *David Goliath*, oherwydd pryder Stiwdio Ealing ynghylch gogwydd gwleidyddol cryf a ddarluniai'r tensiynau beunyddiol a fodolai rhwng glowyr Cymru a pherchenogion Seisnig cyfoethog y glofeydd.[11] Glastwreiddiwyd gwedd radical y sgript er mwyn cynnal enw Stiwdio Ealing fel un a chanddi awyrgylch cartrefol ac enw da am greu ffilmiau a adlewyrchai gymeriad cenedlaethol Prydain mewn modd gwleidyddol niwtral a fyddai'n uno pob dosbarth cymdeithasol. Mynnai Michael Balcon, Pennaeth Ealing, hybu ei ddelwedd ef o Brydeindod, sef fel 'a nation tolerant of harmless eccentricities, but determinedly opposed to anti-social behaviour. He venerated initiative and spirit, personal achievement rather than reliance on some higher authority'.[12] Digwyddiad arall a fu'n ddylanwad anhraethol bwysig ar hynt y ffilm oedd penderfyniad Prydain i herio lluoedd Hitler. Yn sgil hyn penderfynodd Michael Balcon y byddai defnyddio clo gwreiddiol y sgript, sef y glowyr yn llwyddo i gymryd rheolaeth o'r lofa eu hunain a'i rhedeg fel menter gydweithredol, yn tanseilio cyfraniad sylweddol y diwydiant glo i'r alwad genedlaethol am danwydd i gyflenwi anghenion y rhyfel. Yng ngeiriau Monja Danischewsky, pennaeth cyhoeddusrwydd Ealing: 'To stress in these circumstances [gwawrio'r Ail Ryfel Byd], the unhappy battle between miner and owner, would have amounted to sabotage at a time when national unity in effort mattered more than anything else.'[13] Felly, gyda'r nod o greu propaganda defnyddiol, addaswyd clo'r ffilm i arddangos glowyr Blaendy, pentref ffuglenol y ffilm, a pherchenogion y lofa yn cyd-dynnu. Gellid dadlau bod y ddyfais hon yn ymylu ar fod yn sarhad ar lowyr go iawn Prydain.

Ar ddechrau'r ffilm dangosir David Goliath yn cyrraedd pentref glofaol Blaendy yng nghymoedd de Cymru. Taniwr di-waith yw Goliath, Affro-Americanwr sydd wedi glanio yn nociau Caerdydd ac sydd bellach yn chwilio am waith trwy ffawdheglu ar drenau'r gweithfeydd glo. Dyma'r trenau a gariai'r 'aur du', cyfoeth y cymoedd, tua'r dociau ac allan i'r byd mawr. Ond yng ngolygfeydd agoriadol *The Proud Valley* tasg y trên yw cludo arwr du i blith y Cymry, arwr, neu, efallai, angel gwarcheidiol, a fydd yn diogelu dyfodol pentrefwyr Blaendy. Buan yr enilla'r cawr rhadlon hwn ei blwyf. Atseinia ei lais bas-bariton bendigedig ar hyd strydoedd y pentref wrth iddo ymuno yng nghanu'r côr meibion sydd yn ymarfer oratorio Mendelssohn, *Elijah*.[14] Rhydd arweinydd y côr, Dick Parry, do uwch ei ben a chanfod gwaith iddo yn y lofa. Wrth i'r ffilm fynd rhagddi caiff y gwyliwr rannu amrywiol drallodion a phrofedigaethau glowyr a theuluoedd Blaendy, gan gynnwys dwy ddamwain yn y lofa, y naill yn hawlio bywyd Dick Parry a'r llall yn llwyfan i aberth urddasol David Goliath ei hun.[15]

Yn unol â dull arferol Ealing, ceir y llon a'r lleddf yn *The Proud Valley* ar ffurf stori garu, cymeriadau hwyliog o amrywiol oed a chefndir, ac elfennau dramatig a thrasig. Prin y gellir canfod unrhyw gyfeiriad at wrthdaro dosbarth yn *The Proud Valley*. Niwtraleiddir unrhyw densiynau rhwng y glowyr a'r perchenogion trwy ddangos y ddwy garfan yn cydymdrechu i oresgyn trafferthion y lofa er budd y Cynghreiriaid. Yr unig awgrym a geir, efallai, o'r ffaith nad yw'r berthynas yn un gwbl esmwyth, yw'r olygfa lle yr ymuna'r pentrefwyr i gydganu 'They can't stop us singing' wrth i ddirprwyaeth o'r lofa gyrchu am Lundain. Yma, y mae 'they', yn amlwg, yn ymgorffori'r perchenogion ac yn awgrymu bodolaeth cymdeithas dan drefn ddosbarth.[16] Ar wahân i'r olygfa hon, rhag drysu'r gwyliwr a cholli ergyd y ffilm, sef pwysleisio'r angen i Brydeinwyr gydweithio mewn cyfnod o ryfel, cyfyngir y gwrthdaro dosbarth yn hytrach i un cymeriad, sef Catrin Owen y bostfeistres. Snobyddrwydd a chwerwder sydd wrth wraidd ei theimladau gwrth-ddosbarth-gweithiol hi, ynghyd â thalp go dda o gariad mam wrth iddi fynnu'r gorau i'w merch, Gwen, gan wrthod rhoi sêl ei bendith ar briodas rhwng Gwen a glöwr di-waith, sef Emlyn, mab Dick Parry.

Nid yw'n syndod, chwaith, mai prin gyffwrdd a wnaeth y ffilm â'r pwnc ymfflamychol a chymhleth hwnnw, sef hiliaeth. Ar ddiwedd y tridegau a dechrau'r pedwardegau yr oedd hwn yn destun radical ar gyfer ffilm, megis yr oedd yr ymgais i ddarlunio caledi bywyd y dosbarth gweithiol mewn modd realistig. Ond, gan i'r ffilm ddarlunio David Goliath fel cyfaill a chymodwr, gwthiwyd o'r neilltu unrhyw wrthdaro a allasai godi oherwydd hiliaeth.[17] Darlunnir David Goliath fel gŵr addfwyn, rhadlon, parod ei wên ac un nad yw am gorddi'r dyfroedd mewn unrhyw fodd. Tynnir sylw yn fynych at liw David Goliath yn rhan gyntaf y ffilm, yn bennaf yn ystod sgwrs rhwng David Goliath a Bert, crwydryn sy'n cyd-deithio ag ef ar y trên i Flaendy. Ymddengys fod y cynhyrchwyr yn awyddus, trwy gyfrwng yr olygfa hon, i ddarbwyllo'r gynulleidfa o ddilysrwydd y darlun o Affro-Americanwr yn crwydro'n ddilyffethair trwy gymoedd de Cymru yn chwilio am waith. Er y gwyddom fod gweithwyr du i'w cael yng nglofeydd de Cymru ers sawl degawd cyn llunio *The Proud Valley*, erbyn diwedd y 1930au a'r 1940au ardal ddociau dinasoedd megis Caerdydd, Casnewydd ac Abertawe oedd prif gyrchfan y gweithwyr hyn. Yn ôl ysgrif a gyhoeddwyd yn *Baner Cymru* yng Ngorffennaf 1900, bodolai cryn ragfarn yn erbyn glowyr duon crwydrol:

> Crwydrant i'r rhanbarth, a rhoddir gwaith iddynt. Ond am wythnos neu ddwy yn unig yr arosant. Yna ânt ymaith. Yr hyn a'u hattyna i'r glofeydd, bid siwr, ydyw cyflog y glöwr, yr hwn, i negro llwm, a ymddengys fel cyfoeth ystâd gŵr bonheddig. Ond buan y cant ddigon ar y gwaith. Nid ydyw caledwaith y lofa yn dygymod yn dda â dyhëwyd 'Meistr Dyn Du'. Ymaith yr â, gan adael y cyflog da, ar

ôl pythefnos o brofiad yng ngholuddion y ddaear, gan deimlo mai gwell yw bod dan awyr las lachar ar gyflog llai.

Nid ydym yn awgrymu mai dyma hanes pob un. Daw rhai i aros, a thrwy onestrwydd a diwydrwydd deuant yn ddynion parchus mewn cymdeithas, ac yn esamplau teilwng o efelychiad cenhedloedd gwynnach eu crwyn. Ond rhaid dyweyd mai ychydig iawn ydyw nifer yr esamplau hyn, er hynny. A chymmeryd Cwm Rhondda ar ei hyd fel enghraifft, o'i ben uchaf hyd i'w waelod yn nhref Pontypridd, nis gall nifer y dosbarth arosol a sefydlog hwn fod yn fwy nag o hanner cant i drigain; ac o'r rhai hyn, ceir oddeutu pymtheg yn yr un gymmydogaeth – yn y Pentre.

. . . Ond beth am dano mewn perthynas â'r glofeydd? . . . Gall goruchwyliwr y lofa ei groesawu a rhoddi gwaith iddo; ond glan y môr yw ei ddewis le, a llwytho llong yw ei ddewis waith. Yn wahanol i'r goruchwyliwr y teimla'r glöwr cyffredin tuag ato, modd bynnag. Barn esgymundod a esyd efe arno, hyd y gall, yn y pwll yn gystal ag yn maes y chwareu. O'i fodd ni weithia gydag ef. Os bydd dau neu dri neu fwy o negroaid yn yr un gwaith, rhaid iddynt weithio gyda'i gilydd, ac nid yn gymysg â glowyr gwynion, er na bydd ddichonadwy i ddewin wybod y gwahaniaeth rhyngddynt pan ddeuant allan o enau y pwll yn mrig yr hwyr. Yr ydym yn ofni mai un elfen yng nghilwg y glöwyr gwyn ar y negro ydyw mesur bychan o'r hyn sydd yn gynddaredd orphwyllog, wyllt, annynol yn nhalaethau deheuol y weriniaeth fawr Americanaidd – y syniad ynghylch îs-raddoliaeth creadigol y negro . . .[18]

Trwy drugaredd, nid dyma'r darlun a geir yn *The Proud Valley*. Tila yw'r edliw a'r gwrthwynebiad a glywir ymysg y glowyr wrth i Dick Parry gynnig rhan y prif unawdydd Elijah i David Goliath a chynnig llety iddo gyda'i deulu ef ei hun. Ym Mlaendy ni cheir ychwaith waharddiad lliw ar letya fel y ceid yng Nghaerdydd yn y cyfnod. Yno, fel y nododd Kenneth L. Little ym 1948, 'the main reason for avoiding personal contact with or physical approximation to a coloured man or woman is probably fear or [*sic*] losing social status'.[19] Yn *The Proud Valley*, serch hynny, ystyrir yr arwr du yn enaid hoff gytûn.

Yr unig sefyllfa annymunol a geir yn y ffilm yw'r olygfa lle y mae Seth Jenkins, a chwaraewyd gan Clifford Evans, yn edliw i Dick Parry y ffaith ei fod wedi canfod gwaith i ddieithryn, gan anwybyddu'r rheol answyddogol o benodi gweithwyr yn ôl eu profiad. Wrth i'r ddadl boethi dywed Seth, 'This fellow wants a black man to work down the pit'. Ymateb oeraidd, ond ymataliol, David Goliath yw: 'Well, what about it?' Ond tawelir y dyfroedd gan ffraethineb cyfleus Dick Parry, 'Now listen lads, Dave here is more than a good singer. He's as good a butty as ever worked down that pit, aye, and he's a decent chap into the bargain. Here's Seth talking about him bein' black. Why damn and blast it, man, aren't we all black down that pit?'[20] Y mae'r chwerthin braf o ollyngdod gan y glowyr yn chwalu'r tensiwn ac yn awgrymu mai cenedl o bobl groesawgar a goddefgar yw'r Cymry. Buan y lleddfir y sefyllfa ffrwydrol drwy beri i'r newydd-ddyfodiad du ei groen ganu 'All Through the Night', ac nid hwn yw'r tro olaf yn y ffilm y gelwir arno i ganu er mwyn lliniaru tensiwn.[21] Yn sgil gwaith haneswyr fel Neil Evans, gwyddom erbyn hyn mai rhai anoddegfar oedd y Cymry yn y cyfnod dan sylw: 'There is little evidence of inherent tolerance in the Welsh psyche. When there have been conflicts they have been amongst the most vicious within Britain.'[22] Ni cheir unrhyw argoel o hyn yn *The Proud Valley*. Diau fod amodau cyfredol y cyfnod wedi lliwio cryn dipyn ar gynnwys y ffilm, gan beri i'r cynhyrchydd, Michael Balcon, fynnu cerdded ar hyd y llwybr canol.

Wrth ystyried y berthynas rhwng y gwahanol hiliau ym Mhrydain ar ddiwedd y 1940au, nododd Kenneth L. Little ddylanwad portreadau sinematig America ar agweddau Prydeinwyr at bobl groenddu:

> The Negro is always shown in a menial and servile capacity, and in occupations which leave no doubt about his social status. He is depicted invariably as a Pullman car attendant, a porter, a waiter, a manservant, an odd job man . . . The general psychology of the Negro is delineated similarly on unvarying lines. He is of a good-natured, easy-going temperament, and is intensely superstitious with a peculiar fear of ghosts. His 'best' quality is undoubtedly his faithfulness, but he also possesses a number of mannerisms, and one of these is a trick of rolling the eyeballs.[23]

Wedi nodi bod plant croenddu mewn ffilmiau, at ei gilydd, yn mwynhau statws uwch nag oedolion croenddu, gan y caent eu darlunio yn chwarae yng nghwmni plant croenwyn, crybwyllir rôl Robeson yn y modd y darlunnid Affro-Americaniaid yn y cyfnod:

> Occasionally, a Paul Robeson film depicts him in a somewhat more dignified, albeit 'tribal' role, but films showing the Negro living under 'civilized' conditions and living and acting in a way approved by the standards of normal European behaviour are virtually non-existent.[24]

Ond, er tegwch â chynhyrchwyr *The Proud Valley*, y mae'r ffilm hon yn dra gwahanol. Y mae'n portreadu arwr du fel gŵr gwaraidd a gaiff ei barchu gan y gymuned fel cyfaill triw a chymodwr doeth. Yn y golygfeydd lle y gwelir David Goliath, heb ei grys, yn chwysu tan ddaear yng nghanol llwch a llaca'r ffas lo, nid darlunio corff dyn du yn y dull traddodiadol israddol a wneir, sef fel gwrthrych egsotig neu ffynhonnell bygythiad i'r dyn gwyn, ond yn hytrach fel dyn cryf a theyrngar yn gweithio mewn cytgord â'r dyn gwyn. I'r graddau hynny, cymerwyd cam ymlaen gan wneuthurwyr y ffilm.

Yr oedd Paul Robeson ei hun yn argyhoeddedig fod *The Proud Valley* wedi cyfoethogi a dyrchafu'r dyn du, ac ymfalchïai'n fawr yn ei ran yn y ffilm. Meddai wedi *première* y ffilm ym 1940, 'It was the one film I could be proud of having played in, that, and the early part of *Song of Freedom*'.[25] Barn yr hanesydd ffilm Jeffrey Richards, hefyd, yw fod Robeson yn y ddwy ffilm hyn, ynghyd â rhai o'r ffilmiau eraill a luniodd, wedi cyflwyno 'the prescient vision of a multi-racial Britain in which black and white working-classes live side by side as equals in tolerance and mutual respect'.[26] Ond gellid dadlau bod Richards wedi gorliwio'r sefyllfa. Er i David Goliath dderbyn croeso ym Mlaendy, to uwch ei ben a chyflog yn ei boced, fe'i cedwir ar gyrion y darlun drwyddi draw. Prin yw'r cyfle a roddir iddo rannu ei gefndir, ei brofiadau, a'i ddiwylliant â'r pentrefwyr a'r gynulleidfa, er ei fod yn cofleidio'r diwylliant Cymreig trwy ymuno â'r eisteddfota, y canu corawl, a thrwy ganu 'All Through the Night' a 'Land of My Fathers'.[27] Ni chaiff ychwaith fod yn rhan amlwg o drafodaethau a phenderfyniadau tyngedfennol y glowyr. Ystyrier, er enghraifft, yr olygfa yn Llundain pan fo'r ddirprwyaeth o lowyr yn disgwyl eu cyfle i bledio'u hachos gerbron y perchenogion. Er i'w gyd-lowyr ei annog i ymuno yn y drafodaeth, myn David Goliath mai aros y tu allan i'r ystafell gyfarfod yw ei le gan honni y caiff y gweithwyr well gwrandawiad hebddo ef. Yma, y mae gwyleidd-dra'r cymeriad yn ymylu ar fod yn waseidd-dra ac ymddengys, mewn gwirionedd, fel dyn sydd wedi ei gyflyru i'w ystyried ei hun yn israddol. Nid yw David Goliath ei hun yn ffyddiog yn ei werth a'i allu, ac ymddengys nad yw'r ffilm yn awyddus iddo ymddyrchafu fel dyn sy'n gwireddu ei botensial. At hyn, ni chaiff y cymeriad ffurfio carwriaeth neu berthynas agos ag unrhyw gymeriad arall yn y ffilm. Wrth i'r ddirprwyaeth o lowyr adael Blaendy, ni chaiff yr un gusan na choflaid gan gâr. O ganlyniad, dim ond maint corff Robeson a chyfoeth ei lais sy'n sicrhau nad cymeriad ymylol wedi ei daflu i'r cysgodion yw David Goliath. Yn nhraddodiad y dywediad am fenywod, ac yn fwy diweddar am blant, bodlonir i David Goliath gael ei weld ond nid ei glywed, ac eithrio pan ganiateir iddo leddfu tensiwn trwy ganu.

Ar ddiwedd y ffilm, er nad oes unrhyw un ym Mlaendy yn gwybod am hanes y dieithryn caredig hwn nac yn deall ei ddiwylliant, dyrchefir David Goliath yn arwr wrth iddo aberthu ei fywyd er budd y gymuned y mae'n ei hedmygu. A dyna'i rôl, mewn gwirionedd, gydol y ffilm.[28] Ymddengys bron fel angel gwarcheidiol, gan weithredu megis cymodwr rhwng Emlyn Parry a'i gariad Gwen wedi iddynt ffraeo, ac yn gefn dibynadwy i Mrs Parry yn ei gweddwdod. Y mae ei lais ysbrydoledig, ei ddull diymdrech o ganu, a'i anian hunanfeddiannol dawel yn dyfnhau'r syniad fod ei alluoedd y tu hwnt i rai bodau meidrol. Megis yn achos Shane, yr arwr yng nghampwaith George Stevens, *Shane* (1953), sicrha ffawd fod David Goliath yn ymweld â Blaendy er mwyn sicrhau dyfodol y lofa a'r pentref, ond nid oes dyfodol iddo ef ei hun yn y gymuned hon, heblaw ar ffurf arwr colledig chwedlonol. Nid yw David Goliath wedi canfod ei le yn y byd. Sylweddola wrth osod ffiws y deinameit a fydd yn ei ladd mai ef yw'r dieithryn yn y gymuned, yr un sydd â'r lleiaf i'w golli. Yn wahanol i'r cymeriad John Zinga a chwaraewyd gan Robeson yn y ffilm *Song of Freedom*, ni chaiff Goliath brofi llonyddwch a dedwyddwch bywyd nac ychwaith gofleidio ei hunaniaeth a'i le ymysg ei bobl. Yn hytrach, er iddo adael y gymdeithas ym Mlaendy yn gryfach nag yr oedd cyn iddo gyrraedd, ni chaiff fagu gwreiddiau yno nac ymdoddi'n llwyr i'r gymuned.

Pur debyg yw'r portread a gafwyd o ddyn du arall mewn ffilm Gymraeg ddegawd yn ddiweddarach. Ym 1949 rhyddhawyd *Yr Etifeddiaeth*, cais gan John Roberts Williams, golygydd *Y Cymro*, a Geoff Charles, ffotograffydd y papur, i ddarlunio bywyd diwylliannol Cymraeg ei iaith yng ngogledd-orllewin Cymru. Nod John Roberts

Williams wrth lunio'r ffilm hon oedd defnyddio'r cyfrwng i annog ei gyd-Gymry i werthfawrogi eu hetifeddiaeth, eu gwlad, eu diwylliant a'u hiaith, ac ymdrechodd i roi ar gof a chadw nifer o draddodiadau ac arferion a oedd yn prysur farw o'r tir yn ardal ei febyd, Llŷn ac Eifionydd. Er mwyn clymu'r darluniau hyn ynghyd defnyddiwyd tywysydd, sef faciwî ifanc croenddu o Lerpwl o'r enw Freddie Grant. Daethai Freddie i ogledd-orllewin Cymru yng nghwmni ei ddwy chwaer, Mari ac Eva, gan ymgartrefu yn nhŷ Eliseus Williams, cyn-brifathro ysgol Llangybi, a dysgu'r iaith Gymraeg.[29] I John Roberts Williams, yr oedd Freddie yn ddyfais ddefnyddiol – gweithredai nid yn unig fel tywysydd, gan arwain y gynulleidfa o gwmpas yr ardal, ond fel esgus perffaith i'r cynhyrchwyr gyflwyno'r diwylliant Cymraeg i genhedlaeth newydd, ifanc. Wrth gyflwyno'r llanc i'r gynulleidfa, llawenha sylwebydd y ffilm (lluniwyd y sgript gan John Roberts Williams) fod Freddie wedi ei dderbyn yn llwyr gan y Cymry a'i fod wedi canfod ei achubiaeth yn ei wlad fabwysiedig:

> Freddie Grant gynt o Lerpwl, yn awr o Gymru. Ar frig y don y daeth Freddie i Gymru, y don a olchodd o eithafoedd y ddaear hyd eithafoedd y ddaear pan derfysgodd y cenhedloedd ym 1939, ac a ysgubodd Freddie bach yn ei chymhlethdod paradocsaidd o'r niwl i'r nef. O enbydrwydd tymhorol y ddinas Seisnig daeth y Sais bach tywyll hwn i'r heddwch diderfyn Cymreig. Cadwodd y Saeson eu dinas ond cadwodd Cymru Freddie. Fe'i gorchfygwyd gan y Cymreigrwydd na ddisodlwyd mohono eto gan un gelyn. Daeth yn rhan o'r etifeddiaeth a gadwyd mor drafferthus trwy'r trofaus ganrifoedd, daeth yn Gymro, yn Gymro glân ei iaith a bratiog ei Saesneg. Daeth Hen Wlad Fy Nhadau yn annwyl iddo yntau.[30]

Ond, er y geiriau blodeuog ac ymffrostgar braidd, ni cheir yn y ffilm hon, megis yn *The Proud Valley*, unrhyw ymdrech i rannu yn niwylliant ac etifeddiaeth Freddie ei hun. Stori Cymru yw hon; y Gymru Gymraeg groenwyn. Ni fu'n fwriad erioed gan Williams ddatguddio hanes Freddie, fel y mynegodd mewn darllediad radio a drafodai'r ffilm:

> . . . nid stori Freddie yw'r ffilm. Enghraifft yw Freddie. Prawf yw Freddie o nerth y bywyd yn y fro hon. Y wlad y daeth Freddie iddi sy'n bwysig. Darlunio'r wlad honno, yn y dull cywiraf a

> llawnaf posibl, yw pwrpas y ffilm . . . diau y gallesid bod wedi defnyddio mwy arno. Ond – nid stori Freddie yw'r darlun ond stori y bywyd Cymreig – dociwmentari, os mynnwch, o'r wlad y daeth Freddie iddi.[31]

Mudan yw Freddie, ac ni chaiff yngan gair gydol y ffilm. Ni cheir cyfeiriad at ei deulu, ei gefndir, ei ddiwylliant na'i brofiadau cyn dod i Gymru, a'i unig weithred, pan nad yw'n arsyllu ar y bywyd o'i gwmpas, yw ysgrifennu ei enw wrth ymyl cyfeiriad ei gartref newydd ym Mhen Llŷn. Dyma ymwelydd arall sydd, fe ymddengys, wedi ei groesawu i Gymru, ond na chaiff lwyfan i ddweud dim amdano'i hun na'i werthoedd na'i ddiwylliant. Y mae lle i ddadlau y llwyddodd Williams, trwy ddefnyddio Freddie Grant yn y modd hwn, i gyfleu pa mor fyw a pherthnasol y gallai'r diwylliant Cymraeg fod wrth ddarlunio faciwî ifanc, croenddu a fynnai wybod mwy am yr etifeddiaeth gyfoethog hon. Defnyddiodd Williams lygaid plentyn, gyda'i feddwl agored, chwilfrydig a diragfarn, i ddarlunio diwylliant y Gymru Gymraeg, gan roi blaenoriaeth i rinweddau'r ardal a'i diwylliant er mwyn swyno'r gynulleidfa. Ond methodd, yn yr un modd, ag achub ar y cyfle i ddarlunio'r bywyd Cymraeg hwnnw o fewn cyd-destun amlhiliol; methodd â rhagweld gwireddu'r trywydd hwnnw a fyddai, ddegawdau yn ddiweddarach, yn cyfoethogi'r etifeddiaeth werthfawr hon.

Er mai prin yw'r portreadau ar sgrin o'r dyn du yng Nghymru, ac er mai cyfyng yw cwmpas y darluniau hyn wrth gyfleu cyfansoddiad a chefndir yr unigolion hynny, y mae'r darlun o David Goliath yn *The Proud Valley* a phresenoldeb Freddie Grant yn *Yr Etifeddiaeth* yn gyfraniadau arwyddocaol i'r gwaith o ddarlunio realiti'r Gymru amlhiliol.[32] Gellid dadlau bod y ffaith y darlunnir David Goliath mewn modd mor ddiffwdan ac na chaiff y stori ei lliwio gan y ffaith ei fod yn ddu ei groen yn elfen gadarnhaol. Y stori, a rhan David Goliath yn y stori, sy'n bwysig ac nid lliw ei groen, ac felly hefyd, i raddau llai, yn achos Freddie Grant. Ond dagrau pethau, mewn gwirionedd, yw mai ffurfio lleiafrif o fewn cenedl leiafrifol fu hanes pobl ddu yng Nghymru erioed. O ganlyniad, a hwythau'n ymgorffori'r 'arall' o fewn cenedl sydd yn 'arall' o fewn cyfundrefn lywodraethol y Deyrnas Unedig, prin fyddai'r galw am weld portreadau ohonynt hwy a'u bywyd ar y sgrin. Megis crwydriaid neu ddieithriaid y buont erioed, a dengys profiad Charlotte Williams na fuont yn rhan o gof ein cenedl hyd yn ddiweddar iawn:

> It dawned on me that there were literal geographic spaces in Britain where it was legitimate to be black and where it was legitimate to speak about race and there were great white spaces where it was outlawed. Race was just an ugly rumour spreading into Wales from across the border. That's what I began to notice more than ever on my return. That the idea of black Welsh wasn't really lodged in the cultural consciousness or in fact in the cultural memory. It was one of those sickening pieces of cultural amnesia that had conveniently managed to disassociate the Welsh from any implication in the facts of black history and in doing so rendered us with an invisible present.[33]

Er gwaethaf cryfder dylanwad y diwylliant Americanaidd ac, yn gynyddol, y diwylliant Affro-Americanaidd ar Gymru a'i phobl yn ystod ail hanner yr ugeinfed ganrif, ni chafwyd archwilio dwfn pellach ar y berthynas hon trwy gyfrwng ffilm.[34] Ymylol ac anghyffredin yw'r portreadau, er enghraifft *Human Traffic* (1999), darlun Justin Kerrigan o fywyd a champau criw o bobl ifanc yng Nghaerdydd, gydag un llanc croenddu, Koop, yn eu plith. Ond pryderon nodweddiadol yr ifanc mewn cymuned ôl-ddiwydiannol sydd wrth galon y ffilm hon; darlunnir hynt a helynt y criw wrth iddynt geisio dygymod â'u methiant i ganfod rôl o fewn cymdeithas sydd wedi ei globaleiddio yn gynyddol. Teg honni hefyd mai tenau fu'r ymdriniaeth â hiliaeth o fewn Cymru. Ceir y prif ymwneud yn y ffilm *Solomon a Gaenor* (Paul Morrison, 1999), lle y gwelir teimladau gwrth-Iddewig yn brigo yng nghymoedd de Cymru yn sgil diweithdra a chaledi bywyd, a hefyd yn ffilm drawiadol y gyfarwyddwraig Amma Asante,[35] *A Way of Life* (2004), lle y gwelir mam sengl ifanc, Leigh-Anne, yn plagio a gormesu gŵr o Dwrci sydd wedi ymgartrefu yn ninas Caerdydd ers degawdau. I Leigh-Anne, 'Paki' yw Hassan, ac ef a'i debyg, yn ei thyb hi, sydd wrth wraidd ei thrafferthion personol am eu bod yn camddefnyddio cefnogaeth a budd-daliadau'r awdurdodau ar ei thraul hi. Yma codir cwr y llen ar natur hyll a hiliol y Cymry yng nghyd-destun yr unfed ganrif ar hugain. Datguddir gwedd dywyll ar fywyd yng Nghymru trwy ddarlunio canlyniadau trasig anwybodaeth ac anoddefgarwch y cymeriad atgas Leigh-Anne. Llwyddir yn gelfydd iawn i ennyn dealltwriaeth a chydymdeimlad y gynulleidfa â hi, ond ni roddir cefnogaeth i'w syniadau a'i gweithredoedd. Yma cyflëir yn glir yr eironi ynghylch safle lleiafrifoedd o fewn cenedl leiafrifol. Chwedl Steve Blandford, nid yw'n fwriad o gwbl gan Asante i guddio'r 'irony of a marginalised people who themselves then turn upon the minority in their midst'.[36] Gallwn ymfalchïo fod gennym bellach ffilm aeddfed yng Nghymru sy'n galw'n rymus am 'an inclusive, fluid Welsh identity, capable of offering a meaningful place to those excluded on the grounds of both class and race',[37] ond, at ei gilydd, swatio yn y cysgodion y mae pobl dduon ym myd ffilmiau Cymreig o hyd.

NODIADAU

1 Gweler, er enghraifft, Charlotte Williams, *Sugar and Slate* (Aberystwyth: Planet, 2002); Charlotte Williams, Neil Evans a Paul O'Leary (goln.), *A Tolerant Nation?: Exploring Ethnic Diversity in Wales* (Caerdydd: Gwasg Prifysgol Cymru, 2003); Glenn Jordan, "We never really noticed you were coloured": Postcolonialist Reflections on Immigrants and Minorities in Wales' yn Jane Aaron a Chris Williams (goln.), *Postcolonial Wales* (Caerdydd: Gwasg Prifysgol Cymru, 2005); Alan Llwyd, *Cymru Ddu* (Caerdydd: Hughes a'i Fab, 2005).

2 Er bod portreadau o fywyd brodorion yn Affrica i'w cael mewn ffilmiau yn ystod y 1950au a'r 1960au, megis *Cry, The Beloved Country* (Zoltan Korda, 1952), *Simba* (Brian Desmond Hurst, 1955) a *Guns at Batasi* (John Guillermin, 1964), digon prin oedd y ffilmiau hynny a ddarluniai fywyd trwy lygaid Prydeinwyr o dras Affricanaidd ac nid tan 1975 y rhyddhawyd y ffilm nodwedd gyntaf ym Mhrydain dan gyfarwyddyd dyn du, sef *Pressure* gan Horace Ové. Gwelwyd cynnydd pellach, ond cyfyng, yn sgil dyfodiad Channel 4 a Film Four.

3 Stephen Bourne, 'The Uncle Tom Show', *Black in the British Frame* (Llundain: Continuum, 2001), t. x. Meddylier, er enghraifft, am Canada Lee a Sidney Poitier yn *Cry, The Beloved Country* neu Denzel Washington yn *Cry Freedom* (Richard Attenborough, 1987) a *For Queen and Country* (Martin Stellman, 1988) ac, wrth gwrs, mynych berfformiadau Paul Robeson.

4 Bourne, 'Lonely Road: The British Films of Paul Robeson', *Black in the British Frame*, t. 10. Gweler hefyd, 'Paul Robeson: Black Colossus' yn Donald Bogle, *Toms, Coons, Mulattoes and Bucks* (1973. Llundain: Continuum, 2001), tt. 94–100.

5 Marcus Garvey, *Black Man*, 1:7 (Mehefin 1935) yn Bourne, *Black in the British Frame*, t. 17.

6 Jeffrey Richards, *Films and British National Identity* (Manceinion: Manchester University Press, 1997), t. 35.

7 Sidney Cole, 'Paul Robeson Interview', *The Cine-Technician*, Medi–Hydref 1938, tt. 74–5. Noder bod aelodau o gymuned Tiger Bay, Tre-Bute a dociau Caerdydd wedi ymddangos fel ecstras yn y ffilm hon. Yn ôl yr hanesydd lleol Neil Sinclair: 'We all knew that the witch doctor dancing wildly in the centre of the film's version of an African village was Mr Graham, the 'Bengal Tiger', from Sophia Street. And that was Uncle Willy Needham leaping around in the loin cloth which he kept for years after the film was made!', Neil M. C. Sinclair, *The Tiger Bay Story* (Caerdydd: Butetown History and Arts Project, 1993), t. 44.

8 'Robeson Tired of Playing Caricatures', *Philadelphia Tribune*, 20 Mai 1937; *Film Weekly*, 1 Medi 1933.

9 *Daily Express*, 4 Awst 1933.

10 *Picture Show*, 4 Tachwedd 1939.

11 *David Goliath* oedd teitl y ffilm hefyd hyd nes i bwyslais y ffilm newid o fod ar y prif gymeriad i fod ar optimistiaeth ac undod y gymuned. Am fwy ar safbwynt Ealing ar y sgript wreiddiol, gweler hunangofiant pennaeth marchnata'r stiwdio, Monja Danischewsky, *White Russian – Red Face* (Llundain: Gollancz, 1966).

12 George Perry, *Forever Ealing* (Llundain: Pavilion, 1981), t. 12.

13 Danischewsky, *White Russian – Red Face*, t. 138.

14 Bu'r darn corawl hyfryd hwn yn hynod boblogaidd ym Mhrydain er ei gyfansoddi ym 1846. Y mae lle i ystyried defnydd y ffilm o'r gwaith hwn yn llawnach o gofio amgylchiadau'r cyfnod cynhyrchu. Gyda'r Ail Ryfel Byd ar dorri, a thwf Natsïaeth yn achos pryder i amryw o wledydd y Gorllewin, difyr nodi i Robeson ganu'r aria 'Lord God of Abraham, Isaac and Israel' mewn cyfnod pan bardduwyd enw da Felix Mendelssohn gan y Drydedd Reich ac y gwaharddwyd perfformiadau cyhoeddus o'i waith yn yr Almaen oherwydd ei dras Iddewig. Dyma weddi urddasol am waredigaeth rhag gormes, neges gwbl amserol a gefnogai hefyd ddaliadau gwleidyddol a moesol Robeson ei hun. Ymddengys mai yn y ffilm hon y canodd Robeson y darn am y tro cyntaf, ond y bu wedi hynny yn rhan greiddiol o'i raglen gyngherddol yn ystod y 1940au. Am fwy ar ymwneud Robeson â cherddoriaeth glasurol, gweler William Pencak, 'Paul Robeson and Classical Music' yn Joseph Dorinson a William A. Pencak (goln.), *Paul Robeson: Essays on His Life and Legacy* (Jefferson, NC: McFarland, 2004) a Doris Evans McGinty a Wayne Shirley, 'Paul Robeson, Musician' yn Jeffrey C. Stewart (gol.), *Paul Robeson Artist and Citizen* (New Brunswick: Rutgers University Press, 1998), tt. 105–21.

15 Deil un hanesydd ffilm i awduron gwreiddiol y sgript, Herbert Marshall a'i wraig, y gerflunwraig Alfredda Brilliant, seilio'r cymeriad David Goliath ar ddyn du go iawn a oedd yn byw ac yn gweithio yng nghymoedd de Cymru. Gweler Jeffrey Richards, 'The Black Man as Hero', *Films and British National Identity* (Manceinion: Manchester University Press, 1997), t. 77. Yn ôl Marie Seton, ar y llaw arall, Americanwr du a oedd yn arweinydd undeb llafur oedd yr ysbrydoliaeth ar gyfer y cymeriad, Marie Seton, *Paul Robeson* (Llundain: Dobson, 1958), t. 120.

16 Ceir defnydd toreithiog o gerddoriaeth yn *The Proud Valley* a hynny'n bennaf er mwyn cyfleu undod y gymuned, yn enwedig yn ystod cyfnodau o drybini. Ymhlith y golygfeydd sy'n arddangos grym y dechneg hon yn effeithiol iawn y mae'r rheini o David Goliath yn canu'r emyn ysbrydol 'Deep River' wrth i'r gymuned dalu teyrnged i Dick Parry, a Rachel Thomas, yn rhan y weddw Mrs Parry, yn arwain y gymuned drwy ganu 'Yn y dyfroedd mawr a'r tonnau' ar y dôn 'Ebeneser' wrth iddynt ddisgwyl wrth geg y lofa am newyddion am lond llaw o lowyr a gaethiwyd dan y ddaear.

17 Richard Dyer, 'Paul Robeson: Crossing Over', *Heavenly Bodies: Film Stars and Society* (Llundain: Routledge, 1986); Bourne, 'Lonely Road: The British Films of Paul Robeson', *Black in the British Frame*; Barr, *All Our Yesterdays*, tt. 334–40; Thomas Cripps, *Slow Fade to Black: The Negro in American Film, 1900–1942* (Efrog Newydd: Oxford University Press, 1977).

18 'Glofeydd Cymru a Negroaid', *Baner Cymru*, 25 Gorffennaf 1900.

19 Kenneth L. Little, *Negroes in Britain: A Study of Racial Relations in English Society* (Llundain: Routledge, 1948), tt. 104–5.

20 *The Proud Valley*, 1940. Honnodd Marshall i'r llinell hon, a oedd yn ei sgript wreiddiol ef, gael ei hysbrydoli gan linell mewn cerdd a gyfansoddwyd gan Brecht ar gyfer y cyfansoddwr gwleidyddol, Hanns Eisler, 'And not in white trousers do we come out [of the pits] but in black'. David Berry, *Wales and Cinema: The First Hundred Years* (Caerdydd: Gwasg Prifysgol Cymru, 1996), t. 517.

21 Dylid nodi hefyd y caiff y cymeriad Seth gyfle i wneud iawn am ei gamwedd cyn diwedd y ffilm trwy gadw gwylnos uwch corff David Goliath yn siafft y lofa tra bo gweddill y glowyr sydd wedi eu caethiwo dan ddaear yn brwydro yn eu blaenau tuag at olau dydd ac er mwyn sicrhau dyfodol llewyrchus i'r lofa.

22 Neil Evans, 'Immigrants and Minorities in Wales, 1840–1990: A Comparative Perspective', *Llafur*, 5, rhif 4 (1991), t. 21. Dengys cyfrifiad 1931 fod sawl mewnfudwr o wledydd Affricanaidd neu Garibïaidd yn byw ac yn gweithio yng nghymoedd de Cymru (er na wyddom faint ohonynt oedd yn ddu eu croen). General Register Office, *Census of England and Wales 1931* (Llundain, 1935), tt. 219–20.

23 Little, *Negroes in Britain*, t. 283. Am fwy ar y darluniau ystrydebol a geid mewn ffilmiau o'r dyn du yn hanner cyntaf yr ugeinfed ganrif, gweler hefyd Peter Noble, *The Negro in Films* (Llundain: Peter Noble, 1948).
24 Little, *Negroes in Britain*, t. 284.
25 Seton, *Paul Robeson*, t. 121.
26 Richards, *Films and British National Identity*, t. 79.
27 Wedi dweud hynny, y mae un olygfa yn ychwanegiad rhagorol i'r ffilm, sef David Goliath yn arwain y côr meibion drwy ganu'r emyn ysbrydol, 'Deep River'. Er na cheir cyfeirio at gefndir a thraddodiad yr emyn, y mae'n ychwanegiad trawiadol i'r gerddoriaeth a glywir yn y ffilm. Y mae'n dynodi diwylliant gwahanol, er nad eir ati i'w archwilio ymhellach.
28 Difyr nodi i'r ysgolhaig, Thomas Cripps, drwy sylwi ar natur hunanaberthol y cymeriad, gymharu David Goliath â Christ, un a aned i'w aberthu dros ddynion. Cripps, *Slow Fade to Black*, t. 320.
29 Ymgartrefodd Freddie Grant yn Llangybi am gyfnod sylweddol wedi diwedd yr Ail Ryfel Byd cyn dewis dychwelyd i Lerpwl ym 1953. Treuliodd ei chwaer, Eva, weddill ei hoes yn yr ardal.
30 Geiriau cyntaf y ffilm *Yr Etifeddiaeth* (1949) a luniwyd gan John Roberts Williams. Traethwyd sylwebaeth y ffilm gan Cynan.
31 Prifysgol Cymru, Bangor, Casgliad Llawysgrifau Bangor, 30205, Sgript sgwrs radio gan John Roberts Williams, 23 Medi 1949, BBC Bangor.
32 Noder, yn achos *Tiger Bay* (Thompson, 1959), er enghraifft, mai cefnlen egsotig oedd Tre-Bute a'i thrigolion i'r ffilm gyffro hon a fu'n llwyfan i John Mills a'i ferch Hayley Mills. Collwyd cyfle yma i ddarlunio'r gymuned amlhiliol gyfareddol hon a chyfleu bywyd lliwgar ardal bae Caerdydd gan y bodlonwyd ar gipluniau brysiog o'r ardal yn unig. Ceir lluniau difyr o blant o sawl ethnigrwydd yn chwarae mewn parc, criw o ddynion yn chwarae dis a gamblo yn y stryd, a phriodas mewn eglwys rhwng pâr croenddu, ond megis cysgodion yn y cefndir yw'r golygfeydd hyn wrth i'r stori antur am ganlyniadau llofruddiaeth dan angerdd fwrw rhagddi.
33 Williams, *Sugar and Slate*, t. 177.
34 Am astudiaeth ddifyr o hyn, gweler M. Wynn Thomas (gol.), *Gweld Sêr: Cymru a Chanrif America* (Caerdydd: Gwasg Prifysgol Cymru, 2001).
35 Magwyd Asante yn Streatham, de Llundain, lle y profodd ei theulu hiliaeth yn rheolaidd. Y mae lle i gredu mai Asante yw'r gyfarwyddwraig groenddu gyntaf i gyfarwyddo ffilm nodwedd Brydeinig. Matthew Sweet, 'Amma Asante: School's out for Amma', *The Independent*, 15 Tachwedd 2004.
36 Steve Blandford, *Film, Drama and the Break-up of Britain* (Bryste: Intellect, 2007), t. 104.
37 Ibid.

'CARADOG WYN' GWYN THOMAS; CYMRO CYMRAEG 'DU GWYN' YM MLAENAU FFESTINIOG

Simon Brooks

O ddegawdau cyntaf y bedwaredd ganrif ar bymtheg, bu agweddau'r Cymry Cymraeg at boblogaeth groenddu yr Unol Daleithiau yn gyson gadarnhaol. Codwyd ymwybyddiaeth a chydymdeimlad y Cymry drwy'r ymgyrch yn erbyn caethwasanaeth, a ddaliai sylw'r Gymru ddarllengar yn ystod y degawdau cyn Rhyfel Cartref America, ac yn ystod y rhyfel ei hun.[1] Sefydlodd y frwydr honno draddodiad yn y Gymru wladgarol, Anghydffurfiol o gefnogi'r Affro-Americaniaid ar sail cydraddoldeb hil. Traddodiad oedd hwn a ddaeth i'r amlwg eto yn ystod helyntion hawliau sifil pumdegau, chwedegau a saithdegau'r ugeinfed ganrif pan gafwyd cefnogaeth helaeth i'r achos Affro-Americanaidd ymhlith siaradwyr Cymraeg.

Ond cefnogid Affro-Americaniaid yn y Gymru Gymraeg hefyd am eu bod rywsut, yn nhyb rhai, yn rhyw fath ar genedl etholedig. Buasai traddodiad yng Nghymru ymhlith cenedlaetholwyr o synio am Gymru hithau fel cenedl etholedig, yn debyg i Israel, yn cadw ffydd yn ei Duw, yn tynnu'n helaeth ar ysgrythur, ac yn brwydro yn erbyn anghyfiawnder i sicrhau ei pharhad.[2] Roedd yr Affro-Americaniaid a'r Cymry yn ôl y byd-olwg hwn yn debyg: lleiafrifoedd 'Beiblaidd' oeddynt heb hawliau, pobloedd a drosglwyddwyd i gaethglud genedlaethol. 'Wynebwn y gwir amdanom ein hunain: yr oeddem ni, nyni ein tadau ni, nyni'r genedl Gymreig, yr oeddem ni yn union yn yr un cyflwr â Negroaid yr Affrig wedi eu trosglwyddo i'r America. Yr oeddem yn cyfrif cyn lleied â hwythau,' meddai Saunders Lewis.[3]

Rhan o afael yr Affro-Americaniaid ar ddychymyg y Gymru Gymraeg yw'r gallu hwn i apelio at adain chwith ac adain dde y bywyd Cymraeg fel ei gilydd. Gan gyfuno egalitariaeth cydraddoldeb hil â chenedlaetholdeb cyfiawnder ethnig, roedd y diwylliant Affro-Americanaidd yn ddrych perffaith i lawer o obsesiynau Cymreig. Martin Luther King oedd y ffigwr pwysicaf yn y traddodiad Cymraeg hwn am fod ei gredoau – Cristnogaeth ysgrythurol, heddychiaeth, protest ddi-drais, milflwyddiaeth ethnig, cydraddoldeb hil, cariad at gyd-ddyn – yn adlewyrchu daliadau llawer iawn o genedlaetholwyr Cymraeg. O fewn blwyddyn i'w lofruddiaeth, yr oedd cofiant Cymraeg iddo eisoes wedi ei gyhoeddi.[4]

Bardd Cymraeg a fu ymhlith yr amlycaf ei ymateb i'r diwylliant Affro-Americanaidd yw Gwyn Thomas. Mae'r pwyslais gwrth-hiliol yn ei waith yn gadarn. Enghraifft neilltuol o'r meddylfryd hwnnw yw ei gerdd adnabyddus, 'Arwr: Ugeinfed Ganrif', sy'n enwi gwrthdystiadau 'dros hawl y du, dyweder, mewn man gwyn' ymhlith y blaenaf o safiadau arwrol yr oes.[5] Yn 'Parrot Carrie Watson' – sy'n collfarnu puteindra yng Ngŵyl Fawr Chicago 1893 am fod y puteiniaid i gyd yn ddu, a'r cwsmeriaid yn ddynion gwyn 'bonheddig' – dengys mewn modd eglur iawn y modd yr ymgysyllta anghyfiawnderau hil, dosbarth a rhyw â'i gilydd.[6] Yn fwyaf arwyddocaol, Gwyn Thomas yw awdur y llenyddiaeth bwysicaf a gyhoeddwyd yn y Gymraeg am y frwydr hawliau sifil – cerdd hir, 'Cadwynau yn y Meddwl', a ddarlledwyd yn gyfeiliant i ffilm deledu.[7]

Mae 'Cadwynau yn y Meddwl' yn nodweddiadol o'r diwylliant Cymraeg yn y ffordd y mae'n edrych ar hanes Affro-Americaniaid fel pe bai'n trafod hanes cenedl. Mae'n wir bod y gerdd yn cynnwys teyrnged i Martin Luther King fel hyrwyddwr cydraddoldeb hil, ac yntau wedi'i lofruddio ym 1968 ym Memphis, Tennessee 'ar y muriau gwyn' mewn 'Tywyllwch mor ddu â'r croen hwnnw'.[8] Ond craidd y gerdd yw cyflwyniad i hanes a diwylliant 'cenhedlig' Affro-Americaniaid: y fasnach mewn caethweision yn Affrica, y gaethglud a'r fordaith i America, y caethwasanaeth yn y caeau cotwm, diwylliant Efrog Newydd a Harlem, a Rosa Parks yn gwrthod ildio ei sedd ar fws i ddyn gwyn yn Alabama ym 1955, gan esgor ar y frwydr hawliau sifil. Mae'r cwbl wedi ei osod o fewn naratif 'cenedlaetholgar'. Martin Luther King yw mab darogan y 'genedl' hon, a chyfeiria at Affro-Americaniaid fel 'fy mhobol', gan arddel ieithweddau cenedlaetholdeb ethnig.[9] Fe'i gwelir fel math o Broffwyd Hen Destament, yn debyg i Moses; ac yn debyg hefyd i apostolion Crist. Mae ei ddioddefaint yn dwyn adleisiau o ddioddefiadau yr Apostol Paul, tra bo cyfeiriad ato cyn ei lofruddiaeth yn 'y lle a elwir Gethsemane' yn gyffelybiaeth amlwg â thynged y Crist ei hun.[10]

Mae'n amlwg y bu Gwyn Thomas o'r farn y byddai hanes Affro-Americanaidd yn taro tant yn y Gymru Gymraeg. 'Yn gam neu'n gymwys,' meddai mewn gohebiaeth, 'y mae bod yn Gymro wedi gwneud imi ddeall (mewn rhyw fodd neu'i gilydd, a modd digon diniwed mae'n siŵr) safbwyntiau pobol fel pobol dduon America'.[11] Roedd o gymorth hefyd ei fod yntau fel bardd Cymraeg, a Martin Luther King fel arweinydd Affro-Americanaidd, yn medru tynnu ar 'ddimensiwn Beiblaidd' a fuasai'n hynod o bwysig i'r ddau ddiwylliant.[12] Tybiodd y beirniad R. Gareth Edwards y byddai rhai adrannau o 'Cadwynau yn y Meddwl' yn dod 'yn ddarnau adrodd poblogaidd', ac mae'n amlwg iddo yntau fel sylwebydd diwylliannol deimlo'n hyderus y byddai hanes Martin Luther King ac Affro-Americaniaid wrth fodd cynulleidfa Gymraeg.[13]

Dyma osod cyd-destun awgrymog felly ar gyfer prif ffocws yr erthygl hon, sef cerdd ddadlennol o'r enw 'Du Gwyn (1946)' a gyhoeddwyd gan Gwyn Thomas ym 1984 yn y gyfrol *Wmgawa*.[14] Cerdd ydyw ynglŷn ag agweddau ar ddiwedd yr Ail Ryfel Byd at hil ac iaith mewn cymdeithas ddiwydiannol Gymraeg debyg i Flaenau Ffestiniog, tref enedigol Gwyn Thomas. Erbyn pedwardegau'r ugeinfed ganrif, cawsai'r traddodiad Cymraeg o uniaethu ag Affro-Americaniaid dros ganrif i wreiddio yn y tir. Ond cydymdeimlad haniaethol ydoedd, cynhesrwydd at bobl yn trigo ar gyfandir arall, ac yn byw mewn cymdeithas ddieithr. Yn 'Du Gwyn (1946)', mae pethau'n bur wahanol – daw'r diwylliant Affro-Americanaidd i un o drefi Gwynedd, a hynny ar wedd milwr o Affro-Americanwr, a'i fab 'du gwyn', ffrwyth ei berthynas â Chymraes groenwyn leol.

Hanes digon od sydd i'r gerdd hon, oherwydd fe'i cyfansoddwyd yn Saesneg hefyd, a hynny ar gais un o raglenni Saesneg Teledu Granada.[15] Dim ond ar ôl darlledu 'Welsh Black (1946)' yr ymddangosodd 'Du Gwyn (1946)' yn y Gymraeg, er bod y ddwy fersiwn – yn Gymraeg a Saesneg – yn darllen fel pe baent yn gerddi gwreiddiol. Ffynhonnell hanesyddol y gerdd yw stori yr arferai Gwenlyn Parry ei hadrodd, sef i grwt croenddu, a mab i filwr o Affro-Americanwr, gael ei fagu yn Neiniolen ar ôl y rhyfel.[16] Ei chefndir mwy cyffredinol yw bod yr Ail Ryfel Byd wedi dod â bechgyn croenddu eraill i gymunedau Cymraeg Gwynedd. Bu faciwî du yn nosbarth ysgol Gwyn Thomas ym Mlaenau Ffestiniog, lle y dysgodd y Gymraeg yn rhugl. Roedd hefyd wersyll milwrol Americanaidd yng Nghwm Mynhadog, dros y mynydd o'r Blaenau, a dôi'r milwyr i'r dref yn aml.[17] Mae'n rhaid bod rhai milwyr croenddu yn eu plith.

Mae 'Du Gwyn (1946)' hefyd yn dwyn ysbrydoliaeth o fotiffau llenyddol Cymraeg ynghylch Affro-Americaniaid a phobl dduon yng Nghymru. Y motiff pwysicaf o ddigon ydy hwnnw o'r Affro-Americanwr, neu ddyn du, sy'n ymgyfranogi o ddiwylliant Cymraeg. Enghraifft gyfarwydd yw Amos Brown – yr 'Ianci melynddu ei groen' a'r 'morwr brownddu o'r America' y dywed D. J. Williams amdano yn ei hunangofiant enwog, *Yn Chwech ar Hugain Oed*, iddo gael gwaith yn y Betws ger Rhydaman.[18] Mynychodd Amos Brown gyrddau Cymraeg yn ystod Diwygiad 1904-5, a chael ei achub. Enghraifft nodedig arall o'r motiff yw'r faciwî du yng nghefn gwlad. Fe'i ceir yn ganolbwynt y ffilm a leisiwyd gan Cynan ym 1949, *Yr Etifeddiaeth*, ac er mai 'Sais bach tywyll' o Lerpwl yn hytrach na mab i Affro-Americanwr yw'r bachgen hwnnw, mae rhai o themâu'r ffilm megis crwt croenddu yn tyfu'n 'Gymro glân ei iaith a bratiog ei Saesneg' yn berthnasol i 'Du Gwyn (1946)'.[19]

Mae 'Du Gwyn (1946)' hefyd ynghlwm wrth dueddiadau cymdeithasol mwy cyffredinol, megis dyfodiad Affro-Americaniaid i Ewrop yn ystod yr Ail Ryfel Byd. Daeth y rhyfel hwn â milwyr du i ardaloedd o Gymru, Prydain ac Ewrop a fuasai o'r blaen ymron yn gyfan gwbl groenwyn. Yn wir, mae rhai haneswyr hil wedi dadlau mai byddin America yn ystod yr Ail Ryfel Byd, yn hytrach na mewnfudiad Affro-Caribïaidd y pumdegau, a ddaeth â phobl dduon i rannau helaeth o wledydd Prydain am y tro cyntaf, gan greu yn yr ynysoedd hyn seiliau ein cymdeithas amlethnig gyfoes.[20]

Nid cerdd heb gyd-destun yw 'Du Gwyn (1946)'. Mae'n perthyn ar y naill law i draddodiad barddol cenedlaetholgar sy'n clodfori'r diwylliant Affro-Americanaidd, ac yn mynnu ei drafod yn y Gymraeg. Mae hefyd yn tystio i brofiad digon Prydeinig o ryfel, a'r newidiadau ethnig a ddeuai yn sgil hynny. Mae'n ddiddorol fod penderfyniad Gwyn Thomas i gynhyrchu fersiynau Cymraeg a Saesneg o'i gerdd fel petai'n cydnabod y gwirionedd hwn, a'i hapêl at ddwy gynulleidfa wahanol.

Gan osod hynny o gefndir hanesyddol a llenyddol, mae angen yn awr craffu ar y gerdd yn fwy manwl:

Du Gwyn (1946)

Roedd Caradog Wyn yn ddu.
Yr oedd o, fe ellid tybio, yn dduach
Na glöwr o ganwr o byllau y De,
Ond nad oedd ei ddu o yn olchadwy.
Yr oedd o, fel y glo, yn ddi-olchadwy ddu.

Daeth Caradog i fod oherwydd y rhyfel.
Un dydd y tu allan i'n tref fe sefydlwyd mewn gwersyll
Gatrawd o filwyr o Daleithiau Unedig yr Amerig,
Gwŷr braisg a hael a daflai ddeusylltau
A tjiwing-gým i blant sgrialu amdanynt;
Gwŷr a ddeuai â'u cwrw i'r stryd o dafarnau dan eu sang
('Ddôi dim da o hynny!')
Ac a wnâi'r ciwiau tjips yn amhosib o hir.
Yr oedd Amos Susili Jones, ddu, yn un o'r cyfryw filwyr.
Fe ddaeth, fe aeth;
Ond, ar ôl ei ymadawiad,
Gwelwyd iddo adael i Briscilla Ceridwen
Ryw arwydd bychan o'i ymweliad,
Sef oedd hwnnw, Caradog Wyn.

Ysgydwodd rhai diaconiaid eu pennau a sôn
Fod ansawdd moesol y genedl yn frau yn ei fôn;
Ac fe gafwyd ffraethineb neu ddwy
Am dabyrddau a fŵdw yn Taliesin Teras;
Ond cyn fawr o dro anghofiodd pawb am gaff gwag Priscilla Ceridwen
A, rhywsut, gan mai Cymro Cymraeg oedd Caradog Wyn
Roedd yn rhaid wrth ddieithryn i sylweddoli
Ei fod o yn ddu.

Un dydd daeth Ostin Sefn mewn tyrban
I drafferthu ei ffordd, fel camel sgwat,
Ar hyd Taliesin Teras.
O'i fewn roedd masnachwr carpedi o'r dwyrain.

Roedd Caradog Wyn o gwmpas y lle
A dilynodd y car i gael gwybod be'
Oedd yno ar droed.

Dadlwythodd cawr o Indiad – brown golau ei wawr –
Ei hun yn stryffaglyd o'i gerbyd.
Gwelodd Caradog, a galwodd a dweud:
'Hello, young sonny, is your mother wanting a carpet?'

Nid ymddangosai Caradog fel petai wedi deall yr ymholiad
A safodd, dro, â'i geg a'i lygadau'n gyfartal agored
Cyn rhedeg i'r tŷ a dodi diaspad:
'Mâm, mâm, sbïwch, dyn du yn dŵad!'

Roedd Caradog Wyn yn ddu, yn ddiwrthdro,
Ond, yr un mor sicir, yr oedd o yn Gymro.

Ceir y fersiwn Saesneg isod. Sylwer ar y mân wahaniaethau rhwng y ddwy fersiwn gan eu bod yn berthnasol i'r drafodaeth ar ystyron posib y gerdd.

Welsh Black (1946)

Caradog Wyn was black.
He was, we imagined, blacker than a singing South Wales coalminer,
But his black was not washable.
He was, like coal itself, unwashably black.

Caradog came to be because of the war.
One day, outside our small town, they encamped a battalion of
American soldiers,
Large, generous men who chucked florins and chewing gum to
scrambling children,
Men who brought their beer into the streets from choc-a-bloc
public houses (that didn't please!)
And made the queues for chips impossibly long.
Amos Susili Jones, a negro, was such an American soldier.
He came, and went,
But left Priscilla Ceridwen some small token of his visitation, namely
Caradog Wyn.

Some elders shook their heads and talked together
About the nation's failing moral fibre,
And there was an odd joke or two
About tom-toms and voodoo in Taliesin Terrace,
But everyone soon forgot Priscilla Ceridwen's fall
And, somehow, since he spoke only Welsh, in no time at all
It took a stranger to realize that Caradog Wyn was
Black.

One day a turbanned Austin Seven moved, like a slightly squashed
Camel, up Taliesin Terrace.
Within it was an oriental seller of carpets.
Caradog Wyn happened to be about
And followed to find out
What was going on.
A large Indian, of a light brown complexion, extricated himself,
With difficulty, from his automobile.
He saw Caradog, and called to him and said,
'Hello, young sonny, is your mother wanting a carpet?'

Caradog appeared not to comprehend the question
But stood, awhile, agape and staring
Before running back to the house and shouting,
'Mâm, look mâm, a black man coming!'

Caradog Wyn was black, may be,
But he was also Welsh, you see.

Dyma gerdd eithriadol o ddiddorol. Cerdd am aelod o leiafrif ethnig mewn cymuned groenwyn, ond honno, oherwydd ei hiaith, yn gymuned leiafrifol ei hun. Mae'n darlunio gwahanol hunaniaethau, ymwadiadau a thensiynau mewn sefyllfa o'r fath. Cwyd gwestiwn diddorol, sef beth sy'n digwydd pan yw dau neu fwy o hunaniaethau lleiafrifol gwahanol yn dod wyneb yn wyneb â'i gilydd.

Mae llinyn naratif y gerdd yn ddigon syml. Daw catrawd filwrol Americanaidd i gymuned chwarelyddol yn ystod yr Ail Ryfel Byd, yn eu mysg Affro-Americanwr o'r enw Amos Susili Jones. Mae'r milwr yn cwrdd â merch leol, Priscilla Ceridwen. O'r berthynas rywiol rhyngddynt fe enir mab, Cymro Cymraeg croenddu, Caradog Wyn.

Daw cymhlethdod y gerdd wedyn; yn ei chymysgedd o ideoleg, chwedl ac eironi. Ymdeimlir â hyn gyntaf yn enwau'r prif gymeriadau. Mae gan Amos Susili Jones 'enw Beiblaidd, enw Affricanaidd, ac enw sy'n ei gysylltu â Chymru mewn rhyw fodd'.[21] Ei gyfenw yw Jones; enw a orfodwyd ar un o'i hynafiaid yn oes caethwasanaeth. Yr awgrym amlwg yw mai Cymro, neu Americanwr o dras Cymreig, oedd perchennog un o'i hen deidiau. Dyma gydnabod y bu rhai Cymry, neu ddisgynyddion i Gymry, yn hiliol. Mae'r cyfenw Jones yn sefydlu'n syth mai'r ffurf fwyaf cyffredin ar hiliaeth yw honno a geir mewn cymunedau gwyn yn erbyn pobl ddu. Ond mae Jones hefyd yn arwydd o dir cyffredin rhwng y diwylliant Cymraeg gwyn a'r diwylliant Affro-Americanaidd du. Nid enw cynhenid Cymraeg mohono, ond enw a ledaenid yng Nghymru wrth i'r gyfundrefn dadenwol Gymraeg (y drefn a ddefnyddiai 'ap' a 'ferch' ac yn y blaen) ddadfeilio yn y Cyfnod Modern Cynnar.[22] Dadleuai cenedlaetholwyr Cymraeg mai'r Goncwest a'r Deddfau Uno oedd achos hynny. Yn wir, un o'r pethau sydd gan genedlaetholdeb rhai carfanau o Affro-Americaniaid a Chymry yn gyffredin yw'r awch i ddiosg enwau o'r fath ac adfer enwau brodorol yn eu lle. Ymhlyg yn yr enw Jones ceir awgrym bod gan y Cymry, fel pobl groenwyn ond hefyd fel lleiafrif, berthynas ddeublyg â threfedigaethedd – fel rhai sydd wedi elwa, ond hefyd wedi dioddef, oddi wrtho.

Presenoldeb y 'slave name' Jones sy'n gyfrifol am eironi arall enwau 'Du Gwyn (1946)'. Mewn cymunedau Cymraeg lle yr arddelai'r trigolion yr un cyfenwau Seisnigedig, trefedigaethol – Jones, Roberts, Thomas ac yn y blaen – adnabyddid pobl yn aml wrth lysenw, enw anheddle neu enw canol. Credadwy felly yw bod mab Amos Susili Jones yn cael ei adnabod fel Caradog Wyn. Mae eironi galw'r enw 'Wyn' ar fab i Affro-Americanwr yn amlwg, ac yn atgoffa'r darllenydd nad hunaniaeth ddu 'seml' sydd gan yr hogyn, ond hunaniaeth ddu bachgen o dras cymysg mewn cymdeithas groenwyn.

Mae enw Priscilla Ceridwen, mam Caradog Wyn, hefyd yn perthyn i'r drindod hon o enwau arwyddocaol. Cymraes groenwyn yw hi, ffaith a ddynodir gan y 'wen' yn ei henw, a honno'n cyfateb yn ddigon twt i'r 'gwyn' yn enw ei mab. Mae'n bosib hefyd fod yr enw Priscilla Ceridwen yn cynnwys cyfeiriad diwylliannol. Un o sêr amlycaf diwylliant poblogaidd Prydain ers chwedegau'r ugeinfed ganrif yw Cilla Black, gwraig a ollyngodd ei henw bedydd, Priscilla

White. Mae cyfeiriadaeth o'r fath yn gyson â'r defnydd o ddiwylliant teledu ac adloniant ym marddoniaeth Gwyn Thomas. Efallai mai ergyd y cyfeiriad yw y bu'n haws i Cilla Black newid lliw ei henw nag y byddai i Caradog Wyn newid lliw ei groen.[23]

Mae'r anwadalwch hwn ynglŷn ag enwau yn awgrymu fod peth ansefydlogrwydd ynghylch hunaniaeth Caradog Wyn. Yn wir, gellid mynd mor bell â honni mai diben y gerdd yw haeru fod y syniad o 'hil' yn un cyfnewidiol ac oriog. Mae 'Du Gwyn (1946)' yn cyflwyno dadl sy'n wahanol i ddaliadau prif ffrwd barddoniaeth Gymraeg y saithdegau a'r wythdegau cynnar, a'r adfywiad cynganeddol a'i nodweddai. Yng ngwaith beirdd caeth, defnyddid y gair 'hil' fel allweddair am y 'Cymry Cymraeg'. Bu ystyr y gair 'hil' yn bur sefydlog ac amlwg ganddynt, ac er na fu unrhyw fwriad hiliol i'r defnydd a wnaed ohono, cymerwyd yn ganiataol fod pawb yn perthyn i'r naill hil neu'r llall, problem o bosib i Gymro Cymraeg croenddu fel Caradog Wyn gyda'i ddwy hunaniaeth lithrig.[24]

Gwelir hyn yn glir ym mhennill cyntaf 'Du Gwyn (1946)'. Dechreua'r gerdd gyda gosodiad moel: 'Roedd Caradog Wyn yn ddu'. Mae'n dduach, 'fe ellid tybio', na 'glöwr o ganwr o byllau y De'. Dyma elwa ar y motiff Cymraeg a Chymreig o lowyr gwyn yn cyfeirio atyn nhw eu hunain yn y pwll fel dynion du. (Mae D. J. Williams, er enghraifft, yn sôn iddo weithio dan ddaear 'fel negro o galed fel y gwnâi'r glowyr yn gyffredin', a phan ddôi o'r pwll byddai ei wyneb yntau, ac wyneb ei bartner, 'mor ddu â dau flac'.)[25] Cyfeiriad ydyw hefyd at yr Affro-Americanwr, Paul Robeson, y canwr a'r actor a ymgyrchai yn y pedwardegau a'r pumdegau dros hawliau'r Affro-Americaniaid, ac a ddaeth yn dipyn o arwr yng nghymoedd de Cymru, gan gymryd rhan y glöwr-ganwr yn y ffilm Gymreig adnabyddus, *The Proud Valley*.

Ond mae'r honiad na ellid ond 'tybio' fod Caradog Wyn yn dduach na'r glowyr hyn yn dod â rhyw elfen o ansefydlogrwydd i'w ethnigrwydd yn syth. Mae fersiwn Saesneg y gerdd, 'Welsh Black (1946)', hyd yn oed yn fwy amwys: 'He was, we imagined, blacker than a singing South Wales coalminer.' Mae'r geiriau 'we imagined' yn dangos mai dychymyg goddrychol y gymuned Gymraeg sy'n creu'r naratif ar gyfer dehongli ethnigrwydd Caradog Wyn. Yn eironig, felly, y dywedir am Caradog Wyn ei fod 'fel y glo, yn ddi-olchadwy ddu'. Yn gorfforol, mae hyn yn wir gan mai hogyn croenddu yw Caradog Wyn. Yn ddiwylliannol, fodd bynnag, nid yw ei hunaniaeth ddu mor ddiogel, gan iddo gael ei fagu mewn cymuned groenwyn.

Un o ddaliadau'r gerdd yw nad diffiniad biolegol gwrthrychol yw 'bod yn ddu', yn union felly fel nad yw bod yn Gymro yn ganlyniad diffiniad gwrthrychol ychwaith. Erbyn yr wythdegau, degawd cyhoeddi 'Du Gwyn (1946)', daethai dadleuon dros natur hylifol hunaniaeth yn uniongrededd yn y Gorllewin. Ond cleddyf daufiniog yw 'dychmygu' goddrychol am ethnigrwydd, gan y gellir ei ddefnyddio i wadu hunaniaeth yn ogystal â'i chydnabod. Yn wir, cafwyd dehongliad 'goddrychol' yn dilorni hunaniaeth pobl 'ddiwreiddiedig' wrth ateb y cwestiwn, 'beth yw bod yn ddu?', mewn cerdd Gymraeg arall am y diaspora Affro-Americanaidd ryw ugain mlynedd ynghynt. Yn 'Portread o Acw', cyfeiria Bobi Jones at ddisgynyddion Affro-Americanaidd a ddychwelasai i'r Gambia fel pobl â'u hetifeddiaeth 'wedi bod yn y golch', fel pobl wyn mewn crwyn du:

> A'th ddiffyg gwreiddiau fel maen melin rownd dy wddf,
> A than dy gefn du mae llinellau gwyn dy fynd:
> Nid wyt byth yma: rwyt bob amser acw.
>
> Llyncwyd dy gwbl oll gan adael dy groen
> Ar ymyl y plât . . .[26]

Nodwedd o duedd lawer hŷn yw hyn, wrth gwrs. Yn wir, arferwyd geiriau mwys ynghylch buchedd a lliw croen mewn ysgrythur a llenyddiaeth ers milenia. Mae'n anodd credu nad un cyfeiriad llenyddol sydd gan fardd mor ysgrythurol â Gwyn Thomas wrth sôn am 'ddi-olchadwy ddu' yw'r cwpled cyfarwydd yn emyn John Elias, 'Ai am fy meiau i' – 'A'i waed a ylch yr Ethiop du / Yn lân fel eira gwyn' – sydd yn gyfeiriad yn ei dro at adnodau yn y Beibl.[27]

Prif nod ail bennill 'Du Gwyn (1946)' yw esbonio hanes cenhedlu Caradog Wyn, a chyflwyno (fel y soniwyd eisoes) enwau amwys y prif gymeriadau. Parheir â thema ethnigrwydd llithrig yn y trydydd pennill. Stryd go-iawn ym Mlaenau Ffestiniog yw Taliesin Teras y gerdd. Yn Taliesin Teras y megir Caradog Wyn, ac yma hefyd y clywir ar achlysur ei enedigaeth, 'ffraethineb neu ddwy / Am dabyrddau a fŵdw'. Dychan yw hwn, wrth gwrs, ar ddiwylliant

Affro-Americanaidd. Ond ceir eironi hefyd – wedi'r cwbl, bardd Cymraeg chwedlonol a'i wreiddiau mewn mytholeg Geltaidd yw'r Taliesin yr enwyd y teras ar ei ôl. Mae proffwydoliaethau, mytholeg a darogan ymhlith y cyneddfau a briodolid, neu a gambriodolid, iddo. 'Holl gelfyddyd byd,' meddai Taliesin yn ôl y brif chwedl amdano, 'sydd yn byddino i'm bru, canys gwn a fu ac a fydd rhag llaw'.[28] Mae'r dreftadaeth ddiwylliannol Gymraeg yn debycach i fwdŵaeth nag y sylweddolodd trigolion y teras.

Yn ôl Chwedl Taliesin, gwas a lyncir ac a ailenir gan y ddewines ddialgar Ceridwen yw Taliesin, yn gosb am iddo yfed o bair hud. Ond wedi iddi ei aileni mewn corff newydd, sylwa Ceridwen fod y mab hwn, y bu ganddi gymaint o gasineb tuag ato, yn brydferth ei olwg, yn hardd ei wedd, ac ni all ei ladd. At hyn mae'n un hudol. Gall newid ei ffurf gorfforol yn ôl y galw. Un nodwedd amlwg ar Chwedl Taliesin, meddai'r ysgolhaig Ifor Williams, 'yw'r llu mawr o newid ffurf, ymrithio, metamorphosis, sydd ynddi. Fel y dywed ei harwr tafodrydd, "Wyf *datweirllet*!" [...] Felly, dad-wair, newid; *dadweirllyd*, mynd yn ddi-baid, ymrithio o un ffurf i'r llall'.[29]

Nid damwain mohoni bod Caradog Wyn – y bachgen gwahanol ei olwg, cymysg ei dras a du ei groen – yn byw yn Taliesin Teras ac mai Priscilla Ceridwen yw ei fam. Yma bydd ei dreftadaeth Affro-Americanaidd yn cael ei haileni, ei hailymgnawdoli a'i hailffurfio mewn diwylliant Cymraeg. Hon yw thema ganolog y gerdd, sef hunaniaeth amrywiol, ansefydlog a chyfnewidiol bachgen croenddu mewn cymuned Gymraeg ei hiaith: y bachgen hardd ond gwahanol.

Ond nid cymuned groenwyn gyffredin mo Flaenau Ffestiniog nac unrhyw gymuned chwarelyddol arall. Mae hefyd yn gymuned Gymraeg, ac felly'n gymuned leiafrifol. 'Cymro Cymraeg' yw Caradog Wyn, bachgen sy'n bodloni disgwyliadau ieithyddol ei gymuned, ac yn aelod llawn ohoni yn sgil hynny. Honna Gwyn Thomas fod perthyn i gymuned a ddiffinnid ar sail iaith yn golygu nad oes camwahaniaethu yn erbyn neb ar sail hil:

> A, rhywsut, gan mai Cymro Cymraeg oedd Caradog Wyn
> Roedd yn rhaid wrth ddieithryn i sylweddoli
> Ei fod o yn ddu.

Does dim dwywaith mai bwriad Gwyn Thomas yma yw awgrymu mai cymdeithas egalitaraidd yw'r gymdeithas Gymraeg lle mae cynneddf agored fel iaith yn bwysicach na rhyw nodweddion biolegol a chaeedig megis hil, lliw croen neu waedoliaeth. Honnir bod y gymdeithas yn lliwddall, a thybir bod hynny'n beth da. Dywed Gwyn Thomas am y faciwî du a fu yn ei ddosbarth ysgol: 'ar ôl i newydd-deb lliw ei groen basio heibio – a hynny'n fuan iawn – yr oedd o i ni fel un ohonom ni. Yr adeg honno yr oedd yna fwy o wahanrwydd mewn Saesneg parhaol na lliw croen.'[30]

Byddai rhai Cymry croenddu yn cytuno â dadansoddiad o'r fath. Cymro Cymraeg croenddu mwyaf adnabyddus Blaenau Ffestiniog heddiw yw Dafydd Lloyd Hughes, a ddaeth i enwogrwydd fel DJ ar wasanaeth cymunedol BBC Radio Cymru, Radio Bro Blaenau. Yn 2008, fe'i hetholwyd yn Gynghorydd Sir dros Ward Bowydd a Rhiw, Blaenau Ffestiniog – y Cymro Cymraeg croenddu cyntaf i gynrychioli cymuned Gymraeg ei hiaith ar gyngor sir. Ei lysenw yn lleol yw Dafydd Ddu, a haera mai tipyn o dynnu coes lleol, ac 'nid rhagfarn hiliol ydi peth felly' oherwydd 'mae gan bawb ei ffugenw yn y Blaenau'.[31] Yn wir, mae'n honni nad yw erioed wedi profi hiliaeth yn y dref. Safbwynt tebyg i un 'Du Gwyn (1946)', sef bod cymunedolaeth ardaloedd Cymreig diwydiannol yn creu ymwybyddiaeth wrth-hiliol, sydd gan Alfie Lawes, brodor croenddu o Gwm Rhondda: 'I'm Alfie Lawes of Maerdy, that's how they know me. My colour doesn't mater one iota ... I was brought up in the mountains and when I die I'll be buried beneath the mountains and that's it.'[32]

Ond nid yw pawb croenddu yng Nghymru yn cefnogi dadleuon iwtopaidd o'r fath. Brodor o Landudno yw'r academydd Charlotte Williams, a merch a fagwyd yno gan ei mam, Cymraes Gymraeg groenwyn, tra gweithiai ei thad, dyn du o Guyana, dramor. Maen tramgwydd dadl 'Du Gwyn (1946)' iddi hi fyddai'r ensyniad bod rhaid cefnu ar hunaniaeth ethnig leiafrifol, sef hunaniaeth groenddu, er mwyn ennill parch diwylliannol yn y gymuned ethnig 'normadol', sef mewn cymuned groenwyn. Fe allai ei sylwadau ar y profiad o gyfoedion ysgol croenwyn yn taeru na sylwent ei bod yn ddu fod yn feirniadaeth ar liwddallineb trydydd pennill 'Du Gwyn (1946)':

> Small town thinking has its own way of muffling the clang of difference. Its ambivalence renders you at one and the same time

> highly invisible and punishingly visible. "We never really noticed you were coloured . . .", old school friends say in self-congratulatory style as if the netball strip and the team spirit were the ultimate equalisers. How could they know of the daily efforts of trading bits of yourself for white acceptance? The accomplished way in which I myself denied aspects of my difference to comfort them?[33]

Digon dadleuol felly yw honni mai rhinwedd yw bod pawb yn y gymdeithas yn rhannu'r un gwerthoedd diwylliannol. Diystyrir etifeddiaeth Affro-Americanaidd Caradog Wyn, eithr eironi'r rhesymeg hon yw mai dyma'r math o ddadl a ddefnyddwyd yn erbyn yr iaith Gymraeg droeon. Egalitariaeth yw sylfaen theoretig y sawl sy'n dadlau y byddai'n well i'r iaith Gymraeg ddiflannu, ac i bawb ymdoddi i ddiwylliant Saesneg y mwyafrif. Dadl yn erbyn amlddiwylliannedd sydd yn y rhan hon o 'Du Gwyn (1946)' yn y bôn.

Mae'r pedwerydd pennill yn cyflwyno prif gymeriad ail hanner y gerdd, 'masnachwr carpedi o'r dwyrain'. Ceir golwg hynod ystrydebol ar nodweddion ethnig yr Indiad hwn. Cartŵn o ddisgrifiad, trymlwythog o Ddwyreinioldeb, gyda'i sôn am dyrbanau, camelod a charpedi. Aelod o'r gymuned Indiaidd Brydeinig ydyw, ac yn perthyn fel cymeriadau Affro-Americanaidd a Chymraeg y gerdd i leiafrif. Nid rhyw hiliaeth anymwybodol yw'r disgrifiad dwyreiniedig ohono, serch hynny, ond ymdrech i ddangos bod gan ddiwylliannau lleiafrifol y gerdd rywbeth yn gyffredin. Mae motiff dwyreiniol y carped yn un sy'n llawn hudoliaeth, yn union fel fŵdw y diwylliant Affro-Americanaidd a'r newid ffurfiau yn Chwedl Taliesin y Cymry Cymraeg. Natur hudol a llithrig ethnigrwydd yw prif thema 'Du Gwyn (1946)', ac adlewyrchir hyn yn y nodweddion lledrithiol a briodolir i wahanol ddiwylliannau'r gerdd. Ond mae swyngyfaredd hefyd yn nodwedd ar y diwylliannau lleiafrifol hyn am eu bod i gyd wedi eu diffinio i ryw raddau gan drefedigaethedd. Tueddai rhethreg trefedigaethedd i honni fod hunaniaethau 'ethnig' o'r fath yn israddol, yn wrthresymegol, ac felly'n 'hudol' mewn rhyw ffordd neu'i gilydd.

Y peth mwyaf arbennig am 'Du Gwyn (1946)' yw ei bod yn archwilio gwrthdrawiadau, cyffelybiaethau a chyfnewidiadau posib rhwng gwahanol hunaniaethau mewn diwylliannau lleiafrifol.

I'r Cymry Cymraeg hunanymwybodol, nid oes fel arfer ryw gymhlethdod mawr ynglŷn â hunaniaeth leiafrifol. Mae brwydr lleiafrifoedd ethnig yn gyfiawn, yn union fel y mae'r frwydr dros yr iaith Gymraeg yn gyfiawn. Diwylliant mwyafrifol yw diwylliant gwyn, a diwylliant mwyafrifol yw'r un Saesneg, ac nid oes raid ymboeni yn eu cylch yn ormodol wrth ymgyrchu dros ddiwylliant lleiafrifol megis y diwylliant du, neu'r diwylliant Cymraeg. Mae gan Gwyn Thomas gerddi yn mynegi'r safbwynt hwn: cerddi megis 'Sbaeneg Párk Sinema' ac 'Ym Manchester'.[34] Fodd bynnag, mae'n fater mwy cymhleth pan yw diwylliannau lleiafrifol yn dod i gyswllt â'i gilydd fel sy'n digwydd yn 'Du Gwyn (1946)'. Nid yw pethau wedyn mor amlwg ddu a gwyn.

Ceir ymwybyddiaeth o dyndra rhwng lleiafrifoedd mewn cerddi eraill gan Gwyn Thomas. Yn ei gerdd 'Y Ffoadur' cyflwynir cymeriad academaidd sy'n wrthwynebus i ddefnydd o'r Gymraeg mewn prifysgolion.[35] Iddew yw'r Athro Bruno Heidegger, ffoadur o'r Almaen, ac wfftia at y Gymraeg am ei fod yn casáu cenedlaetholdeb. Enghraifft bwysig o dyndra rhwng dau ddiwylliant lleiafrifol yw hyn. Bu academyddion Iddewig a ffoes rhag Ffasgaeth canolbarth Ewrop ymhlith beirniaid mwyaf miniog yr ugeinfed ganrif ar genedlaetholdeb fel theori wleidyddol, a chynhwysent genedlaetholdeb lleiafrifoedd yn eu condemniad cyffredinol. Mae ymateb 'Y Ffoadur' i wewyr yr Athro Heidegger yn soffistigedig, yn ddyneiddiol ac yn cynrychioli safbwynt y cenedlaetholwr lleiafrifol. Haera fod seiliau seicolegol ac emosiynol dilys i ofn Herr Heidegger o genedlaetholdeb cenhedloedd bychain, ac esgusodir i raddau ei gamargraff ohono: er hyn, dywedir yn ddigon clir bod ei wrthwynebiad i'r Gymraeg yn anghywir, ac yn ormes ar leiafrif.

Mae rhesymeg debyg yn sail i bumed pennill 'Du Gwyn (1946)'. Cydnabuwyd ynghynt yn y gerdd y gall fod bai ar Gymry Cymraeg am agwedd ddi-hid at dreftadaeth Affro-Americanaidd Caradog Wyn, a'i hawl i hunaniaeth ddu. Ond cwestiwn yr un mor ddilys yw gofyn a fyddai'r gymuned groenddu, Saesneg ei hiaith, yn barod i dderbyn pob agwedd ar hunaniaeth Gymraeg Caradog Wyn? Dadlennol yn hyn o beth yw sylwadau Charlotte Williams am hunaniaeth Gymraeg ei hiaith: 'The black and ethnic-minority communities of Wales [...] may find a Welsh nationhood located in the Welsh language inaccessible and meaningless.'[36] Dengys yma gryn ansensitifrwydd tuag at hunaniaeth ieithyddol Cymry Cymraeg croenddu. Un safbwynt yn unig yn y gymuned Gymreig groenddu yw un Charlotte Williams, ond prawf na ddylid cymryd yn ganiataol y bydd cynrychiolwyr o'r diwylliant Cymraeg a'r diwylliant du yn gefnogol i'w gilydd am y rheswm syml mai aelodau o leiafrifoedd ydynt.

Yn y pumed pennill hollbwysig hwn, ceir cyfarfod rhyfeddol ar Taliesin Teras rhwng yr Indiad a Caradog Wyn. Yn ôl y diffiniadau hil a arferid ym Mhrydain yn y saithdegau a'r wythdegau, ystyrid pawb nad oedd yn groenwyn yn groenddu. Mewn cerdd Gymraeg a gyfansoddwyd yn y cyfnod hwn, mae'n naturiol i Indiad gael ei alw hefyd yn 'ddyn du'. Mae'n ddadlennol felly fod yr Indiad 'brown golau ei wawr', ond gwleidyddol ddu hwn, yn cyfarch Caradog Wyn yn y Saesneg: 'Hello, young sonny, is your mother wanting a carpet?' Rhagdybia'n ddidaro mai Saesneg yw iaith gyhoeddus y gymdeithas, a bod Caradog Wyn yn ei medru. Ond pan glyw y Saesneg, fe drewir Caradog Wyn yn fud.

'Nid ymddangosai,' medd y gerdd, 'fel petai wedi deall yr ymholiad'. Lliw croen y masnachwr yw'r prif reswm dros ei syndod. Ond gan fod Caradog yn ifanc, ac yn byw mewn cymuned chwarelyddol yng Ngwynedd ym mhedwardegau'r ugeinfed ganrif, mae'n debyg y gellid cael esboniad arall, sef nad yw'n deall Saesneg. Yn wir, dywed fersiwn Saesneg y gerdd, 'Welsh Black (1946)', hynny'n ddigon plaen: 'he spoke only Welsh.'

Mae i unieithrwydd Cymraeg Caradog Wyn ei oblygiadau ideolegol. Ei effaith yw pwysleisio ei Gymreictod a'i aelodaeth o gymuned sy'n honni bod iaith yn bwysicach na hil. Ei effaith anochel arall yw pwysleisio dieithrwch yr iaith Saesneg. Cyflwynir yr Indiad fel siaradwr Saesneg, a chan hynny fel ffigwr estron. Gŵr tebyg ydyw mewn gwirionedd i dad Caradog Wyn, y siaradwr Saesneg croenddu, Amos Susili Jones. (Nid yw hyn heb ei eironïau ychwaith. Dichon y medrai'r Indiad sawl iaith Indiaidd, tra bo'r gymuned Affro-Americanaidd yn un a gollodd ei gafael ar ei hieithoedd Affricanaidd brodorol o dan bwysau caethwasanaeth.)

Perthyn Amos Susili Jones a'r Indiad i fwyafrif ieithyddol. Ac i'r graddau hynny mae'n bosib y bydden nhw'n cael Caradog Wyn yn greadur od a digon ecsentrig. Ond o safbwynt hil, aelodau o leiafrifoedd ydynt, a hyn sy'n diffinio eu hunaniaeth hwythau. Felly pan ddaw Caradog Wyn wyneb yn wyneb â'r Indiad yn y chweched pennill, er na ddealla ei leferydd Saesneg, mae'n dirnad yn iawn ei arwyddocâd symbolaidd. Mae'n rhedeg i'r tŷ gyda'i wynt yn ei ddwrn tan weiddi: 'Mâm, mâm, sbïwch, dyn du yn dŵad!'

Pam mae Caradog Wyn yn ymateb fel hyn? Ai oherwydd fod ei fagwraeth mewn cymdeithas groenwyn wedi peri iddo golli gafael ar ei hunaniaeth ddu, ac ymateb i ymweliad yr Indiad yn ôl canllawiau motiff y plentyn croenwyn sy'n synnu wrth weld dyn du am y tro cyntaf? Dyna fyddai'r darlleniad mwyaf eironig o'r gerdd. Mae mwy o sail iddo yng ngeiriau amheuol fersiwn Saesneg 'Welsh Black (1946)' – 'Caradog Wyn was black, may be, / But he was also Welsh, you see.' – nag yn 'Du Gwyn (1946)'. Ond mae'n debycach bod Caradog Wyn, er gwaethaf ymdrechion ei gymdeithas i beidio â chrybwyll ei ethnigrwydd, yn arddel hunaniaeth groenddu o hyd. Pan ddaw'r Indiad i riniog y drws, mae fel pe bai Amos Susili Jones ei hun yn sefyll yno. Hyn sy'n esbonio syfrdandod a gorfoledd Caradog. Y geiriau hyn – 'Mâm, mâm, sbïwch, dyn du yn dŵad!' – yw'r weithred olaf o 'am-rithio', chwedl Ifor Williams, yn y gerdd. Ennyd o drawsffurfiad personol ydyw, yn lleisio'r hyn a wyddai Caradog Wyn am ei gefndir ei hun erioed, ond nas mynegodd. Nid oes amheuaeth bellach nad dyn du yw Caradog Wyn.

Ar ddiwedd 'Du Gwyn (1946)' ceir cwpled didactig ac esboniadol. Byddai'r gerdd yn fwy cynnil pes eithrid. Ond cwpled diddorol ydyw, serch hynny, gan ei fod yn cyflwyno safbwynt ideolegol Gwyn Thomas parthed hunaniaeth Caradog Wyn, ac yn ateb nifer o'r posau ideolegol a gafwyd ynghynt yn y gerdd:

> Roedd Caradog Wyn yn ddu, yn ddiwrthdro,
> Ond, yr un mor sicir, yr oedd o yn Gymro.

Yn y fersiwn Cymraeg, o leiaf, ymddengys fod Gwyn Thomas am gywiro'r caff gwag ideolegol mai dim ond dieithryn a sylwai fod Caradog Wyn yn ddu.

Mwyafrifol ar un olwg yw'r diwylliannau Cymraeg a chroenddu ym Mlaenau Ffestiniog: y cyntaf o ran lliw croen, yr olaf o ran ei ddefnydd o Saesneg fel iaith gyhoeddus. Ond lleiafrifol ydynt hefyd: y gymuned Gymraeg o ran iaith, a'r gymuned groenddu o ran hil. Ond nid yw Caradog Wyn, y mab i Affro-Americanwr, yn perthyn i unrhyw fwyafrif. Mae wedi etifeddu lleiafrifaeth ei fam, a lleiafrifaeth ei dad: lleiafrif ydyw, o ran iaith a chroen.

Yn 'Du Gwyn (1946)' mae hogyn du yn cael ei fagu yn un o drefi Cymreiciaf Cymru, yn uniaith Gymraeg. Ni all neb amau ei Gymreictod. Fe ymdrecha'r gymdeithas i'w warchod rhag effeithiau gwaetha' hiliaeth trwy bwysleisio ei hawl i berthyn. Ond am fod y gymuned Gymraeg hon yn un groenwyn, mae'n dewis gwadu gwreiddiau Affro-Americanaidd Caradog Wyn. Mae'r gymuned groenddu am ei arddel, ond ni all ddirnad ei dreftadaeth ieithyddol. Fe bair y ddau ddieithrwch hyn loes mawr i Caradog Wyn, ac fel y bardd chwedlonol Taliesin chwilia am fyd-olwg newydd, trawsffurfiad newydd ar hen hunaniaeth.

NODIADAU

1 Gweler, er enghraifft, E. Wyn James, 'Caethwasanaeth a'r Beirdd, 1790–1840', *Taliesin*, 119, (Haf 2003), tt. 37-60; Jerry Hunter, *Llwch Cenhedloedd: Y Cymry a Rhyfel Cartref America* (Llanrwst: Gwasg Carreg Gwalch, 2003).

2 Derec Llwyd Morgan, '"Canys bechan yw": Y Genedl Etholedig', *Y Beibl a Llenyddiaeth Gymraeg* (Llandysul: Gwasg Gomer, 1998), t. 71–92.

3 Saunders Lewis, 'Cwrs y Byd', *Baner ac Amserau Cymru*, 13 Ionawr 1943. Dyfynnir yn T. Robin Chapman, *Un Bywyd o Blith Nifer: Cofiant Saunders Lewis* (Llandysul: Gwasg Gomer, 2006), t. 259.

4 T. J. Davies, *Martin Luther King* (Abertawe: Gwasg John Perry, 1969).

5 Gwyn Thomas, 'Arwr: Ugeinfed Ganrif', *Y Pethau Diwethaf* (Dinbych: Gwasg Gee, 1975), t. 35.

6 Gwyn Thomas, 'Parrot Carrie Watson', *Am Ryw Hyd* (Dinbych: Gwasg Gee, 1986), tt. 46–7: 'Roedd yno'n wir ryfeddod, / Sef neuaddaid o enethod – / Du yn unig – / A gynigiai i'r bonheddig – / Gwyn yn unig – / Bob math o swynion cnawdol mwynion / Dan arolygaeth Carrie Watson.'

7 Gwyn Thomas, 'Cadwynau yn y Meddwl', *Cadwynau yn y Meddwl* (Dinbych: Gwasg Gee, 1976), tt. 7–26.

8 'Cadwynau yn y Meddwl', t. 7.

9 'Cadwynau yn y Meddwl', t. 23.

10 R. Gareth Edwards, 'Sylwadau ar Gerdd Deledu', *Y Traethodydd*, CXXXII, 564 (Gorffennaf 1977), 122; 'Cadwynau yn y Meddwl', t. 25.

11 Gohebiaeth bersonol at Simon Brooks, 9 Ebrill 2007.

12 Gohebiaeth bersonol.
13 'Sylwadau ar Gerdd Deledu', t. 119.
14 Gwyn Thomas, 'Du Gwyn (1946)', *Wmgawa* (Dinbych: Gwasg Gee, 1984), tt. 37–38.
15 Gohebiaeth bersonol.
16 Gohebiaeth bersonol.
17 Gohebiaeth bersonol.
18 D. J. Williams, *Yn Chwech ar Hugain Oed* (Aberystwyth: Gwasg Aberystwyth, 1959), t. 152.
19 John Roberts Williams a Geoff Charles, *Yr Etifeddiaeth*, 1949. Dyfynnir yn Gwenno Ffrancon, *Cyfaredd y Cysgodion: Delweddu Cymru a'i Phobl ar Ffilm, 1935–1951* (Caerdydd: Gwasg Prifysgol Cymru, 2003), tt. 23–33.
20 Gweler, er enghraifft, Hazel Carby yn ei darlith anghyhoeddedig, 'Brown Babies: The Birth of Britain as a Racialized State, 1943–1948'. Ceir fideo o'r ddarlith hon ar wefan Prifysgol Harvard, http://www.radcliffe.edu/events/lectures/2006_carby.php [gwelwyd 15 Tachwedd 2007]. Rwy'n ddiolchgar i Daniel Williams am y cyfeiriad.
21 Gohebiaeth bersonol.
22 T. J. Morgan a Prys Morgan, *Welsh Surnames* (Caerdydd: Gwasg Prifysgol Cymru, 1985), tt. 15–24.
23 Rwy'n ddiolchgar i Dafydd Johnston am yr awgrym treiddgar hwn.
24 Simon Brooks, '"Yr Hil": Ydy'r Canu Caeth Diweddar yn Hiliol?' yn Owen Thomas (gol.), *Llenyddiaeth mewn Theori* (Caerdydd: Gwasg Prifysgol Cymru, 2006), tt. 1-38.
25 *Yn Chwech ar Hugain Oed*, tt. 101, 108. Yn od iawn, disodlir 'fel negro o galed' gan 'fel niger o galed' yn yr ail argraffiad (1964).
26 Bobi Jones, 'Portread o Acw', *Yr Ŵyl Ifori: Cerddi Affrica* (Llandybïe: Llyfrau'r Dryw, 1967), tt. 62–63.
27 John Elias, 'Ai am fy meiau i' yn *Llyfr Emynau y Methodistiaid Calfinaidd a Wesleaidd* (Caernarfon: Llyfrfa'r Methodistiaid Calfinaidd a Bangor: Llyfrfa'r Methodistiaid Wesleaidd, dim dyddiad), t. 85. Gweler hefyd E. Wyn James, *Dechrau Canu [:] Rhai Emynau Mawr a'u Cefndir* (Pen-y-bont ar Ogwr: Gwasg Efengylaidd Cymru, 1987), t. 30. Yn y Beibl, gweler Eseia 1:18; Actau 8.
28 Dyfynnir yn Ifor Williams, *Chwedl Taliesin* (Caerdydd: Gwasg Prifysgol Cymru, 1957), t. 7.
29 *Chwedl Taliesin*, t. 9.
30 Gohebiaeth bersonol.
31 'Y Dafydd Du go iawn!', *Cymru'r Byd*: http://www.bbc.co.uk/cymru/lleisiau/blaenau/newyddion/dafydd-du.shtml [gwelwyd 29 Awst 2007].
32 BBC Radio Wales, 'The Century Speaks: Voices of Wales', darlledwyd ym

1999. Dyfynnir yn Charlotte Williams, 'Can we Live Together? Wales and the Multicultural Question', *Transactions of the Honourable Society of Cymmrodorion* (2004), tt. 224–25.

33 Charlotte Williams, '"Colour in the Pictures": Stories from a Childhood in Wales', *Planet*, 125, (Hydref/Tachwedd 1997), t. 25.

34 Gwyn Thomas, 'Sbaeneg Párk Sinema', *Wmgawa*, tt. 17-18; Gwyn Thomas, 'Ym Manchester', *Am Ryw Hyd*, tt. 60–61.

35 Gwyn Thomas, 'Y Ffoadur', *Y Pethau Diwethaf* (Dinbych: Gwasg Gee, 1975), t. 10.

36 Charlotte Williams, 'Passports to Wales? Race, Nation and Identity' yn Ralph Fevre ac Andrew Thompson (goln.), *Nation, Identity and Social Theory: Perspectives from Wales* (Caerdydd: Gwasg Prifysgol Cymru, 1999), t. 86.

TYSTIO 2

GERDDI DIRGEL EIN MAMAU: DARGANFOD ALICE WALKER

Helen Mary Jones

Rwy'n teimlo braidd yn lletchwith wrth gychwyn yr ysgrif hon. Nid wy'n academydd, a dw' i ddim yn medru cynnig dadansoddiad o waith Alice Walker, na chwaith yn medru trafod ei chredoau gwleidyddol hi. Na, does gen i ddim byd i'w gynnig ond fy ymateb personol iawn i'w gwaith hi, gan ganolbwyntio'n fwyaf arbennig ar *In Search of Our Mothers' Gardens* (1984). Mae'r llyfr hwnnw'n golygu llawer iawn i mi, oherwydd fe'm galluogodd i osod trefn ar fy argyhoeddiadau gwleidyddol, ac fe dawelodd fy meddwl ynghylch y llwybr rôn i wedi ei ddewis ar fy nghyfer fy hun.

Ond wedi cyffesu hynny, mae'n bwysig iawn 'mod i'n pwysleisio na fynnwn i ddim awgrymu am eiliad bod modd cymharu profiadau menywod duon y Taleithiau â sefyllfa'r fenyw yma yng Nghymru. Mae'n berffaith glir, er enghraifft, nad yw ymadrodd Alice Walker, 'Women of Colour', yn gweddu i'm sefyllfa i yma. Sen fyddai i mi awgrymu'r gwrthwyneb, o gofio am ddioddefaint arswydus yr Affro-Americaniaid a'u brwydr hir a dewr yn erbyn gormes. Ac yn wir, mae'n bwysig ein bod ni'n cydnabod y bu gennym ni, fenywod Cymru, er mawr gywilydd, ein cyfran yn y gorthrymder hwnnw. O gofio am brofiadau erchyll menywod tywyll eu croen, fe sylweddolwn fod y darostyngiad rŷn ni wedi gorfod ei wynebu yma yn llawer llai treisgar ac yn llawer llai ingol na hynny. Rwy'n sylweddoli, felly, nad profiadau Alice Walker fel y cyfryw a olygodd gymaint i mi, ond yn hytrach y modd yr aeth hi i'r afael â nhw a'u trechu.

Gadewch i mi, felly, edrych dros fy ysgwydd, gan syllu yn ôl ar gyfnod yr wythdegau cynnar. Dyna ichi gyfnod anffodus, ac anghyfforddus, i fod yn ymgyrchwraig dros iawnderau menywod, neu i fod yn sosialydd, neu i fod yn genedlaetholwraig. Yn wir, man a man i mi gyffesu'n blwmp ac yn blaen ei fod yn gyfnod diflas dros ben ar bron bob cyfri. Wedi'r cyfan, er bod menyw yn Brif Weinidog, doedd ganddi hi ddim y gronyn lleia' o ddiddordeb mewn cefnogi menywod eraill, heb sôn am eu cynorthwyo nhw i ennill cyfiawnder i'w rhyw. Yn hytrach, roedd ei bryd hi'n gyfan gwbl ar ymosod ar yr Undebau Llafur a phob sefydliad tebyg (megis Cyngor Llywodraeth Llundain, y GLC) yr oedd mudiadau'r chwith yn eu cefnogi. Ac wrth gwrs, pwy all anghofio 1979 – y flwyddyn pryd y chwalwyd pob gobaith am Senedd i Gymru?

Yr adeg honno, felly, rôn i'n llawn dicter, ac yn teimlo'n rhwystredig i'r eithaf. Ac yn araf bach, fe ddes i sylweddoli fod gair eisoes yn bod a fedrai grisialu fy nyheadau angerddol. Y gair hwnnw oedd ffeministiaeth. Fel y sylweddolwch chi, fe ddaeth y darganfyddiad yma i mi braidd yn hwyr yn y dydd – roedd y mudiad ffeministaidd wedi dechrau codi stêm ddegawd a mwy ynghynt, ac felly fe gollais y cyfle i araf ymgynefino â holl oblygiadau deallusol safiad y menywod. Erbyn i'r dydd wawrio yn fy achos i, roedd hi bellach yn amser nid i bendroni ond yn hytrach i weithredu. Dyma gyfnod creu llochesau ar gyfer menywod oedd wedi cael eu cam-drin, a dyma gyfnod y frwydr i weddnewid y pleidiau gwleidyddol a oedd wedi bod yn gadarnleoedd gwrywod am yn hir. Nid cyfnod oedd hwn i ni fenywod syllu ar ein bogeiliau'n hunain neu rannu'n teimladau a sgwrsio am ein profiadau. Doedd ganddon ni ddim amser i faldodi'n hunain, na chwaith i ddechrau pwyso a mesur ein cyflwr yn bwyllog ac yn oeraidd yn y ffordd rôn i wedi arfer ei wneud yn y coleg. Ar ben hynny, roedd y mudiad ffeministaidd rôn i wedi dod ar ei draws yn ymddangos i mi yn Seisnig iawn ei naws, ac yn gynnyrch dosbarth canol breintiedig Lloegr. Fedrwn i ddim cytuno, er enghraifft, â sylw enwog Virginia Woolf: 'I am a woman, therefore I have no country.' Fedrai'r rheiny oedd yn weithgar yn y mudiad ffeministaidd yn Lloegr ddim deall fy awydd ysol i sicrhau rhyddid i'm cenedl – a hynny er eu bod nhw'n barod iawn i gefnogi ymdrechion pobloedd eraill ledled y byd i ddianc o afael llywodraethau trefedigaethol.

Fe ymunais i â Phlaid Cymru ym 1979, yn syth ar ôl i'r mesur i sicrhau Senedd i Gymru gael ei drechu. Rôn i'n methu'n lân â chredu fod unrhyw wlad dan haul yn gallu dewis cefnu ar y cyfle i sicrhau ei rhyddid! Ac yn wyneb y sioc hwnnw, rôn i'n teimlo – gyda'r hyfdra sydd, weithiau, yn nodweddu'r ifanc – fod dyletswydd arna' i i wneud rhywbeth ynghylch sefyllfa fy nghenedl. Ond ar ôl i mi ymuno â'r Blaid, fe ges sioc arall, oherwydd fe sylweddolais i'n eithaf cyflym 'mod i'n aderyn brith, oherwydd 'mod i'n ots i bawb arall. Rôn i wedi cael fy ngeni yn Lloegr; dôn i ddim yn siarad Cymraeg; ac rôn i'n ffeminist danbaid, huawdl. Roedd hyn i gyd yn gwbl groes i'r graen ar y pryd. Priod ddyletswydd y ferch, bryd hynny, oedd cynnal y gŵr a'r teulu. A'r teimlad cyffredinol, hyd yn oed ymhlith y rheiny a oedd yn gefnogol i achos y menywod, oedd 'gadewch inni gael trefn ar ein cenedl yn gyntaf, ac wedyn fe allwn ni ddechrau ystyried cyflwr y ferch ar ôl hynny'. Gwrywod oedd arweinwyr y Blaid i gyd, wrth gwrs. Ac eto, dyma fi, merch oedd yn athrawes bryd hynny yn y Coed Duon, yn dod wyneb yn wyneb bob dydd â chyflwr y cymunedau gweithfaol ac yn ymwybodol o sefyllfa'r menywod dan yr amgylchiadau hynny. Rôn i ar dân i wneud rhywbeth i'w helpu nhw. Roedd yn rhaid newid eu sefyllfa nhw rywsut.

Rôn i'n darllen *Spare Rib* bob wythnos, ac fe fedrwn i uniaethu'n llwyr â'r dicter a leisiwyd gan y cyfranwyr cyson i'r cylchgrawn hwnnw. Ond nid fy myd i oedd eu byd hwy. Fedrwn i ddim derbyn eu cyngor na ddylwn i gydweithio â dynion er budd unrhyw achos gwleidyddol. A'r un modd, fedrwn i ddim cytuno chwaith â barn y dynion a arweiniai'r Blaid ar y pryd (ynghyd â barn ambell fenyw a oedd yn weithgar yn y mudiad cenedlaethol) nad oedd ffeministiaeth Brydeinig yn berthnasol i'n hymdrechion ni yma yng Nghymru.

Fe wyddwn i ym mêr fy esgyrn eu bod nhw i gyd yn cyfeiliorni. Fe lwyddais i feithrin perthynas dda â rhai cyd-ymgyrchwyr (boed nhw'n fenywod neu yn ddynion), ond rôn i'n dal i deimlo'n unig ac yn ddig am y rhan fwyaf o'm hamser. A dyna pryd y des i ar draws Alice.

Rôn i eisoes wedi darllen llawer o'i nofelau hi. A dweud y gwir yn onest rôn i wedi eu llarpio nhw, am fy mod i wedi fy nghyfareddu'n llwyr gan eu pŵer i ddwyn byd estron yn fyw gerbron llygaid y dychymyg, eu gallu i fynegi loes arteithiol, a'r ffydd a leisiwyd ynddyn nhw am rym achubol cariad ac amser. Fe brynais i *In Search of Our Mothers' Gardens*, felly, gan gredu mai nofel arall oedd hi. Fedra' i ddim cofio'r union adeg, ond fe fedra' i gofio'n glir i mi ddarllen y gyfrol am y tro cyntaf wrth deithio ar fws Traws Cambria. Ac ar ôl i mi ei darllen hi, dyma ailddarllen ac yna droi ati am y trydydd tro. Fe wyddwn i'n syth, a hynny'n reddfol rywsut, y byddai hi, Alice, yn fy neall – y medrai hi ddeall fy sefyllfa i i'r dim.

Mae'n disgrifio, er enghraifft, y modd na fedrai ffeministiaid gwyn eu croen amgyffred profiadau merched croen tywyll o gael eu cam-drin yn hiliol. Yn yr ysgrif 'To the Editors of Ms. Magazine' mae'n disgrifio'r berthynas anodd rhwng Affro-Americaniaid ac Iddewon. Yn yr olygfa agoriadol mae'r Iddewes a'r awdures yn cael eu cythruddo gan gerddoriaeth hiliol mewn tŷ bwyta, tra bod y ferch wen arall nad yw'n perthyn i unrhyw leiafrif yn gwbl fyddar i'r cyfeiriadau hiliol yn y caneuon:

> There is a close, often unspoken bond between Jewish and black women that grows out of their awareness of oppression and injustice, an awareness many gentile women simply do not have. For example, last year at the height of publicity about the Atlanta child murders I visited a small college in middle Ohio to read poetry. Two women, a white Jew and a white gentile, met me at the airport and drove me to a restaurant for dinner. I was wearing two green ribbons [in solidarity with the children and mothers of Atlanta], one on my overcoat and another on my sweater. As soon as the four white people at the opposite table noticed this (and perhaps it was merely my colour they noticed) they ordered the piano player at the front of the room to strike up "Mammy's Li'l Baby Loves Shortnin' Bread," which they sang at the top of their lungs (the two women – a visual obliteration of the possibility of interracial woman bonding – hanging onto the men like appendages) and at the end of each stanza, after "Called for the doctor, the doctor said . . ." they added ". . . and another one dead!" with emphasis, foot-stomping, and hoots of hickish laughter. When they finished this, they clamoured for a rendition of "Sweet Georgia Brown" which the piano player claimed (mercifully) not to know.
>
> The Jewish woman and I froze the moment the singing began. The gentile woman placidly ate her meal. Eventually the singers left and the Jewish woman said: "We have to do something about this." "Yes," I said. The gentile woman said: "What's the matter?"
>
> The Jewish woman explained to her.
>
> And *she* said: "Oh, I noticed they were singing loud, but when I realized it wasn't anything against women, I just ignored them."

Yr un fath, y mae Alice yn mynegi ei dicter mawr at yr ymateb negyddol a gafodd hi pan feiddiodd hi sôn am hunanladdiad merched tywyll eu croen mewn cynhadledd academaidd oedd yn trafod y testun 'The Black Woman: Myths and Reality':

> [T]he week before, I had visited Sarah Lawrence [University] (where I was at the time a member of the board of trustees impersonator) and had been told in grisly detail of the suicide of one young woman. She had been ridiculed by the black men on campus because she dated white guys (meanwhile, these black guys dated white girls and each other). She couldn't take it. She killed herself. That same week, a young Oriental girl had jumped to her death from a window at Radcliffe. And from all sides I had been hearing how impossible it was becoming to be a young woman of color. It appeared that any kind of nonconformity was not permitted.
>
> What occurred when . . . I brought all this up, however, was nothing short of incredible. There was no response whatsoever to the increased suicide rate among young women of color. Instead, we were treated to a lecture on the black woman's responsibilities to the black man. I will never forget my sense of horror and betrayal when one of the panelists said to me (and to the rest of that august body of black women gathered there): "The responsibility of the black woman is to support the back man; whatever he does."
>
> It occurred to me that my neck could be at that minute under some man's heel, and this woman would stroll by and say, "Right on."
>
> I burst into the loudest tears I've ever shed. And though I soon dried my face, I didn't stop crying inside for . . . Maybe I haven't stopped yet.

Yn hyn oll, fe fedrwn i gael rhyw adlewyrchiad o fy mrwydrau i fy hunan, er mor dila yr ymddangosai'r rheini ochr yn ochr â'i phrofiadau hi. Ond yr hyn oedd bwysicaf o bell ffordd oedd nid ei dioddefaint hi ond yn hytrach ei hymateb buddugoliaethus iddo fe. Hynny a'm cadwodd i frwydro fy ffordd ymlaen ar hyd y llwybrau anodd yr oeddwn i'n ceisio eu dilyn.

Y mae Alice Walker yn *gwrthod* esgusodi a chefnogi dynion duon sy'n euog o gamymddwyn. Mae'n sgrifennu'n deimladwy iawn am y drwg y mae hiliaeth wedi ei wneud iddyn nhw, ond mae hi hefyd yn eu herio nhw i newid, a hynny mewn ffordd hynod bersonol yn

'Brothers and Sisters'. Yr un modd, mae'n gwrthod gadael i fenywod gwyn eu croen anwybyddu'r hiliaeth ym mêr eu hesgyrn nhw'u hunain na diystyru brwydrau pobl dywyll eu croen. I ddisgrifio'i safiad mae'n bathu term arbennig ar ei chyfer ei hun – 'Womanist':

> **Womanist** 1. From womanish (Opp. of "girlish," i.e., frivolous, irresponsible, not serious). A black feminist or feminist of color. From the black folk expression of mothers to female children, "You acting womanish," i.e., like a woman. Usually referring to outrageous, audacious, courageous or *willful* behaviour. Wanting to know more and in greater depth than is considered "good" for one. Interested in grown-up doings. Acting grown up. Being grown up. Interchangeable with another black folk expression: "You trying to be grown." Responsible. In charge. *Serious.*

Fedra' i ddim mabwysiadu'r union derm hwnnw, wrth gwrs, am nad wy'n fenyw ddu. Ond fe fedraf uniaethu'n llwyr â'r achos sydd ganddi hi mewn golwg. Fe'm hysbrydolwyd i gan Alice Walker i ddal fy nhir, i fynnu fy lle oddi fewn i'm plaid ac i barhau i ymuno ym mudiad y menywod. Rôn i'n ymdrechu i greu cyfle nid yn unig i mi fy hun ond hefyd i fenywod tebyg i mi, fel y medrem ni sicrhau'r newidiadau chwyldroadol oedd eu hangen arnon ni i gyd.

Fe roddodd Alice yr hyder i mi i chwilio am fenywod tebyg i mi fy hun, a thrwy hynny i greu delwedd bwrpasol ar ein cyfer ni, fenywod Cymru. Diolch i Alice, doeddwn i ddim yn teimlo mor unig bellach, am fy mod i wedi dod o hyd i gymuned o fenywod a rannai'r un profiad â minnau. Am hynny, fe fyddaf yn ddiolchgar iddi hi am byth, ac fe fyddaf yn teimlo'n gariadus tuag ati. Erbyn hyn, mae hanner cant y cant o aelodau Senedd Cymru yn fenywod. Ffrwyth gweithredu cadarnhaol rhagweithiol (*affirmative action*) yw hynny, a diolch i Alice fe lwyddais innau i chwarae fy rhan fach yn sicrhau'r llwyddiant nodedig hwn.

Bellach rwy' wedi rhoi gweithiau Alice Walker yn anrheg i ddwsinau o fy nghyfeillion er mwyn iddyn nhw hefyd rannu'r un bendithion. Ac eto, ni fedraf ond gobeithio pan roddaf gyfrol o'i gwaith yn anrheg i fy merch fy hun na fydd hi'n medru dirnad ei harwyddocâd. Bryd hynny yn unig y bydda' i'n dawel fy meddwl fod y gwaith o sicrhau ymryddhad i fenywod wedi ei gyflawni o'r diwedd.

Wrth imi ymbaratoi i sgrifennu'r pwt hwn, fe es ati i chwilio am fy nghopi arbennig fy hun o gyfrol Alice Walker, a methu dod o hyd iddi! Tybed a o'n i wedi ei benthyg hi i rywun neu'i gilydd? Yn y diwedd, fe ges hyd iddi, a chael fod y profiad yn debyg i ddod wyneb yn wyneb â hen gyfaill. Rhaid cyfaddef, fe wnaeth y profiad i fi lefain, wrth brofi o'r newydd fy nicter at y loes mawr a brofodd hi. Ond hefyd fe ymdeimlais unwaith yn rhagor â'r nerth a sicrhaodd yn y pen draw y byddai hi'n fuddugoliaethus. Mae'n wir 'mod i'n teimlo'n rhwystredig ar brydiau am ei bod hi'n ymddangos mor benstiff. Ond ar yr un pryd fe atgyfnerthwyd yr hen gwlwm cariad rhyngom ni'n dwy. Mae iaith profiad wedi newid erbyn hyn, wrth gwrs, a hefyd fe welir rhai amgylchiadau gwahanol i'r hyn a fu, ond yn y bôn fe erys yr un hen wirioneddau. Ac ni fedraf ond diolch i Alice am sôn wrthyf amdanyn nhw. Mae sôn am chwilio am erddi dirgel ein mamau yn drosiad hyfryd sy'n cyfleu'n hymdrechion ni fenywod i ddod o hyd i hanfod ein cymeriadau ni'n hunain. Chi, Alice, a'm cynorthwyodd i ddod o hyd i erddi fy chwiorydd ac i blannu gerddi newydd iraidd ar gyfer ein merched ni. Diolch o ddyfnder calon ichi am roddi cymaint i mi, ac i ni ferched a menywod Cymru, a'r byd i gyd.

HARLEM YN GYMRAEG: CYFIEITHU 'IN DARKNESS AND CONFUSION' GAN ANN PETRY

Harri Pritchard Jones

Mae'r math o bobl fydd yn darllen y llith hwn yn sicr o fod wedi arfer â byd cyfieithu; mae'n rhan annatod o fywyd y Cymry Cymraeg erbyn hyn. Ond mi rydw i am gynnig ambell syniad sy'n deillio o fy mhrofiad i o'r pwnc, fel un sydd wedi cyfieithu rhwng y Gymraeg a'r Saesneg ac o'r Ffrangeg i'r Gymraeg. Mi gynigiais i'r math yma o syniadau mewn seminar yn Theatr y Globe yn Llundain, pan oeddwn i'n trafod cyfieithiadau o nofel Caradog Prichard, *Un Nos Ola Leuad*. Erbyn hyn mae'r nofel wedi ei chyfieithu i chwe iaith, a rhagor ar y gweill. Bu'r gwaith yma yn help mawr i fraenaru'r tir ar gyfer cyfieithu gweithiau Cymraeg eraill i wahanol ieithoedd, a goresgyn hen wrthwynebiad pobl Saesneg eu hiaith i ddarllen gwaith wedi ei gyfieithu o'r Gymraeg.

Do, fe newidiodd pethau. Cafwyd y geiriau hyn gan adolygydd y *New York Times* am nofel Caradog Prichard:

> Prichard's vision in *One Moonlit Night* is communicated in language that provides intense esthetic pleasure.

Rydyn ni i gyd yn gyfarwydd â geiriau Robert Frost am gyfieithu, ond dim ond yn ddiweddar y dechreuwyd canolbwyntio ar y broses o ddarganfod neu ailddarganfod yr hyn sy'n rhan annatod o gyfieithu unrhyw lenyddiaeth; y broses o gael hyd i'r elfennau cudd, dichonadwy mewn gwaith a hynny mewn modd cyffelyb i'r hyn sy'n digwydd wrth drawsgyweirio cerddoriaeth, o gywair i gywair neu o offeryn i offeryn.

Meddyliwch am Williams Pantycelyn yn meiddio cyfieithu emyn mawr Isaac Watt, 'When I survey the wondrous Cross'. Fe ddarganfu'r hen Bêr Ganiedydd rai delweddau yn y gwreiddiol y rhoddodd o lewyrch arnynt gan gyfoethogi'r gwaith, ond, ar y llaw arall, fe fethodd yn llwyr â throsi'r ansoddair bythgofiadwy hwnnw: 'wondrous'. Byddai'r ddau wedi mwynhau trafod yr emyn gyda'i gilydd.

Yn ei nofel ryfeddol hi, *Fugitive Pieces* (1996), mae Anne Michaels yn dweud hyn:

> Mae cyfieithu yn fath o draws-sylweddiad; mae un gerdd yn troi i fod yn un arall. Gallwch ddewis eich athroniaeth ynghylch cyfieithu yn union fel y gallwch ddewis eich ffordd o fyw; addasu'n rhydd gan aberthu manylion i ystyr, y cyfieithiad llythrennol sy'n aberthu ystyr i fanwl-gywirdeb. Mae'r bardd yn symud o fywyd i iaith, y cyfieithydd yn symud o iaith i fywyd; y ddau, fel mewnfudwyr, yn ceisio adnabod yr anweledig, yr hyn sydd rhwng y llinellau, y goblygiadau dirgel.

Mae'r cyfeiriad yna at fod yn fewnfudwr yn gwneud i mi feddwl am syniadau eraill am ystyr cyfieithu ym mywyd awdur. Mae'n ymwneud â'r mater o gynulleidfa.

Wrth gwrs, gyda chyfieithu fel gyda gweithiau gwreiddiol, rhaid i ddyn ofyn pwy yw'r gynulleidfa yr anelir ati ac ym mhle mae hi: nid, gobeithio, fel un Dylan Thomas wrth iddo ei chyfarch fel 'My reader, the strangers'. Roedd Turgenyev ym Mharis, Joyce yn Trieste, Zurich a Pharis, a Henry James hefyd yn y ddinas honno, yn ysgrifennu ar gyfer y gynulleidfa gartref – hyd yn oed y rhai a ysgrifennai yn Saesneg. Mae Beckett, efallai, yn dipyn o eithriad. Ond doedd yr un o'r rhain yn ysgrifennu am eu milltir sgwâr neu famwlad, neu am eu profiadau diwylliannol, er mwyn cynnig adloniant i gynulleidfa a fyddai, yng ngeiriau Daniel Corkery, yn chwerthin gyda 'genau estron'.

Ar y llaw arall, fe welir yng ngwaith Naipauls a Rushdies y byd yma, a hyd yn oed yn *L'Étranger*, Camus, ymddieithriad neu ddallineb yn eu perthynas gyda'r sefyllfa ddiwylliannol y maen nhw'n ei thrafod. I fod yn deg, mae nofel Camus, *Le Premier Homme*, yn cynnig darlun mwy cymhleth, wrth iddo ymdrechu i ddirnad a deall ei wreiddiau amlochrog yn Algeria.

Ai ar gyfer eu pobl eu hunain yn bennaf y mae pobl fel Naipauls a Rushdies y byd yma yn cyfansoddi? A phwy yw eu pobl? Pan oedd Edward Said yn alltud yn Efrog Newydd, roedd yn ysgrifennu yn y lle cyntaf am, ac ar ran, ei bobl ei hun, sef y Palestiniaid. Go brin fod hyn yn wir am Vidiadhar Naipaul neu Rushdie. Mae 'eu pobl' nhw wedi newid, neu wedi cael eu disodli neu eu dileu; mae eu cynulleidfa annel wedi newid yn llwyr. Yn wir, onid ydyn nhw, fel dynion ac fel awduron, wedi cael eu cyfieithu mewn rhyw fodd?

Onid ydyn nhw, i ryw raddau o leiaf, wedi defnyddio neu hyd yn oed ymelwa ar ddeunydd crai eu cefndiroedd er mwyn cynnig adloniant i gynulleidfa sydd, yn dechnegol, yn estron iddyn nhw?

Rhaid cofio geiriau Athos yn *Fugitive Pieces*:

> Beth yw dyn sydd heb dirlun? Dim byd ond drychau a llanwau.

A gafodd y dynion y soniais i amdanyn nhw uchod eu temtio i barodïo a llurgunio, i wyrdroi'r deunydd crai yr oedden nhw'n ei ddirnad fel artistiaid? A gwneud hynny er mwyn cyrraedd, a hyd yn oed chwarae i fyny i, gynulleidfa wahanol i'w pobl eu hunain, a hefyd i gau allan y bobl hynny? Er mwyn bod yn fyd-eang rhaid hefyd bod yn neilltuol; y cyfanfyd yn y bychan fyd – hyd yn oed yn achos Beckett.

Rydw i'n ddigon anuniongred i gredu fod peth o waith Rushdie, er enghraifft, yn troseddu yn hyn o beth. Dydw i ddim am eiliad yn gwarafun i awdur ddirnad a datgelu ac ymosod ar bob rhagrith a thwyll, lle bynnag y gwelir hynny, ond i'r hyn a ysgrifennir ganddyn nhw fod yn llenyddiaeth, nid propaganda neu bolemig. Ond rhaid cofio geiriau artist sydd ben ac ysgwydd uwchben awduron fel Naipaul a Rushdie, ac un oedd, yntau, wedi dioddef sen ac erledigaeth o law'r Philistiaid a'r rhagrithwyr, sef William Butler Yeats, pan atgoffodd ni: 'Tread softly because you tread on my dreams.'

Agwedd arall, wrthgyferbyniol, i hyn i gyd yw bod nifer o awduron yn anfodlon, neu yn ei chael hi'n anodd, disgrifio materion sy'n wleidyddol anghywir. Rydw i'n cofio trafod y pwnc gyda'r ddiweddar Bernice Rubens. Mae'n broblem sy'n wrthwyneb i'r rheidrwydd categorïaidd Calfinaidd i ysgrifennu bron yn wenieithus, gan ddisgrifio pethau fel y *dylen* nhw fod, yn hytrach nag fel y *mae*'r artist yn eu gweld neu yn eu synhwyro nhw. Mae hynny, wrth gwrs, yn hollol wrth-lenyddol. Nid oes lle mewn llenyddiaeth i osgoi unrhyw fater, gan gynnwys trafod cymeriadau sy'n Iddewon neu'n

Fwslemiaid neu'n Gymry neu'n bobl anabl, neu'n aelodau o unrhyw leiafrif, mewn ffordd ddifrïol os mai pobl fel 'na ydyn nhw. Felly, mae'n anghywir i wahardd y ddrama am y Siciaid yn Birmingham, neu *Jerry Springer, The Opera*.

I droi at fy mhriod bwnc, sef cyfieithu stori fer hir, neu *novella* – yn ystyr Thomas Mann – gan Ann Petry. Mae'r stori 'In Darkness and Confusion' (1947) wedi ei chynnwys mewn cyfrol o'r enw *Harlem: Voices from the Soul of Black America*.[1] Ganwyd Ann Lane Petry mewn trefn fechan yn Conneticut ym 1908, a bu farw yn Harlem ym 1997. Fe ysgrifennodd nofelau, a llyfrau, i oedolion a phlant. Mae'n debyg mai *The Street* (1946), nofel rymus, naturiolaidd, yw ei gwaith enwocaf. Seiliwyd y digwyddiadau yn 'In Darkness and Confusion' ar Derfysgoedd Harlem ym 1943.

Ar ddiwrnod poeth ar Awst 2, 1943, roedd terfysg yn cyniwair yn Harlem, Efrog Newydd. Rhyw bythefnos ynghynt fe gafwyd rhai yn Detroit, ac roedd yna elyniaeth anhrefnus rhwng pobl wyn a rhai du Harlem. Gadawodd y digwyddiadau archoll ddofn yng nghalonnau brodorion Harlem a phobl America, wrth iddyn nhw gyffwrdd bywydau trigolion Harlem, ac arddangos i'r byd ddarlun o berthynas hiliau yn yr Unol Daleithiau. Ac nid yn hen Daleithiau Cydffederal y Dehau yr oedd hyn yn digwydd.

Disgrifiwyd y terfysg yn fyw iawn gan James Baldwin, oedd yn claddu ei dad y diwrnod hwnnw, ei ben-blwydd ei hun yn bedair ar bymtheg oed. Roedd rhaid iddo deithio trwy strydoedd oedd yn frith o wydr plât toredig a nwyddau wedi eu chwalu. Ei sylw oedd:

> Byddai'n well petai'r gwydr plât wedi cael llonydd a'r nwyddau briw yn eu lle yn y siopau. Hynny fyddai orau, ond byddai'n annioddefol, gan fod Harlem eisiau cael malu rhywbeth.

Mae'n siŵr iddo fod yn emosiynol iawn y diwrnod hwnnw, a gallai hynny fod wedi lliwio'r ffordd y gwelodd o'r digwyddiad.

Yn y *New York Times* yr Awst hwnnw, roedd Walter White, cynrychiolydd yr NAACP (Y Gymdeithas Genedlaethol dros Ddyrchafu Pobl Liw) yn gweld pethau yn wahanol. Fe wnaeth Harlem, meddai, 'ddod i'r berw'. Priodolwyd y rheswm am y terfysg i'r ffaith i filwr negroaidd, Robert Bandy, gael ei gyhuddo o droseddu: 'y milwr negroaidd . . . a gyhuddir o ymosod ar heddwas gwyn oedd yn arestio gwraig negroaidd mewn gwesty yn Harlem'. Ymledodd chwedl fod yr heddlu gwyn wedi lladd y milwr du wrth iddo geisio amddiffyn ei fam. Achosodd hyn ryferthwy o derfysg a fu bron â distrywio Harlem. Mae'r ystadegau sydd ar gael yn amrywio yn ôl y ffynhonnell, ond fe anafwyd tua 500 o bobl, roedd pump wedi'u lladd, a rhwng 450 a 500 wedi eu harestio, a niwed gwerth tua 500,000 hyd at filiwn doler wedi ei wneud, yn ôl y *New York Times*. Roedd tua 6,000 o heddlu yno dros ddeuddydd y terfysg. Fe wnaeth y rhain nid yn unig helpu i dawelu'r terfysg, ond hefyd i orfodi cadw'r cnul am 10.30 a osodwyd gan y Maer LaGuardia. Fe wnaeth ef hefyd atal pob tramwyaeth ar wahân i gerbydau gwasanaeth nes i bethau dawelu ymhen rhyw ddeuddydd. Fe gaeodd y siopau naill ai oherwydd y niwed iddyn nhw neu rhag ofn i'r terfysg ailgynnau, a wnaethon nhw ddim agor am ddeuddydd arall. Gwaharddodd y maer y ddiod gadarn trwy Harlem yn ystod ac ar ôl y terfysg, ond fe wnaeth yn sicr hefyd fod cyflenwadau brys o fwyd ar gyfer pobl y siopau a'r tai oedd wedi eu llosgi, a hynny wedi ennyn diolch y gymuned ddu iddo. Ond nid dim ond y bobl oedd yn rhan o'r terfysg yn Harlem a ddioddefodd oddi wrtho, ond perthynas yr hiliau ar draws y wlad, yn ogystal.

O safbwynt gwahanol iawn, disgrifiwyd y digwyddiadau yn fanwl yn *Newsweek* fel hyn:

> O fewn hanner awr roedd dihirod Harlem ar gerdded. Malwyd ffenestri siopau gwystlo a diod a groseriaid a dwyn y cynnwys. Dechreuodd y Negroaid ddefnyddio cyllyll a'r heddlu'n defnyddio'u gynnau . . . Rhuthrwyd miloedd o heddlu wrth gefn i'r ardal, llawer ohonynt yn Negroaid . . . Dargyfeiriwyd traffig o gwmpas Harlem . . . Yn y pen draw, roedd hi'n frwydr rhwng yr heddlu a'r ysbeilwyr Negroaidd.

Roedd Terfysg Harlem, gyda'r marwolaethau a'r distryw, yn ddigwyddiad penodol a gysylltwyd gan Baldwin â'i brofiadau personol ei hun. Yn *Notes of a Native Son* (1955) fe ddywedodd:

> Ychydig oriau wedi angladd fy nhad, tra oedd yn gorwedd mewn anrhydedd yng nghapel yr ymgymerwr, dechreuodd terfysg hiliol yn Harlem. Ar fore'r 3ydd o Awst, fe yrron ni fy nhad i'r fynwent trwy anialwch o wydr wedi ei falu.

Roedd y byd a adawyd ar ôl i Baldwin gan ei dad yn ymddangos yn apocalyptaidd. Mae'n ymddangos bod yr holl emosiynau a'r anghyfiawnderau a nodwyd gan Baldwin wrth ddisgrifio'r terfysg a'i adladd yn cyfateb i'w deimladau a'i emosiynau ei hun wrth iddo ddod i delerau â'i brofiadau ef ei hun a'i dad yn ystod y cyfnod hwn.

Ond, i ddychwelyd at fy nghyfieithiad i. Pam, fe ellir gofyn, cyfieithu gwaith Saesneg i Gymraeg? Wedi'r cyfan, mae pob darllenydd Cymraeg yn deall ac yn darllen Saesneg. Un ateb syml yw na allwn ni ddarllen popeth, a bod cyflwyno'r stori i'r darllenwyr Cymraeg yn ffordd o gyflwyno byd arbennig; agwedd arbennig tuag at fywyd; safbwynt gwleidyddol arbennig. Rwy'n meddwl fy mod i, fel y rhan fwyaf o'r Cymry, yn uniaethu gyda'r rhai sydd dan orthrwm, mae'n debyg oherwydd fy mod yn disgyn o linach hir o wrthryfelwyr, gyda thad a fu'n gludwr stretsiars di-arf yn y ffosydd blaen yn y Rhyfel Mawr, ac wedyn yn rhan o'r carfanau a ymunodd i ffurfio Plaid Genedlaethol Cymru. Rwyf hefyd yn credu ei bod hi'n agwedd weddol normal i gefnogi'r rhai gwannaf a'r rhai dan orthrwm, ac wedi'r cwbl rydw i'n Gristion yn ogystal â bod yn sosialydd.

Mae hi hefyd yn wir, yn gyffredinol, fod aelodau o genhedloedd a oresgynnwyd ar ryw adeg, ac sydd â chraith y gorthrymedig ar eu heneidiau, yn tueddu i uniaethu gydag eraill mewn cyflwr cyffelyb – er, wrth gwrs, bod rhai yn mynd yn fwy balch wrth gael eu huniaethu â'r gormeswyr.

O safbwynt yr iaith Gymraeg, mae'n beth da iddi orfod ymestyn ei chyhyrau wrth ymwneud â phobl a sefyllfaoedd sy'n ddieithr iddi, hyd yn oed yn estron neu'n egsotig. I ddefnyddio ystrydeb, mae'n broses sy'n estyn ein gorwelion. Er hynny, ni ddylid fyth buteinio unrhyw ymarfer llenyddol trwy ei droi yn bropaganda. Rhaid i'r gwaith a gyfieithir fod yn llenyddiaeth dda i gyfiawnhau ei drosi, a'i gyhoeddi. Yn achos stori Ann Petry, mae'n llenyddiaeth wych.

Mae'r gwaith mor gynnil. Mae'r prif gymeriad neu'r arwres mor anfodlon â Thomas More, yn nrama enwog Bolt, *A Man for All Seasons*, i gael ei merthyru. Rhyw wraig ddu ddosbarth canol yw hi, yn byw bywyd tawel, gweddus, teuluol. Nid protestiwr nac ymgyrchwraig arferol mohoni. Gwraig barchus, gyfeillgar, sy'n cael ei thynnu i mewn i'r brotest oherwydd i'r tyndra oedd ymhlyg yn sefyllfa israddol, orthrymedig y bobl dduon ddyfod yn annioddefol a ffrwydro. Mae'r disgrifiad o'r digwyddiadau, y terfysg, yn gyflwyniad didostur o'r sefyllfa a'r storm sydd ar y gorwel, yn atgoffa dyn o nofel ryfeddol Barry Unsworth am y gaethglud, *Sacred Hunger*.

Cyflwynir y sefyllfa a'r digwyddiadau inni yn gelfydd iawn, gydag apartment bychan yn gartref i'r pâr priod a nith iddi hi. Enw'r gŵr, yn ddigon diddorol, yw William Jones, a'i henw hi yw Pink. (Cafwyd trafodaethau gwerthfawr yn ddiweddar am y cyfenwau Cymreig a geir yn yr Unol Daleithiau yn deillio oddi wrth y meistri caethwasiaeth, megis darlith Daniel Williams, 'Black Skins, Blue Books: Slavery, Translation and Victorian Wales', sy'n cysylltu'r erledigaeth a'r cam-drin ar bobl dduon, ar y naill law, ac ar y llaw arall, y ffordd y perswadiwyd y Cymry i gasáu eu hunain trwy imperialaeth ieithyddol ganol y bedwaredd ganrif ar bymtheg.)

Mae gan y pâr priod yn stori Ann Petry fab, eu hunig blentyn, sydd wedi gwneud yn dda yn yr ysgol, ond wedi gorfod ymuno â'r fyddin, a chael ei yrru i Georgia, lle mae'r 'gwynion' yn trin y 'negroaid' yn wael iawn – hyd yn oed yn waeth nag Efrog Newydd. Chafwyd dim sôn amdano ers tro, ond, mewn siop barbwr, caiff y tad glywed gan filwr arall fod y mab wedi cael ei saethu gan heddwas milwrol gwyn am wrthod mynd i 'adran y *niggers*' mewn bws. Roedd y milwr du, y mab, wedi ymateb trwy saethu'r heddwas yn ei ysgwydd, wedi mynd gerbron Cwrt-marsial, a chael dedfryd o ugain mlynedd o benyd-wasanaeth.

Mae'r newyddion yn corddi'r tad i'w seiliau, er ei fod am gadw'r newyddion oddi wrth ei wraig, sy'n mynd i'r eglwys yn ei dillad gorau. Mae'r tad wedi rhoi'r gorau i fynychu eglwys am fod y gweinidog bob amser yn sôn am y byd nesaf gan anwybyddu trueni'r gorthrymedig yn yr un hwn. Yna ceir golygfeydd cyffelyb i'r hyn ddigwyddodd yn y terfysg a fu yn Harlem yn Awst 1943, a milwr du yn cael ei saethu'n farw gan heddwas gwyn wrth iddo amddiffyn dynes ddu. Mae gorymdaith brotest yn ymffurfio.

Mae'r orymdaith yn troi yn rhyferthwy, wrth i'r heddlu, sydd i gyd yn wyn, gyrraedd ar eu meirch, yn eu cerbydau ac ar droed. Ond mynd o nerth i nerth mae'r orymdaith. Mae'r tad yn cyfarfod ei wraig yn dychwelyd o'r eglwys yn ei dillad gorau. Esbonia iddi beth sydd wedi sbarduno'r brotest, ac yna dweud beth sydd wedi digwydd i'w mab.

Fe drawsnewidir Pink, a daw'n arweinydd yr orymdaith, gan falu ffenestri gwydr plât y siopau crand, ac ysbeilio'r cynnwys. Caiff llawer o'r protestwyr eu harestio a'u cludo ymaith, ond mae Pink yn dal ati, gan ymosod ar y stordy alcohol. Mae hi ei hun yn llwyrymwrthodwraig, ond am i'r dynion duon yfed y cwbl o ddiod y dyn gwyn. Gyda rhyw nerth arwrol, mae hi'n tynnu giât y lle oddi ar ei cholfachau, gan adael y llu o brotestwyr i mewn. Wedyn, fe'i hebryngir tuag adref gan ei gŵr, ond mae'n methu cyrraedd, gan farw ar y stryd, wrth iddo yntau sgrechian, 'Bastards! Bastards uffar!'

Ar y pryd, roedd darllen y math hwn o lenyddiaeth yn brofiad rhyfedd i Gymro Cymraeg ar Ynys Môn. Ac eto, roedd fy nhad wedi fy magu i feddwl y byd o Gandhi a Robeson, ond ar wahân i ambell GI croenddu yn Awyrborth y Fali yn ystod yr Ail Ryfel Byd, yr unig bobl a elwid yn 'negroaid' yn fy ymwybyddiaeth i oedd y rhai mewn rhannau israddol yn ffilmiau Hollywood, yn cael eu trin yn nawddoglyd ar y gorau. Doedd Sidney Poitier ddim wedi cyrraedd fy ymwybyddiaeth bryd hynny.

Fe gyfieithais i'r stori hon ym 1974, ac erbyn hynny roedd mudiad protest di-drais Cymdeithas yr Iaith wedi bod yn ymgyrchu am ryw bymtheg mlynedd, gan adleisio protest y duon yn yr Unol Daleithiau, ac roeddwn i hyd yn oed wedi bod yn y carchar fel rhan o'r frwydr. Yno, fe lwyddodd carcharor du i gael neges ataf ar bapur tŷ bach yn dweud y byddai'r iaith Gymraeg 'yn uchel wrth ochr allor Duw ar Ddydd y Farn'. Cyn bo hir wedyn fe ysgrifennais i nofel, *Bod yn Rhydd*, am garchariad ymgyrchwr Rastaffaraidd yng Nghaerdydd, wrth imi deimlo fy mod yn medru uniaethu efo fo i ryw raddau.

Ar y pryd, roedd llawer o bobl barchus – a defnyddio gair amwys – dynion a merched o Gymry, pregethwyr ac athrawon, meddygon a phenseiri, yn torri'r gyfraith mewn dulliau di-drais yn enw hawliau ieithyddol. Ond rhaid pwysleisio eto mai ansawdd y stori fel llenyddiaeth wnaeth imi feddwl ei bod hi'n werth cyfieithu stori Ann Petry.

Er hynny, dylwn nodi un ffaith ddiddorol y deuthum ar ei thraws wrth ailddarllen y stori unwaith eto, sef bod y neges gan dad y milwr a anfonodd at awdurdodau'r fyddin yn Georgia: 'You alright? your daddy?' bron yn union yr un geiriau ag a anfonodd fy nhaid i, oedd yn brin ei Saesneg, at y Swyddfa Ryfel yn Llundain i holi am na chlywodd ers tro byd oddi wrth ei fab, fy nhad i, yn ystod y Rhyfel Mawr.

Roedd llawer ohonon ni yma yn y chwedegau a'r saithdegau wedi darllen Baldwin, wedi synnu at ei gasineb tuag at rai o'n heiconau ni megis Cadeirlan Chartres, ond wedi deall llawer o'r hyn yr oedd wedi ei ysgrifennu am sefyllfa'r bobl dduon yn America, ac yn cefnogi Luther King a'r Mudiad Hawliau Sifil i'r carn. Yn llenyddol, er hynny, roeddwn i'n gweld stori Ann Petry yn fwy tebyg i stori fawr Pär Lagerkvist, yr awdur Swedaidd a enillodd y Wobr Nobel, sef *Gŵyl y Briodas*, a droswyd i'r Gymraeg mor wych gan y diweddar Athro T. P. Williams, cyn-bennaeth yr Adran Almaeneg yn y brifysgol yng Nghaerdydd.

Yn y gwaith hwnnw, fe welir yn eu tro hudoliaeth a chyffro paratoadau priodferch ar gyfer seremoni ei phriodas, a'i darpar ŵr awchus, ac yna'r wedd arall, yr un wachul, wrth inni sylweddoli'n raddol nad yw'r priodfab fawr o fargen, a'i golygon hi braidd yn siomedig, a'i gwallt yn rhy denau iddi fedru bachu'r benwisg arno.

Ond, er hynny i gyd, rydym yn dod wyneb yn wyneb â rhyfeddod emosiwn pwerus cariad sy'n trwytho'r holl gymeriadau a'u gweithredoedd gyda rhyw ansawdd arwrol. Dyna'r math o arwriaeth rydw i'n ei edmygu cymaint yn y cymeriad a greodd Ann Petry, sef Pink.

NODYN

1 Ymddangosodd 'In Darkness and Confusion' am y tro cyntaf yn Edwin Seaver, (gol.), *Cross Section* (Efrog Newydd: L. B. Fischer 1945) – antholeg o awduron Americanaidd. Darllenodd Harri Pritchard Jones y stori yn John Henrik Clarke, (gol.), *Harlem: Voices from the Soul of Black America* (Efrog Newydd: New American Library 1970). Mae'r cyfieithiad Cymraeg gan Harri Pritchard Jones yn *Taliesin*, Cyfrol 29, (Rhagfyr 1974), tt. 67–96.

Y TRYWYDD SOCRATIG: JAZZ, DIWYLLIANT A LLENYDDA

Owen Martell

Peth digon rhyfedd yw meddwl am eistedd i lawr ac ysgrifennu am gerddoriaeth, fel mynd ati i drio gwnïo ffrog â gwelltyn. Braint y glust yw jazz, a braint y meddwl a'r galon, wrth reswm – ddim ond y byddai angen superman i ddadansoddi'r rheswm hwnnw. Yn fy mhrofiad i ohono, mae'r rheswm sydd ar waith, wrth wrando, yn ildio i bethau eraill. Y mae fel petai – er ei fod lawn mor rhesymegol â rheswm gwaed oer neu resymu dall, rhesymu mawrygol neu unrhyw fath arall ar reswm – fel petai wedi'i seilio, tra pery'r swyn, ar bethau y mae hi'n demtasiwn dweud eu bod nhw'n wrth-resymegol; rheswm sydd yn drefn ac yn anhrefn; rheswm hefyd sydd yn allu i gyfri amser yn y fath fodd ag i drawsffurfio mesur yn deimlad, a'r teimlad hwnnw'n meddiannu'r meddwl a'r corff – y drymiwr sy'n cyfri â'i draed â'r fath sicrwydd anghorfforol, anffaeledig, fel y gellid dweud yn wir taw ei draed sy'n ei gyfri fe – ac yn troi'r ddeubeth yn undod sydd yn ddim os nad yw'n gosmig (yn yr ystyr ffisegol neu yn yr ystyr 'cosmic, man', fel y mynnoch). Treuliais rai o eiliadau mwyaf gogoniedig fy mywyd yn ceisio cyfri gyda drymwyr da – Paul Motian a Rashied Ali yn Efrog Newydd, Ian Williams a Mark O'Connor yng Nghaerdydd, i enwi dim ond pedwar – a drysu'n llwyr wrth iddyn nhw'n raddol ddinistrio'r tir cadarn oddi tanaf a'm gadael i arnofio'n ddibwysau, cyn fy nhywys i deimlo eto, fel Lasar ar ei ffordd allan o'r ogof, y pwls, fel pwls peristalsis yn y cylla, neu bwls y ddaear hen. A hyn i gyd yn wyneb y ffaith hefyd – y rheswm, yn union – sy'n mynnu bod jazz yn iaith fel ieithoedd eraill ac iddi'i gramadeg a'i threigladau a'i berfau afreolaidd a'r rheiny, fel yn achos y Saesneg yn yr ugeinfed ganrif, wedi treiddio i bedwar ban byd a chyrraedd adre eto â chroniant newydd-fyd amdanyn nhw. A dyna ddigon o ragymadroddi, efallai, i wneud y pwynt sylfaenol mai ehangder yw jazz.

Hanes digon personol yw hanes fy ymwneud i â'r cyfrwng. Dw i ddim yn arbenigwr, nac ar y gerddoriaeth ei hun nac ar ei chymdeithaseg na'i hanes, nac ar y personoliaethau na'r bandiau chwaith. Mae yna rai sy'n hoffi adnabod moddau'r cyweirnodau, sydd wedi'u henwi fel petai â thafodau'r Ysbryd Glân – Ffrygiaidd, Lydiaidd, Doriaidd ayyb – ac yn profi'r wefr trwy ddealltwriaeth o'r cordiau a'u incidentals; eraill sy'n dilyn y patrymu tryblith fel petaen nhw'n darllen hafaliadau mathemategol cymhleth, o'r ddamcaniaeth wreiddiol trwy'r amrywiol newidynnau at y prawf terfynol; mae eraill eto'n hoffi cadw ar eu cof gofnod clir o offerynwyr a glywyd, recordiau a brynwyd, cyngherddau a welwyd. Dw i ddim yn ddigon o gerddor i ffitio i'r grŵp cyntaf, ddim yn ddigon o fathemategydd i berthyn i'r ail a doedd fy nghof erioed yn ddigon da (na'r awydd i gofio'n ddigon cryf, efallai, dan ddylanwad rhyw deimlad nad fel yna y gwerthfawrogwn i bethau orau) i berthyn i grŵp y gwybodusion. (Gan gofio hefyd, wrth gwrs, mai symptomau'r cyflwr yw'r rhain i gyd, nid ei achosion gwaelodol.)

Hanes brawdoliaeth ydyw, yn hytrach, yn f'achos i, a chyfeillgarwch mawr – â'r cyfrwng ei hun ac ag un cyfaill penodol hefyd. Roeddwn i yn f'ugeiniau cynnar pan ddechreuais wrando'n iawn – dilyn ei argymhellion angerddol ef – ac roedd yn un o'r cyfnodau hynny sy'n esgor ar ddarganfyddiadau pwysig a newidiadau dyfnion. Ar yr un pryd â darganfod jazz roeddwn i hefyd yn darganfod bywyd newydd fel oedolyn, yn rhentu tŷ ac ennill arian am y tro cyntaf, ac yn trio gweld y ffordd ymlaen. Fe dynnais y gerddoriaeth amdanaf – fel y tynnais amdanaf y cyfeillgarwch a arweiniodd at ei darganfod – fel mantell. Swniai fel holl gyffroadau bywyd – mor egnïol ac mor fywiog ac, yn bwysicach fyth, mor ddifrifol ag yr oeddwn i am fod ymhob peth newydd a ddeuai gerbron. Roedd y cyfan oll yn hwyl difrifol.

Dw i'n cofio, er enghraifft, i ni dreulio nosweithiau lawer yn dadlau am fyrfyfyrio, mewn tafarnau y byddai wedi bod yn dda gennym tasen nhw'n glybiau tanddaearol ac ar agor yn hwyrach. I ba raddau allai free jazz fod yn wirioneddol rydd pan oedd cymaint o gerddorion mor gyfarwydd, yn fwy cyfarwydd hyd yn oed, â'r nodau a'r moddau a'r graddfeydd nag yr oedden nhw â'u plant eu hunain? Sut allech chi mewn difri calon ymarfer byrfyfyrio? Onid oedd y peth, mewn gwirionedd, yn gyfansoddi-wrth-fynd? A thybed nad oedd ffurfiau eraill yn fwy rhydd oherwydd eu cyfyngiadau? Taw cyfyngiadau oedd y norm, mewn gwirionedd, mewn jazz fel mewn unrhyw agwedd arall ar fywyd, ac na ellid synied am gyflwr digyfyngiad yn fwy nag y gellid meddwl am law di-ddŵr. A beth wedyn am y bachan 'digynhysgaeth' nad oedd e'n frawd yn ffydd y traddodiad ond a gynhyrchai synau anhygoel â'i sacsoffon – ai jazz oedd hynny? A oedd hyd yn oed yn gerddoriaeth? Mae hi'n fesur, efallai, o fywiogrwydd arhosol ein trafodaethau nad ydw i'n siŵr o hyd pa un o ddau begwn y ddadl sy'n fy mhlesio i fwyaf, yn ennyn ynof yr edmygedd mwyaf. A dw i'n dal i glywed hyn oll a mwy yn y gerddoriaeth – neu yn fy ngwrando, yn hytrach – ddeng mlynedd wedyn.

O'r dechrau, felly, roedd jazz yn gyfystyr â chwilfrydedd mawr, oherwydd yn ogystal â'r gerddoriaeth ei hun, yn sydyn, roedd yna fyd o ddylanwadau newydd a datblygiadau a dadleuon cysylltiol i ymwneud â nhw. Awduron a meddylwyr a hanesion personol a chymdeithasol, cymhleth a thanbaid. Nofelau James Baldwin a Ralph Ellison, cerddi Langston Hughes, hunangofiant Malcolm X ac, o'r cyfnod mwy diweddar, meddylwyr ac areithwyr croch fel Cornel West. Ymsefydlodd pob un o'r rhain yn f'ymwybod ac yn fy ngeirfa hefyd. Roedd dyfynnu Cornel West yn arbennig, a'i lond whilber o rethreg ysgubol a pherswadiol, wastad yn siŵr o godi gwên – y sôn di-ben-draw am ymchwil Socratig, chwilio profiad a 'relentless self-critique'. Er gwamalu, fe aeth hynny i'r byw. 'My soul ha[d] grown deep like the rivers,' chwedl Langston Hughes.

Roeddwn i'n ysgrifennu *Dyn yr Eiliad* tua'r adeg honno hefyd ac am wn i nad yw jazz yn ddigon creiddiol i'r llyfr hwnnw. O ran symbyliad, fe ddeilliodd o'r un chwilfrydedd yn union – y teimlad o fod yn byw anterth ein dyddiau, ein Hoes Jazz ein hunain, ac awydd wedyn i borthi'r teimlad hwnnw. Roedd delwedd o'r cerddor jazz, efallai, ymhlyg yn y teitl ei hun; yn sicr, roedd yr eiliad ddiderfyn, cadwyni cymhleth o gysylltiadau ac argraffiadau y gellid eu creu a'u datod mewn curiad diamser, yn rhywbeth a ddysgais o wrando – ac roeddwn i'n awyddus iawn i gynnwys hynny yng ngwead y nofel a'i chymeriadau. A phwy a ŵyr hefyd nad benthyciad o jazz modern ddechrau'r chwedegau oedd y syniad yn y nofel o'r 'triongl hafalochrog'? Alla' i ddim dweud bod y peth wedi'i wneud ar lefel gwbl ymwybodol ond mae'n rhaid bod ymdrechion yr hanner-Cymro, hanner-Rwsiad Americanaidd, Bill Evans, i geisio diffinio'r triawd delfrydol wedi goleuo fy nghanfyddiad o'r stori.

(*Ar ôl gadael grŵp Miles Davis, i mi gael rhoi ychydig o gefndir, wedi recordio* Kind of Blue *ac ysgrifennu dau o draciau'r albwm eiconig hwnnw (er i Miles Davis gymryd y clod – a'r arian – bron yn gyfan gwbl), cychwynnodd Bill Evans ei grŵp ei hun, grŵp lle roedd pob un o leisiau'r triawd i gael statws cyfartal. Fe recordion nhw – Evans, y drymiwr Paul Motian a'r basydd Scott La Faro – rai o'r recordiau triawd piano pwysicaf yn holl hanes y gerddoriaeth, er nad pawb sy'n cydnabod mawredd y bachan main o New Jersey. 'Rhy ymenyddol' yn ôl rhai, 'rhy wyn' a 'dim digon o swing' yn ôl eraill. Yn wir, cyfnod digon ansicr oedd ei gyfnod gyda grŵp Miles Davis. Ef oedd yr unig gerddor gwyn yn y grŵp ac mae'n debyg i hynny achosi cryn dipyn o wewyr meddwl iddo. Fel arweinydd grŵp du pwysicaf America ar y pryd, roedd sawl un o blith cynulleidfa niferus Miles Davis o'r farn y dylai gyflogi cerddorion du yn unig. Derbyniai Evans lai o gymeradwyaeth am ei solos pan berfformiai'r grŵp yn gyhoeddus ac er bod Davis ei hun yn edmygwr mawr o allu'r pianydd, gallai ei agwedd ef fod yn un ddigon pigog hefyd ar brydiau. 'We don't need no white opinions in the band,' meddai un tro, mae'n debyg. Ac roedd e eisoes wedi chwarae tric ar Evans er mwyn ei 'roi ar brawf' cyn iddo ymuno â'r pumawd. Dywedodd wrtho bod ei fand yn fand o 'frodyr' ac y byddai angen iddo gysgu â phob un ohonynt cyn gallu cymryd ei le yn eu plith. Mae'n debyg i Bill ystyried yn ofalus a dweud yn gwrtais na fyddai modd iddo wneud hynny cyn i Davis ddatgelu ei fod yn tynnu'i goes.*

Pharodd cyfnod Evans gyda'r grŵp fawr y tu hwnt i recordio Kind of Blue *a digon byrhoedlog oedd ei driawd nodedig cyntaf hefyd. Bu farw Scott La Faro brin ddeng niwrnod wedi iddyn nhw chwarae eu cyngerdd enwocaf, y rhyddhawyd recordiad ohoni dan y teitl* Sunday at the Village Vanguard *ym 1961. Roedd Evans erbyn hynny'n gwbl gaeth i heroin a'i fywyd fwy neu lai ar chwâl. Ond straeon eraill yw'r rheiny . . .*)

Roedd syniad o gydgerdded y diwylliannau Affro-Americanaidd a Chymreig yn amlwg i mi o gyfnod cynnar f'ymwneud â'r cyfrwng hefyd, felly. Yn y lle cyntaf, roedd yn demtasiwn meddwl bod ein dau ddiwylliant, a fodolai oddi mewn i fframwaith ehangach mwy neu lai gormesol, rhywsut yn un. Mae'n debyg taw ystumio a rhamantu brwdfrydig oedd hynny – eisiau cysylltu fy niwylliant cynhenid i â diwylliant cyffrous, cool. (Heb sôn am y ffaith bod i ormes atyniad digamsyniol hefyd, rhyw fath o syndrom Munchausen diwylliannol sydd fel petai'n dyheu am ei digwyddiadau hanesyddol ac erchyll ei hun . . .) Roedd yna ddos go dda o genfigen yno hefyd, mae'n siŵr: roedd ganddyn nhw Ornette Coleman a Herbie Hancock; cerdd dant oedd gyda ni. A Chymreigiad tila o'r 'blŵs', ynghyd â'i do bach embarrassing, Duw a'n gwaredo.

Yn fwy na hynny, dw i'n rhyw amau bod yr ymagweddu hwnnw, er ei fod yn tarddu o fwriadau digon nobl efallai, lawn mor reductive mewn gwirionedd ag agweddau eraill mwy dadleuol. Mae'r 'nhw' yn dal yno, wedi'r cyfan, ac yn ensynio 'ni' cyferbyniol. Y mae hefyd yn awgrymu unffurfiaeth – un diwylliant Affro-Americanaidd ac un diwylliant Cymraeg (ynteu am ddiwylliant Cymreig yr oeddwn i'n meddwl – dyna ddau yn barod!) yn hytrach na diwylliannau lluosog. A homogenedd cytûn oddi mewn i'r diwylliannau unigol. Mae hi'n siŵr, hynny yw, bod yna gymaint os nad mwy o wahaniaeth oddi mewn i ddiwylliant ag sydd rhyngddo a diwylliant arall. Ac felly bod yna gymaint o wahaniaeth rhwng Louis Armstrong a Cecil Taylor ag sydd yna rhwng Miles Davis a Bill Evans. A chymaint eto rhwng Saunders Lewis ac Adam Price, am wn i, ag sydd yna rhwng Saunders Lewis a'r diweddar annwyl Viscount Tonypandy.

Nid cymharu *per se* yw'r peth diddorol, felly, o angenrheidrwydd. Ond, fel y soniais wrth gyfeirio at fy nghyflwyniad i'r cyfrwng, mae yna syniad, neu deimlad efallai, o frawdoliaeth sydd yn mynnu aros, yn y gwrando ac yn y meddwl. Mae'n bosib taw awydd i gymathu ydyw yn hytrach na chymharu, rhywbeth sydd yn nes at empathi, a'i fod, unwaith yn rhagor, yn perthyn i brofiad ar y lefel ddynol yn hytrach nag i reswm oer.

Mae jazz yn ffurf gelfyddydol a'i gwreiddiau'n ddwfn yn y diwylliant Affro-Americanaidd, yn ei hanes cythryblus ac yn y frwydr hir dros hawliau sifil. Roedd nifer o'r cerddorion amlycaf hefyd yn ymgyrchwyr, yn eu gweithredoedd a'u datganiadau fel yn eu cerddoriaeth, ac mae blas gwahanol gyfnodau'r frwydr ar lawer o'r gerddoriaeth honno. Nod gwreiddiol Max Roach, er enghraifft, oedd cyflwyno'i gyfansoddiad *We Insist! – Freedom Now* yn rhan o raglen canmlwyddiant yr *Emancipation Proclamation* ym 1963. Hanes llyfr, i raddau helaeth, yw'r cyd-destun hwnnw, o ran fy nealltwriaeth ohono, ond mae trac fel 'Prayer/ Protest /Peace' yn swnio i mi, yn 2010, fel talp o ymroddiad diddirywiad a diwyro. Mae'n tasgu.

Ond roedd jazz hefyd yn gerddoriaeth ddawns, yn gerddoriaeth boblogaidd ac yn ddeialog, felly, rhwng pobl a'u difyrrwch. Mae hynny'n dal i fod yn wir heddiw ond, a'r oes wedi newid, y mae bellach yn fwy tebygol o fod yn ddeialog rhwng pobl a'u waledi; yn Efrog Newydd, er enghraifft, lle roedd y clybiau yn werinaidd a garw, mae llawer ohonyn nhw bellach yn ffansi a drud ac mae'r gerddoriaeth ei hun wedi tynnu amdani naws elitaidd, ddeallusol. Mae yna ddeialog felly rhwng presennol a gorffennol, rhwng jazz a'i chwedloniaeth a'i thraddodiad(au) ei hun. Ac yn y cyd-destun hwn, mae gwrando yn safbwynt ynddo'i hun – boed y safbwynt hwnnw'n un gwyn ai peidio.

Ac er agosed y berthynas hanesyddol rhwng jazz a chymunedau Affro-Americanaidd, nid yw'r naill yn gyfystyr o angenrheidrwydd â'r llall. Gellid dweud, efallai, bod jazz yn cynrychioli deialog rhwng pobl a'u mynegiant, fel perthynas ei siaradwyr â'r Gymraeg o bosib. (A gan ein bod ni'n gwybod am Gymry rhonc nad ydyn nhw'n siarad iaith y nefoedd, hawdd dychmygu bod yna Affro-Americanwyr nad yw rhythm yn gynhenid iddyn nhw chwaith, chwedl yr hen ystrydeb.) A dw i'n cael fy nhynnu'n gynyddol, felly, at y syniad o jazz fel iaith – neu jazz fel cywair ieithyddol, beth bynnag. Efallai fod synied am y peth yn y termau hynny yn fwy diddorol yng nghyd-destun y drafodaeth hon.

Sŵn rhai'n ymhyfrydu yw jazz. Y chwarae gorchestol a'r cyd-dynnu celfydd. Sŵn rhywun yn mwynhau ei iaith, yn ymdrybaeddu ynddi – ac mae'r sŵn yn wahoddiad i ni wneud yr un fath. Chwyth dy drwmped, cân bennill fwyn. Mae ieithoedd yn bethau i'w dysgu, wedi'r cyfan, ac yn hynny o beth d'yn nhw ddim yn caniatáu perchnogaeth; d'yn nhw ddim yn eithrio nac yn gwrthod. Mae iaith yn cynnwys ynddi y syniad o draddodiad – ac o darddiad – ond dyw hi ddim yn mynnu, all hi ddim mynnu yn wir, bod ei siaradwyr yn gyfarwydd â'u Dafyddau ab Edmwnd neu'u Buddies Bolden yn y fath fodd ag i'w mawrygu. Mae yna sawl ffordd o ddysgu iaith, hefyd; gellir ei derbyn hi yn llaeth mamiaith neu fynd ati yn nes ymlaen, fel oedolyn i fanglo Ffrangeg. R'yn ni'n dal i ddysgu'r Gymraeg, o hyd ac o hyd, am ei bod hi'n newid o hyd ac o hyd. Felly hefyd jazz a'i gerddorion – a'r enghraifft amlycaf o hynny efallai yw Miles Davis ei hun yn ei amrywiol fetamorffosis. (Yn ffodus, roedd ei ddatganiadau ar amrywiaeth eang o bynciau, fel ei yrfa, yn llawn o wrthddywediadau llachar.) Ond y peth mawr, hyd y gwelaf i, yw bod dysgu iaith – ac ymwneud yn egnïol â hi – yn ein harwain hefyd at groniant yr iaith honno, yr hyn y mae'r geiriau neu'r nodau yn ei gynnal, dan yr wyneb – ac allan o'r golwg yn aml hefyd – fel llwyth crog afon. Mae'n ddysg felly ynglŷn â'r posibilrwydd o gydymdeimlad.

Dw i'n meddwl, er enghraifft, am yr elfen 'bregethwrol' (heb gynodiadau negyddol y gair) sydd mor amlwg yn llenyddiaeth Affro-Americanaidd canol yr ugeinfed ganrif, yng ngherddoriaeth jazz yr un cyfnod ac yn ein diwylliant Cymraeg ni. Mae yna gyfochredd digon twt yn y fan honno, a pherthynas y gallwn ei chymathu, o bosib, rhwng iaith a'i mynegiant, perthynas y bregeth â'r disgwrs ehangach. Dw i erioed wedi bod yn eglwys y 'Wednesday night prayer meeting' y mae Charles Mingus yn ei chyfleu â'r fath gyfoeth gwyllt ar ei albwm *Blues and Roots*, ond mae'n siŵr gen i nad yn un o'r Carolinas neu yn Georgia neu Louisiana y mae'r porth trwy'r hwn y caf fynediad ati ond yng nghapel Ebeneser, Pontneddfechan, a'r cwrdd gweddi fore Sul – ac yn yr hanes o ddiwygiad perlesmeiriol roes fod iddo. Mae ymadrodd fel 'mynd i hwyl', wedyn, yr un mor addas i ddisgrifio solo gan John Coltrane ag ydyw i ddisgrifio un o bregethwyr yr hen do Anghydffurfiol Cymreig. A'r un mor addas i ddisgrifio Cornel West yn annerch cynulleidfa o ffyddloniaid ag ydyw i ddisgrifio'r anfarwol (ond dynol, gwaetha'r modd) Hywel Teifi Edwards yn moli a marwnadu a dadansoddi. Am fod gennym berthynas arbennig â'n hieithoedd a'n croniant ein hunain y mae modd i ni glosio at brofiadau ieithoedd eraill. Dyw hi ddim yn fater o gymharu uniongyrchol, oherwydd fe fydd yr union amgylchiadau ac ati yn wahanol bob amser – ond gwae ni os nad yw'n profiad dynol ni'n ein galluogi ni i nesu at y crud. Am hynny y dywedwn i y bydd jazz wastad yn swnio'n fyw i mi – hyd yn oed pan fydd e'n sownd yn ei rigol fel y mae rhai'n mynnu ar hyn o bryd, neu'n gwthio pa syniad bynnag o draddodiad neu ffasiwn sy'n digwydd bod yn gyfoes ac yn flaengar. Bydd y gwahoddiad i chwilio profiad wastad ynghlwm ag ef. A hynny, gobeithio, sy'n fy ngalluogi i berthyn i'r gerddoriaeth ac yn y gerddoriaeth. Fy mraint i yw hynny.

Fe orffenna' i hyn o ramble gyda dyfyniad arall gan Cornel West – 'Jazz is the highest form of symbolic democratic action' – ar yr amod ein bod ni'n cael trafodaeth dda wedi hynny, dros beint, a'ch dewis chi o record.

CYFRANWYR

SIMON BROOKS: Darlithydd yn Ysgol y Gymraeg, Prifysgol Caerdydd. Ymysg ei gyhoeddiadau mae: *O Dan Lygaid y Gestapo: Yr Oleuedigaeth Gymraeg a Theori Lenyddol yng Nghymru* (Gwasg Prifysgol Cymru, 2004) a *Yr Hawl i Oroesi: Ysgrifau Gwleidyddol a Diwylliannol* (Gwasg Carreg Gwalch, 2009).

MENNA ELFYN: Bardd, dramodydd ac awdur. Cyfarwyddwr y radd Meistr mewn Ysgrifennu Creadigol ym Mhrifysgol y Drindod, Caerfyrddin, a Chymrawd y Gronfa Lenyddol Frenhinol ym Mhrifysgol Abertawe. Ymysg ei chyhoeddiadau mae *Eucalyptus* (Gomer, 1999), *Cell Angel* (Bloodaxe, 1996), *Cusan Dyn Dall / Blind Man's Kiss* (Bloodaxe, 2001) a *Perffaith Nam / Perfect Blemish* (Bloodaxe, 2007).

HYWEL FRANCIS: Aelod Seneddol Plaid Lafur dros etholaeth Aberafan. Cyn hynny bu'n Athro yn yr adran Addysg Barhaus ym Mhrifysgol Abertawe. Ymysg ei gyhoeddiadau mae *History On Our Side: Wales And The 1984-85 Miners' Strike* (Parthian, 2009) a (gyda Dai Smith) *The Fed: a history of the South Wales miners in the twentieth century* (1980. Gwasg Prifysgol Cymru, 1998).

GWENNO FFRANCON: Uwch-ddarlithydd yn yr Adran Cyfathrebu a Chyfryngau, Prifysgol Abertawe. Awdur *Cyfaredd y Cysgodion: Delweddu Cymru a'i Phobl ar Ffilm, 1935-1951* (Gwasg Prifysgol Cymru, 2003).

JERRY HUNTER: Darllenydd yn Ysgol y Gymraeg, Prifysgol Bangor. Ymysg ei gyhoeddiadau mae *Llwch Cenhedloedd: Y Cymry a Rhyfel Cartref America* (Gwasg Carreg Gwalch, 2003) a *Sons of Arthur, Children of Lincoln: Welsh Writing from the American Civil War* (Gwasg Prifysgol Cymru, 2007).

E. WYN JAMES: Darllenydd yn Ysgol y Gymraeg a Chyd-gyfarwyddwr (gyda Dr Bill Jones) Canolfan Uwchefrydiau Cymry America, Prifysgol Caerdydd. Mae ei gyhoeddiadau amrywiol yn cynnwys 'Michael D. Jones: Y Cyfnod Ffurfiannol Cynnar', yn *Michael D. Jones a'i Wladfa Gymreig*, gol. E. Wyn James a Bill Jones (Gwasg Carreg Gwalch, 2009).

BILL JONES: Darllenydd yn Ysgol Hanes ac Archaeoleg a Chyd-gyfarwyddwr (gyda Dr E. Wyn James) Canolfan Uwchefrydiau Cymry America, Prifysgol Caerdydd. Awdur *Wales in America: Scranton and the Welsh 1860–1920* (Gwasg Prifysgol Cymru, 1993) ymysg llu o gyhoeddiadau eraill.

HARRI PRITCHARD JONES: Cyd-gadeirydd yr Academi Gymreig ac awdur dros 15 o gyfrolau sy'n cynnwys nofelau, storïau a beirniadaethau. Yn eu plith mae *Troeon* (Llyfrau'r Dryw, 1966) *Storïau tramor: Cyfieithiadau o storïau byrion o bedwar ban byd* (Gomer, 1974) a *Bod Yn Rhydd* (Gomer, 1992).

HELEN MARY JONES: Aelod Cynulliad Plaid Cymru dros etholaeth Llanelli. Dirprwy Arweinydd Grŵp Plaid Cymru yng Nghynulliad Cenedlaethol Cymru a Llefarydd y Blaid dros Iechyd a Gwasanaethau Cymdeithasol. Mae hi hefyd yn Gadeirydd Pwyllgor Plant a Phobl Ifanc y Cynulliad.

OWEN MARTELL: Awdur a chyfieithydd. Awdur y nofelau *Cadw dy ffydd, brawd* (Gomer, 2001) a *Dyn yr Eiliad* (Gomer, 2003), a chasgliad o storiau byrion ar y cyd â'r ffotograffydd Simon Proffitt, *Dolenni Hud* (Gomer, 2008).

GARETH MILES: Awdur straeon byrion, nofelau, cyfresi teledu a dramâu. Ymysg ei lyfrau mae *Llafur Cariad* (Hughes, 2001), *Ffatri Serch* (Gwasg Carreg Gwalch, 2003), *Lleidr Da* (Gwasg Carreg Gwalch, 2005), *Y Proffwyd a'i Ddwy Jesebel* (Gwasg Carreg Gwalch, 2007).

DANIEL G. WILLIAMS: Uwch-ddarlithydd yn yr Adran Saesneg a Chyfarwyddwr y Ganolfan Ymchwil i Lên ac Iaith Saesneg Cymru (CREW), Prifysgol Abertawe. Golygydd sawl cyfrol ac awdur *Ethnicity and Cultural Authority: From Matthew Arnold to W. E. B. Du Bois* (Edinburgh University Press, 2006).

DAVID WYATT: Darlithydd yng Nghanolfan Addysg Barhaus Prifysgol Caerdydd. Awdur sawl erthygl a'r gyfrol *Slaves and Warriors in Medieval Britain and Ireland, 800-1200* (Brill, 2009).

MYNEGAI